Aurélien Bellanger

Le Grand Paris

Gallimard

Aurélien Bellanger est né en 1980. Il est l'auteur de trois romans : *La théorie de l'information*, *L'aménagement du territoire*, prix de Flore 2014, et *Le Grand Paris*, ainsi que d'une pièce de théâtre, *Eurodance*.

L'Île-de-France

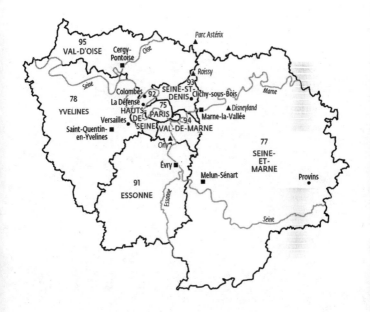

Parc Astérix ▲

95
VAL-D'OISE

Cergy-Pontoise ■

Oise

Seine

▲ Roissy

Colombes •
La Défense •
SEINE-ST-DENIS
• 92
93
Clichy-sous-Bois •

Marne

78
YVELINES

Versailles •
HAUTS-DE-SEINE
75
PARIS
▲ Disneyland
Marne-la-Vallée ▲

Saint-Quentin-en-Yvelines ■
94
VAL-DE-MARNE

Orly ▲

Évry ■

91
ESSONNE

Essonne

Melun-Sénart ■

77
SEINE-ET-MARNE

Provins •

Seine

Je m'appelle Alexandre Belgrand. On peut voir ce nom sur le premier étage de la tour Eiffel. C'est celui de mon lointain ancêtre, qui a conçu le réseau des égouts de Paris. Mon grand-père a dessiné Roissy et mes parents, à leur façon, ont contribué aussi à façonner la ville. J'ai imaginé moi-même l'un des plus importants réseaux de la capitale, un réseau de transport, mais la gloire en reviendra à l'homme que j'ai servi, avec passion et aveuglement, un homme dont je ne peux plus sans honte prononcer le nom : le Prince, *mon* Prince, la fausse idole de mes années de jeunesse. Il serait faux de dire que je l'ai remplacé, car IL est incommensurable, mais cela n'est pas une formule absolument vaine, si elle peut donner l'échelle de mon erreur, et faire comprendre la grandeur de mon péché, la nature de ma honte. Mais d'avoir connu l'orgueil, d'avoir pensé que j'étais le plus illustre représentant de ma famille et l'un des hommes les plus importants de ma génération, d'avoir ensuite été rabaissé, humilié et banni, d'avoir vu mon chef-d'œuvre m'échapper et devenir la propriété de quelqu'un d'autre, d'en avoir souffert au point de désirer mourir me permet d'affirmer ici, de façon certaine, que la gloire ne m'intéresse plus et que ce récit ne vise pas à rétablir une quelconque vérité, ni à réhabiliter mon nom. Il est écrit sur le premier étage de la tour Eiffel et la chose est bien ainsi, comme un fait, neutre et objectif, dont je ne tire aucune gêne ni aucun orgueil.

LES ANNÉES
D'APPRENTISSAGE

J'ai grandi à Colombes, au nord de la boucle que fait la Seine en aval de Paris, dans le département des Hauts-de-Seine. La plus majestueuse opération d'urbanisme de l'histoire de France, partie du Louvre en direction du couchant et remontant les Champs-Élysées jusqu'à l'Arc de triomphe, s'achève ici, au cœur de ma boucle natale, par une arche triomphale destinée à recueillir les derniers rayons des soleils d'équinoxe et à fermer l'immense dalle réfléchissante de la Défense, le quartier d'affaires dont elle est devenue le symbole. J'aimais, enfant, regarder le soleil se perdre à travers les miroirs biseautés des grands sièges sociaux qui fermaient l'horizon. Les tours Elf et Framatome étaient pour la France des symboles d'éternité et les infrastructures routières, d'un noir étincelant, appartenaient déjà au troisième millénaire.

J'étais un enfant des Hauts-de-Seine triomphants, un enfant du 92 destiné à perpétuer, en tant qu'ingénieur, architecte ou cadre dirigeant d'une multinationale, la domination occidentale sur le monde.

J'ai grandi dans la crainte du 93, la Seine-Saint-

Denis, le département voisin, le plus pauvre de France, connu pour ses cités sensibles, sa violence endémique et son immigration massive. Une longue île en arc de cercle marquait la frontière infranchissable entre notre boucle de la Seine et ces territoires sauvages. Nos élus s'étaient battus pour que la ligne de tramway qui les traversait d'est en ouest ne dépasse pas la Seine — ce qui avait durablement bloqué le projet d'une rocade continue autour de la capitale. Le 93 avait pour nous quelque chose de violent, de déchiqueté et d'irréel. Vu de l'intérieur confortable de notre boucle de la Seine, il ressemblait à la zone interdite de Tchernobyl, avec ses noms de rues sortis du folklore soviétique, ses friches industrielles désolées et mortelles, ses cités dangereuses et hostiles. Nous ne faisions généralement que le traverser sur une autoroute surélevée pour nous rendre à Roissy, autoroute à laquelle il tentait de s'accrocher comme un mendiant de conte oriental. Ce peuple avait pourtant connu le confort moderne, comme la première génération de Barbares après la chute de Rome avait pu profiter d'aqueducs encore fonctionnels. Mais les tours qu'il avait dû occuper paraissaient maintenant abandonnées, sans doute depuis que l'électricité avait été coupée et que leurs cages d'ascenseur, inutilisables, s'étaient transformées en pièges mortels. Leurs habitants étaient alors descendus ici et vivaient maintenant à même le sol nu de la ville dans des campements qu'on apercevait parfois, et les murs antibruit, autour de l'autoroute, ne servaient plus qu'à repousser leurs attaques. Un grand mât d'éclairage signalait le moment où nous devions quitter

16

l'A86 pour rejoindre l'A1, l'autoroute qui nous menait à Roissy — mât qui aurait pu servir à des sacrifices rituels, cette mauvaise imitation du soleil suffisant sans doute à satisfaire les sophistications primitives des rites indigènes. Mes parents attribuaient à ces mystérieux autochtones certaines des coupures de courant qui plongeaient soudain toute une section de l'autoroute dans le noir. Ils disaient qu'ils volaient le cuivre des câbles électriques et qu'ils mangeaient des rats, et j'avais retrouvé là quelque chose qui m'était familier, quelque chose que j'avais lu dans un roman d'aventures coloniales, où un peuple fluvial et fantomatique mangeait de la viande pourrie d'hippopotame et recevait, pour tout salaire, un peu de fil de cuivre.

Mais Roissy n'était plus qu'à quelques kilomètres, Roissy et son terminal circulaire, profond et futuriste. C'était, je le savais, le chef-d'œuvre de mon grand-père. Il était mort, hélas, un peu avant ma naissance, en tentant d'escalader un sommet du Hoggar algérien.

Il était né en Algérie, où il avait vécu presque sans interruption jusqu'à l'indépendance. Diplômé d'architecture, il avait construit plusieurs villas dans l'haussmannienne Oran. Il avait rejoint, assez naturellement je crois, de Gaulle plutôt que l'OAS, au risque de se priver de l'essentiel de sa clientèle, et s'était retrouvé assez vite dans le cabinet de Paul Delouvrier, qui venait d'être nommé délégué général du gouvernement en Algérie — un poste de super-préfet et, au vu des circonstances, presque de général.

Mon grand-père avait ainsi été chargé du programme des « Mille villages » : il s'agissait de construire des structures capables d'accueillir jusqu'à un million de personnes déplacées — le but étant de couper le FLN de sa base arrière en lui interdisant l'accès à une population civile qu'on disait de plus en plus lassée par la violence. Camp de réfugiés, camp de regroupement, villes nouvelles, l'interprétation du programme demeure discutée, mais je sais que mon grand-père s'y est appliqué avec ambition et rigueur, construisant en quelques mois des milliers de kilomètres de routes et des centaines d'écoles.

Quand l'Algérie a finalement accédé à l'indépendance, il a suivi Delouvrier, que les événements d'Algérie avaient achevé de transformer en homme d'État. Mon père s'amusait souvent à rapporter l'anecdote suivante, pour taquiner ma mère, d'origine bretonne : Delouvrier avait à l'origine demandé sa mutation pour la Bretagne, afin d'y continuer l'œuvre de modernisation commencée de l'autre côté de la Méditerranée, demande aussitôt rejetée par Michel Debré, le Premier ministre, au motif que cela risquait d'amener les Bretons à demander l'indépendance à leur tour. En vérité, Paul Delouvrier avait impressionné, notamment par sa capacité à organiser la vie des déplacés dans ces villages construits presque *ex nihilo*, et on avait jugé qu'il était, fort de cette expérience, celui qui pourrait le mieux projeter l'agglomération parisienne dans un avenir qu'on imaginait radieux, mais dont on savait aussi, depuis que des démographes avaient calculé que la ville compterait 15 millions d'habitants en l'an 2000, qu'il serait plein de dangers nouveaux et de périls inattendus.

Mon grand-père est ainsi devenu l'un des héros de ce formidable refus du malthusianisme et du déclin historique, l'un des architectes de ce défi lancé au futur par un pays qui venait de perdre une guerre et un empire, mais qui conservait une foi intacte dans le destin de sa capitale. Il avait accompagné plusieurs fois Delouvrier dans ses dimanches d'errance à travers la banlieue parisienne, errance urbanistique au terme de laquelle celui-ci avait décidé de construire cinq villes nouvelles autour du Paris historique, cinq villes nouvelles qui rempliraient pour lui des fonctions déléguées, démographiques, logistiques ou aéroportuaires.

Mon grand-père devait justement se charger d'ajuster les deux pistes d'un futur aéroport à la carte inédite du Paris des villes nouvelles, avec pour seul cahier des charges la tranquillité absolue du sommeil des Franciliens de l'an 2000. Roissy-en-France était pour cela le site parfait, à un détail près, véritable légende familiale et unique défaillance connue de mon grand-père — à l'exception, bien sûr, de l'accident qui lui serait fatal — : la présence du vieux village de Goussainville, qu'il n'aurait pas su éviter et qui serait bientôt transformé, par le bruit des turboréacteurs du Concorde, en ville fantôme et presque en écomusée de l'Île-de-France rurale — seul témoignage d'un monde où Delouvrier n'aurait pas existé.

On ne pouvait, c'était la grande intuition de Delouvrier, porter de grands projets sans réformer aussi les administrations concernées. Il avait ainsi plaidé pour une refonte complète des départements franciliens, façon de peut-être rendre à la France, sous une forme anamorphosée et réduite, une partie des dix-sept départements de l'Algérie perdue. Celui de la Seine donnerait ainsi naissance à quatre départements : l'un se confondrait au centre avec la ville de Paris, qui conserverait le chiffre 75, et se trouverait enchâssé entre trois entités nouvelles, les Hauts-de-Seine, la Seine-Saint-Denis et le Val-de-Marne, numérotés 92, 93 et 94 — chiffres jadis attribués à des départements d'Algérie. L'ancien département de Seine-et-Oise, qui correspondait à la grande couronne de Paris, laisserait sa préfecture, Versailles, aux Yvelines, quand sa partie sud deviendrait l'Essonne et sa partie nord le Val-d'Oise, qui prendraient tous les deux des villes nouvelles, Évry et Cergy-Pontoise, comme préfectures — mais Versailles était, à sa manière, aussi une ville nouvelle. Laissée intacte, la Seine-et-Marne viendrait enfin refermer à l'est ce dispositif impeccable, le casse-tête territorial résolu de l'aménagement de la région capitale.

Il restait pourtant un évident point faible : le département de la Seine-Saint-Denis, concédé par le pouvoir gaulliste aux communistes, et laissé depuis presque à l'abandon, comme si le département qui tenait son nom du lieu où se trouvait le tombeau des rois de France devait demeurer un point aveugle du jacobinisme. La nouvelle carte de l'Île-de-France ressemblait à cette illusion optique qui consistait, en fixant un point noir, à en faire disparaître un autre, situé juste à côté mais qui tombait à l'emplacement où le nerf optique se raccordait à la rétine — c'était ainsi que disparaissait la Seine-Saint-Denis, servitude fonctionnelle de Paris, territoire presque maudit du nord-est dont le nom lui-même finirait par disparaître derrière un numéro prophétique et vengeur, le *93*, qui se décomposerait à son tour en deux chiffres, hâtifs et maladroits, *9-3*, qu'on verrait dessinés à la bombe sur les ruines de la ville moderne par ses ressortissants analphabètes.

Pour un nombre sans cesse plus grand d'intellectuels, le sort de la modernité, de la République et de l'Occident se jouait ici, dans cette petite portion mal découpée d'espace, dans ce territoire étrange et abandonné du nord-est. J'avais étrangement perçu, enfant, quelque chose de religieux dans ce territoire déchiqueté, quelque chose de l'ordre d'un appel — le besoin surnaturel de voir ce chaos brutal enfin changé en paysage docile.

La nuit tombait et nous étions au-dessus de Saint-Denis dans le grand virage que fait l'A1 avant de plonger sur Paris. On voyait la basilique à droite et, à gauche, là où viendrait finalement se loger l'ovale du Stade de France, une vaste friche industrielle. L'ensemble pivotait lentement comme si la voiture était immobile et que l'on faisait tourner sous elle le département entier. J'ai senti, à cet instant, la présence de quelque chose de vivant, de vivant malgré son caractère informe, de vivant en raison même de ce caractère informe. Toutes les usines mortes, tous les entrepôts, toutes les tours éteintes, tous les objets cassés formaient la coquille éclatée d'un être invisible qui coïncidait parfaitement avec les activités humaines étalées ici dans l'attente d'un lieu meilleur ou d'une justification terrestre.

Le mur anti-bruit avait même pris un instant l'aspect d'une membrane vivante et d'une explication consolatrice du grand silence de Dieu.

Colombes, avec ses 80 000 habitants, était la septième ville de l'agglomération parisienne, la cinquantième de France. C'était à la fois mieux que la plupart des préfectures du pays, et un peu vain, Colombes n'existant, comme ville indépendante, que dans les pages électoralistes de son bulletin municipal. Mais si Colombes, peu caractéristique, était souvent confondue avec ses voisines, elles aussi situées du bon côté de l'agglomération parisienne, elles aussi protégées du monde par le grand méandre de la Seine, elle possédait, grâce à son nom pacifique et à son absence totale de renommée négative, toutes les caractéristiques d'une ville de banlieue idéale, et je me savais favorisé par le sort.

Les signes d'un déclassement de l'Ouest parisien allaient pourtant devenir de plus en plus nombreux. Il était frappant, dès le début des années 1990 et jusque dans le microcosme d'un collège de Colombes, que quelque chose était en train de changer. Mes amis, à mon entrée en sixième, avaient été sensiblement les mêmes que ceux que je m'étais faits à l'école primaire : fils de cadres ou de professions libérales, majoritairement baptisés, bons élèves, partant à la mer l'été et à la montagne l'hiver. Mais j'ai compris, dès le deuxième trimestre, qu'ils ne représenteraient jamais l'élite du collège, ceux qui pourraient embrasser des filles dès la cinquième. Ceux-là, qui faisaient la mode et qui exerçaient sur les autres les déterminations implacables du contrôle social, n'appartenaient pas à la bourgeoisie. Ils vivaient en appartement et portaient aux études un intérêt très secondaire. Ils avaient aussi, je l'ai souvent observé, grandi dans le département voisin, où ils avaient gardé des attaches très fortes. C'est par eux que mon collège s'est mis à parler en verlan et à renoncer aux chaussures en cuir pour porter des Jordan montantes, par eux que nous avons découvert l'existence de cette culture urbaine étrangère à nos mœurs, et dont la véritable nature allait m'être bientôt révélée.

La fermeture pour travaux de la patinoire de Colombes avait entraîné le transfert de notre cours de sport du mercredi matin à la patinoire de Saint-Ouen, de l'autre côté de la Seine. Le bâtiment, composite, semblait résumer trente ans d'échec de la politique de la ville. C'était l'équivalent architectural d'une succession d'incivilités qui déboucheraient inexorablement sur une émeute. Entièrement recouverte de tôle, comme tous les entrepôts hâtifs de la banlieue parisienne, la chose se refusait absolument à adopter une forme, et accueillait même, pour mieux se défendre de toute soumission par rapport à une fonction, un supermarché sous sa couverture métallique. Il fallait recourir à l'analogie, plutôt qu'à l'analyse, pour tenter d'y comprendre quelque chose : ces plans inclinés ressemblaient à ceux qui couvraient les silos dans les ports, ces porte-à-faux étaient ceux d'un quai de chargement, ces escaliers de secours et ces machineries d'ascenseur, violemment expulsés à l'extérieur du bâtiment, le faisaient ressembler à une grue ou à un pont roulant. Le 93 semblait recevoir ici sa forme définitive. L'ensemble était laid, fragile et désagréable. J'ai détesté cet édifice, je l'ai détesté plus que tout au monde : après un interminable parcours en bus, je retrouvais là toutes les semaines les quatre garçons d'un collège voisin. Ils m'avaient pris la première fois mon walkman et ma montre, et ils avaient exigé ensuite que je leur remette de l'argent liquide, que je devais voler dans le portefeuille de mon père ou dans le sac à main de ma mère. La punition qu'ils avaient imaginée en cas d'oubli m'avait dissuadé de parler de ce racket à mes parents ou à mes professeurs. L'apparence carcérale de la patinoire, dont le sol blanc et translucide continue de me hanter certaines nuits, avait rendu mes tortionnaires imaginatifs : tout oubli serait puni d'un acte à connotation sexuelle évidente, bien que pour moi, à peine pubère, encore un peu obscur. J'ai si souvent imaginé la scène que je ne suis plus capable, aujourd'hui, de savoir si la chose est ou non arrivée. Mais je n'ai pas oublié leurs visages, comme je suis certain qu'ils ont fait d'autres victimes, jusque dans les couloirs obscurs des prisons auxquelles ils étaient prédestinés, et qui ressemblent aux coursives métalliques menant aux vestiaires de la patinoire de Saint-Ouen.

À titre moins personnel — mais j'ai longtemps confondu les deux humiliations —, je serai aussi témoin de l'arrivée inexorable du rap dans mon collège. Ce sera d'abord dans sa version *Télérama/ Pivot*, avec ses jeux sur les mots, ses déplorations assez convenues des injustices sociales et sa proclamation bienvenue d'une citoyenneté mondiale, celui de MC Solaar, dont j'écouterai en boucle, pendant un trimestre, une copie du premier album, et dont le deuxième, *Prose combat*, sera le seul album de rap que j'achèterai jamais — je n'accomplirai pas le pas d'après, l'achat pourtant logique, l'année suivante, de *Paris sous les bombes*, lui préférant celui de l'album *Incesticide* de Nirvana, au fond plus conforme aux goûts du petit-bourgeois que j'étais, un enfant de Colombes terrorisé par ce groupe, NTM, dont le nom tournait en dérision la chose même qui nous distinguait des bêtes.

Au mythe du grand soir, à celui de la métamorphose de la ceinture rouge en aurore boréale destinée à éclairer le monde, à l'idée symphonique de révolution s'était substitué le mythe inculte et expéditif de l'émeute et de l'insurrection. Quelque chose d'arythmique, de lancinant, d'inutile et de désagréable, comme le son étouffé d'un sound system dont on n'entendrait que les basses inconfortables, comme les craquements secs des vinyles sur les platines décoordonnées d'un DJ — l'expression d'un inconfort et d'un malaise, le bruit toujours recommencé d'une déchirure.

Je verrai ainsi le département le plus riche de France se mettre ainsi volontairement sous l'emprise du plus pauvre. Une dialectique dangereuse était enclenchée, quelque chose de l'ordre peut-être d'une nouvelle lutte des classes — d'une lutte des classes que nous finirions par perdre. Et il était notable que ce renversement se produisait au moment où son interprète privilégié, le Parti communiste, entamait l'ultime phase de son déclin : les dernières usines de La Plaine Saint-Denis fermaient les unes après les autres. Il ne resterait bientôt de cette épopée industrielle que des casses automobiles et des entrepôts vides.

La Seine-Saint-Denis dévastée était pourtant devenue, pour ma génération, le terreau fertile sur lequel venait de naître une nouvelle culture — une culture barbare destinée, je crois que je l'ai pressenti dès ses premières apparitions dans la cour de mon collège de Colombes, à mettre fin à notre paisible domination du monde. Nous ne faisions plus le poids et ce n'était pas le culte un peu pathétique que je rendais à un chanteur mort de l'Ouest américain qui pourrait changer la donne : l'histoire s'écrivait dorénavant dans le 93, de l'autre côté de la Seine, et nous ignorions absolument quelle direction elle allait prendre — nous savions seulement que nous ne serions bientôt plus en mesure d'en infléchir le cours. Je crois que nous avions compris, sans nous l'avouer encore, que la France avait achevé son parcours historique. La France, en tout cas telle que nous l'avions connue, ne survivrait pas à l'irréversible mouvement de désindustrialisation qui conduirait inexorablement à son déclin.

L'Occident avait fini de travailler et mes parents en étaient en partie responsables : la civilisation des loisirs était l'autre nom du chômage de masse.

Normalienne, agrégée d'histoire et de littérature, ma mère avait rejoint peu après ma naissance le projet Mirapolis, l'un des premiers parcs d'attractions français, imaginé par une disciple de Roland Barthes touchée à Disneyland par une épiphanie postmoderne. Elle avait alors eu l'idée d'un parc d'attractions qui livrerait une interprétation ludique et tridimensionnelle des mythologies françaises, toutes rassemblées dans un parc aux confins occidentaux de l'agglomération parisienne, à l'extrémité de la ville nouvelle de Cergy-Pontoise. Une statue de Gargantua avait bientôt été construite là-bas, une statue qui tournait le dos au soleil couchant pour mieux embrasser Paris.

Ma mère avait surtout veillé à la cohérence historique du projet qui devait condenser deux mille ans d'histoire de France, tels qu'ils étaient parvenus jusqu'à nous à travers le filtre de la littérature. Les manèges et les attractions se rattachaient ainsi à des univers esthétiques précis, la construction savante des allées et des perspectives permettant d'isoler des univers entiers — l'adolescent grand huit du *Sommet de la Grande Frousse* semblait ainsi exister dans un espace-temps différent de celui du *Paradis Enfantin des Comptines*, destiné aux enfants de mon âge. J'ai peu de souvenirs du parc en lui-même, et j'ai même oublié ce qu'on trouvait à l'intérieur du gigantesque Gargantua — probablement un restaurant —, mais je n'ai pas oublié les cris d'horreur de l'autre côté des grands arbres, ni la crépusculaire comptine qui tournait en même temps que les manèges :

> *Mes amis, que reste-t-il*
> *À ce dauphin si gentil ?*
> *Orléans, Beaugency,*
> *Notre-Dame de Cléry,*
> *Vendôme, Vendôme…*

Ce royaume rétréci m'angoissait peut-être plus encore que les cris des adolescents.

Ma mère m'a souvent raconté, comme on devait raconter aux jeunes Romains le sac de Rome par les Gaulois de Brennus, la guerre à mort entre le parc civilisateur et la terrible corporation des forains, dont le mode de vie archaïque était mis en péril par les splendeurs accumulées de Mirapolis. Je me souviens d'un soir où elle était rentrée en pleurs : les forains avaient répandu des clous sur la bretelle d'autoroute qui conduisait au parc. La ville admirable, la ville idéale, la ville terminale, je l'ai appris bientôt, était promise à une faillite inéluctable. J'ai des souvenirs confus des mois qui l'ont précédée et de la courte période qu'aura duré l'apogée de Mirapolis. J'aurais serré la main, le jour de l'inauguration, du Premier ministre de l'époque, Jacques Chirac — une photo semble l'attester. Tout le reste a disparu en même temps que le parc, dont la statue géante a fini par être détruite.

Mais, à une cinquantaine de kilomètres de là, mon père œuvrait à sa reconstruction. Après des études d'architecture et plusieurs années passées dans des cabinets d'urbanisme, il avait rejoint le consortium qui devait aboutir à l'ouverture, en avril 1989, du parc Astérix, dominé cette fois par une statue géante du Gaulois en résine.

Cela a été, deux ans après celle de Mirapolis, ma deuxième inauguration. J'étais, je me rappelle, à la fois triste pour ma mère et inquiet pour mon père. Nous savions que le parc allait être confronté, dans trois ans, à la concurrence impitoyable d'Euro Disney. Astérix tablait sur 2 millions de visiteurs par an, Euro Disney sur le double, le triple, le quintuple — sur une progression exponentielle, sur un horizon hégémonique. Le parc Astérix avait obtenu une bretelle d'autoroute, Euro Disney une station RER et une gare d'interconnexion TGV ; le parc Astérix était au milieu d'une forêt, Euro Disney au cœur de la ville nouvelle de Marne-la-Vallée ; le Gaulois moustachu était au mieux connu des francophones, quand Mickey était une icône planétaire.

J'étais gêné des efforts vains que faisait mon père pour imposer au monde ce personnage obèse et gaulliste à gros nez, j'étais mal à l'aise avec tout cela, j'avais honte, tout simplement, d'être du côté du gros Obélix plutôt que du léger Mickey. Tout me semblait perdu d'avance, gâché et inutile. Je ne comprenais pas la rationalité économique du projet et j'ai passé l'après-midi, au lieu d'essayer les attractions, à me cacher pour pleurer, certain que ma famille ne survivrait pas à une seconde faillite. Je me souviens de m'être ainsi appuyé, dans le village gaulois reconstitué, sur une pierre factice qui diffusait des chants d'oiseaux, pleurant au-dessus de la grille qui dissimulait le haut-parleur en désirant confusément que mes larmes conduisent à mon électrocution.

On commençait, pourtant, à rêver d'une victoire — victoire modeste et relative qui serait celle du goût français contre l'impérialisme américain. La signature d'un protocole d'accord entre la France et le P-DG de Disney — l'Américain aurait signé d'une tête de Mickey — avait été largement interprétée comme un camouflet par l'intelligentsia parisienne, comme par l'ensemble des professeurs de mon collège, qui décrivaient Euro Disney à la manière d'un ogre, d'une épidémie, d'une invasion barbare, d'un Tchernobyl culturel. Depuis, les Français manifestaient de l'empathie pour le parc Astérix, petit animal traqué et francophone réfugié dans un bosquet du Pays de France.

Contre toute attente, le parc Astérix allait ainsi survivre à son concurrent. Jouant habilement de son statut de village d'irréductibles Gaulois, il cherchait moins à concurrencer le géant américain qu'à continuer à exister à ses côtés, attirant à lui une partie du flux de visiteurs qui auraient pris goût là-bas au concept de parc, et qui désireraient diversifier leur expérience — ou plus obscurément qui ressentiraient l'obligation morale de venir manifester là, après un moment d'égarement et d'exil, la nature intacte de leur patriotisme.

Mais je préférais la France de ma mère, qui avait pris, après le désastre de Mirapolis, la direction artistique de la France Miniature, un petit parc d'attractions en forme d'hexagone situé sur le territoire de la ville nouvelle de Saint-Quentin-en-Yvelines. C'est là, dans le roman cosmogonique de la France fille aînée de l'UNESCO et réduite à ses plus beaux chefs-d'œuvre architecturaux, que j'ai passé les plus beaux après-midi de mon adolescence — adolescence dont le rachat du parc par la Compagnie des Alpes, l'actionnaire principal du parc Astérix, a sans doute marqué la fin définitive.

La France Miniature était une proie facile. Je me souviens de l'attitude de conquérant de mon père, venu en visite avec l'état-major de son groupe. Ils avaient posé devant la tour Eiffel et l'Arc de triomphe, comme Hitler et ses généraux — la comparaison était de mon père. Son humour avait été ce jour-là particulièrement détestable. Me montrant un groupe d'hommes barbus et de femmes voilées, il m'avait suggéré qu'ils étaient en repérage, à la recherche de cibles potentielles. Il avait ensuite déploré que la Mosquée de Paris fasse la même taille que Notre-Dame, et soit posée si près. La pique était directement dirigée contre ma mère. C'était elle qui avait suggéré cette scénographie œcuménique, plus pour des raisons marketing, connaissant la proximité des grandes cités de Trappes et la nécessité

d'asseoir la réputation du site dans sa zone de cha-
landise naturelle, où l'islam était sans doute
devenu la religion majoritaire, que par une espèce
de relativisme qui aurait consisté, faute de pouvoir
se passer de la représentation de la cathédrale, à en
atténuer l'impact en lui opposant cette objection
architecturale massive.

Ma mère était catholique et j'allais retrouver, un
peu plus tard, chez des amies catholiques qui
rêvaient d'intégrer Langues O, ce même universalisme bienveillant qui reste, avec tout le recul que
j'ai pourtant pris, l'une des grandes vertus de la religion de ma mère — et sa principale faiblesse, tant il
est aisé d'y voir une forme de relativisme et d'indifférence quant au destin de la civilisation chrétienne.

Déjà malade, ma mère allait mettre rapidement
fin à sa carrière professionnelle ; elle devait décéder
d'un cancer du sein quelques mois plus tard.

La Compagnie des Alpes, renforcée par toutes
ses acquisitions, serait finalement privatisée en
2004. Mon père, qui devait mourir à peu près à la
même époque d'une crise cardiaque dans les bras
de sa nouvelle femme, n'assisterait pas à l'ultime
transformation d'une société qu'il aurait si fidèle-
ment servie pendant un peu plus de vingt ans, et
dont la privatisation marquait l'achèvement du
grand dessein de sa vie professionnelle : la transformation du Bassin parisien en montagnes russes
et en paradis touristique, la résorption du temps
humain dans une éternité d'adrénaline, la transformation des plus beaux monuments de la chrétienté en un ensemble de décors interchangeables
derrière des manèges de plus en plus rapides.

Je ne suis jamais retourné là-bas, ni dans la France Miniature, ni dans aucun autre des parcs de mon adolescence passée au milieu des rochers en plastique et des cris de panique.

Bon élève, j'ai intégré après le bac la prépa HEC du lycée Daniélou de Rueil-Malmaison — je me suis enfoncé, plutôt, dans les riches, catholiques et discrets Hauts-de-Seine, sur les hauteurs forestières de ma boucle natale. J'avais choisi cet établissement pour son grand parc et son silence profond, comme un lieu de retraite idéal. J'avais aimé aussi que les fenêtres du pavillon studieux des classes préparatoires donnent sur mon enfance, sur le glacier de la Défense qui s'accrochait aux pentes du mont Valérien quand Paris, caché par de grands arbres, était presque invisible.

Je n'ai pas entamé ces études, prestigieuses et difficiles, avec un goût particulier pour la domination et le pouvoir ; je l'ai fait presque par défaut et pour me rassurer, pour rassurer ma mère, malade. Mais il est notable qu'un mélange d'inquiétude et de modestie suffisait alors à guider, de façon aveugle et absolument sûre, un adolescent sans projet, mais né du bon côté de Paris, à travers les arcanes byzantins de la reproduction sociale. Cela m'apparaît d'autant plus singulier que je n'avais pas spécialement — sans que cela signifie d'ailleurs que je possédais des qualités alternatives — le profil de l'étudiant en école de commerce tel qu'on se le représentait alors : des êtres carnassiers et sans loi, toujours élégants mais qui possédaient la beauté du diable, à la fois les pires spécimens de l'humanité de demain et les singes savants du capitalisme, qui portaient déjà un costume noir quand le reste de leur génération rêvait encore d'un autre monde, plus généreux, plus solidaire, et accrochait à ses sarouels orange des miroirs empathiques. Leurs manières élégantes cachaient mal leur cynisme et leur brutalité, qui confinaient parfois, quand ils étaient réunis, à la sauvagerie la plus pure.

J'étais peut-être un peu décevant par rapport à cet archétype. Faire une école de commerce restait pour moi la garantie de mener une vie calme, d'intégrer un grand groupe, d'avoir une voiture, une maison, des vacances, une famille. Ma mère était déjà malade et je me préparais à souffrir beaucoup ; je rêvais d'une amoureuse simple, jolie et rassurante que j'aurais pu lui présenter à temps.

Je suis tombé amoureux, dès le mois de septembre, d'une jeune fille blonde, catholique et indifférente — une fixation instantanée sur ses pulls à col roulé aux côtes anglaises déformées par sa poitrine, sur ses fesses moulées dans ses pantalons de cheval beiges, sur ses cheveux tirés en arrière, sur ses manières raffinées et sur la particule de son nom. Les samedis et les dimanches, passés loin d'elle, m'étaient interminables. Le lundi, j'arrivais au lycée presque une heure avant le début des cours pour pouvoir lui demander comment s'était passé son week-end — que j'imaginais toujours éblouissant depuis qu'elle m'avait dit une fois qu'elle était allée au mariage de sa cousine dans un château en Bretagne. Je lui prêtais des aventures extravagantes, de l'autre côté de la ligne de crête, dans les Yvelines merveilleuses : camps scouts, rallyes mondains, messes en plein air, pèlerinage à Chartres. Elle parlait souvent de son expérience de chrétienne *born again*, qui s'était retrouvée elle-même, l'année précédente, pendant les JMJ, dans l'hippodrome de Longchamp, et j'étais d'ores et déjà prêt à me convertir pour elle afin de la rejoindre dans la tente igloo de sa première extase mystique. Nous parlions peu, en réalité, et quand la classe s'était séparée, après quelques jours de cours, en deux groupes, je m'étais bêtement retrouvé dans le mauvais. Mais j'avais une idée tellement platonique de l'amour qu'une seule question qu'elle me posait, sur l'emploi du temps ou sur un énoncé de mathématiques, suffisait à me projeter avec elle dans la vie conjugale.

Elle m'avait pris dans ses bras le lendemain de l'enterrement de ma mère et j'avais senti dans mon cou le picotement de ses cheveux blonds, moins bien attachés que dans mon souvenir. La structure cartilagineuse et froide de son oreille asymétrique était venue s'écraser contre ma joue et j'avais ressenti, plutôt qu'une excitation sexuelle, un dégoût inattendu ; les choses, entre nous, devaient en rester là.

Le travail allait me permettre, pendant le reste de l'année, de surmonter mon deuil. Je suis devenu le meilleur dans toutes les disciplines et, ayant entendu un jour un professeur, plus pragmatique ou plus ironique que les autres, nous dire que la maîtrise du tableur Excel constituait l'essentiel de ce que nous aurions à apprendre en école de commerce, je me suis attaché à maîtriser Visual Basic, son langage de programmation, me procurant à la FNAC de la Défense la quasi-totalité de la littérature sur le sujet, lisant ces gros manuels du début à la fin et faisant tous leurs exercices. Cela m'a amené jusqu'au mois de juin, de case en case, opérant entre elles des mouvements de plus en plus complexes et coordonnés qui les entraînaient dans une cascade de réactions causales et d'effets récursifs qui mettaient toute la grille en mouvement et qui donnaient parfois au déplacement presque autonome d'une valeur dans toutes les directions possibles l'aspect d'un animal en fuite.

Mais le spectacle itératif de la vie artificielle n'a pas suffi à me faire oublier la mort et j'ai dû passer l'été dans un hôpital, souffrant d'une dépression particulièrement soudaine et violente qui m'empêchait même de quitter mon lit pour aller aux toilettes. Ma mère ne serait plus jamais là et j'assistais en larmes à son remplacement par des alèses qui sentaient le caoutchouc irrespirable et la mort enveloppante.

Je suis sorti de l'hôpital, où j'ai presque exclusivement dormi, juste à temps pour la rentrée. Ma deuxième année de prépa me verrait accomplir, au-delà de toute attente, le programme spiritualiste de Madeleine Daniélou, la fondatrice de notre établissement, grande pédagogue chrétienne persuadée qu'il n'existait pas d'études sérieuses sans tourments métaphysiques associés, et j'allais traverser, dans le silence de la maison familiale, toutes les extases mystiques, toutes les épreuves initiatiques du parcours d'un enfant de Colombes qui se destinait à la domination du monde — qui entamait son parcours de chevalier du monde occidental.

Averti, sur leur notice repliée et craquante, des effets néfastes de mes antidépresseurs sur la mémoire et la concentration, j'avais décidé de les remplacer par des têtes de cannabis repliées et poisseuses. Chaque jour, j'attendais la fin des cours pour aller les fumer dans le grenier de la maison de Colombes, qui abritait encore, souvenirs de mes après-midi passés dans la France Miniature, le port de Saint-Tropez et la place Plumereau de Tours, qu'un orage de grêle avait détruit et que j'avais restauré pour mes Playmobil — cité inviolée et secrète dans laquelle j'avais joué jusqu'à un âge étonnamment tardif. Je descendais ensuite dans ma chambre où je me forçais à travailler jusqu'au dîner, dîner pris rapidement, et généralement sans mon père, devenu presque aussi fantomatique que ma mère — ma mère dont les empreintes digitales, bleues comme ses yeux éteints, devaient encore recouvrir tout l'intérieur de notre maison — je m'interdisais ainsi de toucher la boule en cristal de l'escalier quand je remontais travailler jusqu'à une heure avancée de la nuit.

J'étais ralenti, très ralenti, mais aussi concentré qu'il était possible de l'être, voyant tout, comprenant tout, analysant tout et visualisant, à travers la fente étroite du concours vers lequel j'avançais irrémédiablement, l'homme qu'on était en train de programmer, et que des forces sociales aussi précises qu'implacables soumettaient à leur loi — j'étais le témoin complaisant de ma transformation en soldat de la guerre économique, j'étais fasciné par l'homme que j'étais en train de devenir et que je voyais peu à peu s'éloigner de moi comme dans une expérience de sortie du corps, prélude halluciné du voyage astral que je m'apprêtais à vivre à travers l'esplanade sacrée de la Défense.

J'allais apprendre à survivre sur les hauts plateaux d'une civilisation technicienne et discriminatoire, je me sentirais bientôt chez moi entre les tours de ce canyon artificiel, entre ces tours que l'effet abrasif du vent avait lentement vitrifiées, dans le faux plat de l'interminable dalle qui dominait le chaos rocheux de la ville alentour. L'air était ici plus sec et plus pur que celui d'un désert.

Paris était loin, déjà, le Paris historique aux rues veinées par ses désordres anciens, et qui voulait encore tenir contre ses yeux, pour l'éternité, le diorama creux de sa vie passée. La Défense était, loin de ces féeries inutiles, un hologramme intact, complet et fonctionnel — la véritable capitale était ici, et non là-bas.

Il y avait pourtant, dans l'existence de ces deux centres, quelque chose d'insatisfaisant — le sentiment d'un inexplicable exil des puissances d'argent, l'idée que Paris, à l'instant de basculer dans une modernité définitive, avait hésité, et que la ville de toutes les révolutions était restée un peu en retrait de la plus importante de toutes : la révolution libérale. Le quartier d'affaires de Paris s'était ainsi vu refuser l'accès à la ville ancienne, quand celui de

New York était exhibé comme un trophée à la porte de l'Amérique, quand celui de Pudong, en face de Shanghai, avec ses tours de plus en plus hautes et nombreuses, était comme l'écran du tableur sur lequel la Chine contemplait les chiffres éblouissants de ses années de croissance à deux chiffres, quand la City de Londres s'était directement érigée sur les ruines de la ville historique, la remplaçant, la transcendant, la multipliant, à peu près à l'endroit où Paris se vantait de posséder, avec le Marais, le plus charmant ensemble historique d'hôtels particuliers, d'églises baroques et de placettes médiévales d'Europe.

Mais ce n'était pas là, je le savais, je le voyais chaque jour par toutes les fenêtres de mes salles d'étude, qu'était le futur de la capitale, et son véritable cœur. Le souvenir intact de sa puissance passée, la concrétion terminale de la révolution industrielle, la cité de béton et de verre que le peuple de cadres que je m'apprêtais à rejoindre avait reconnue comme son unique capitale était bien la Défense, l'un des derniers lieux d'où le peuple de France pouvait encore contempler son merveilleux futur, futur dont nous serions bientôt privés si nous manquions l'assaut de cette citadelle, offensive de la dernière chance qui menaçait d'échouer, faute de combattants entraînés.

Je voulais être un soldat de cette guerre, un moine-soldat, un cadre supérieur engagé dans un conflit qui le dépassait mais dont je sentais partout l'urgente nécessité. Je croyais au caractère sacré de ma mission, j'étais préparé à tous les sacrifices, j'acceptais le caractère ingrat de mon existence ; je deviendrais un cadre interchangeable, efficace et rapide, un simple pion habillé en noir et pris dans un jeu aux règles encore plus dures que celles de l'évolution des espèces. J'étais l'homme épuré et rendu à la puissance retrouvée d'un processus dont le cannabis me révélait chaque soir les dimensions exactes, glacées et inhumaines.

Tombé addict à la nécessité des choses, j'allais bientôt exiger des commandements plus hauts et des contraintes plus fortes que celles de la rationalité économique. Je me souviens d'un cours de philosophie sur Spinoza, qui plaçait au-dessus de tout un dieu mécanique, d'un autre sur Max Weber, qui montrait comment l'énigme insurmontable de la liberté avait conduit, à la Renaissance, les hommes à inventer la plus exigeante des machines sociales et politiques, le capitalisme, voué à triompher partout, mais qui n'était en son fond qu'une tentative, démesurée et vaine, d'exorciser une faille de la théologie chrétienne : sa difficulté à maintenir, dans un monde de plus en plus gouverné par des lois naturelles, le dogme de la grâce face aux hérésies quiétistes de la physique nouvelle — difficulté qui avait été résolue par son abolition pure et simple, abolition qui avait pris la forme du concept monstrueux de prédestination, dont le contrôle social accru exigé par le capitalisme était comme la prophétie exacte et autoréalisatrice. C'était en tout cas l'analyse qu'en avait faite notre professeur de philosophie, dont on disait qu'il était jésuite ou dominicain, dans un cours d'épistémologie étrange que j'avais pris en notes avec une fièvre rare, et relu

plusieurs fois, tard dans la nuit, certain d'y découvrir la pâle lueur d'une théodicée secrète.

Je ne me souviens pas, cependant, d'un moment
de bascule, d'une nuit où j'aurais commencé à
croire en Dieu. J'ai dû y croire au moins jusqu'au
concours. J'ai connu, j'en suis sûr, des expériences
mystiques véritables, entre Colombes et Rueil, de
chaque côté de la ville sacrée de la Défense, où je
refusais de me rendre, me jugeant encore trop
impur pour elle — je devais au préalable en passer
par le sacrement du concours, par la banque commune d'épreuves qui devaient me conduire à HEC,
à l'ESSEC ou à l'ESCP — la sainte Trinité des
écoles de commerce.

J'ai ainsi rejoint, et j'y ai vu un signe du destin, un hommage à ma mère, la deuxième du classement, l'ESSEC de Cergy-Pontoise. J'ai compris, dès la semaine d'intégration, que les années qui s'ouvraient devant moi seraient les plus heureuses de ma vie — la présentation de l'école qui nous avait été faite pendant ces jours alcoolisés avait été très claire. Nous en sortirions surdiplômés et on s'arracherait nos compétences, acquises auprès des meilleurs économistes et des cadres dirigeants des plus beaux fleurons du CAC. Nous irions en stage, nous irions à l'étranger, nous irions en stage à l'étranger ou nous prendrions le temps, grâce à des sponsors, de faire le tour du monde ou de pratiquer un sport extrême au niveau compétition. Dix pour cent d'entre nous créeraient une entreprise dans les cinq ans à venir, dans vingt ans les meilleurs d'entre nous dirigeraient des multinationales. Le bureau des élèves nous dispenserait, enfin, des plaisirs illimités, qui convergeraient, comme tous les ans, vers la mythique Nuit de l'ESSEC, la plus grande discothèque de France, dont ce serait cette année la vingt-cinquième édition. Officiellement, l'ESSEC était l'école de commerce parfaite. Officieusement, c'était un baisodrome — c'était le terme qu'avait utilisé l'étudiant qui m'avait fait visiter les lieux. J'ai ainsi fait l'amour pour la première fois au deuxième jour du week-end d'intégration — l'image est demeurée instable : c'était avec Chloé, dans son studio, et je crois me souvenir que sa colocataire était dans la pièce d'à côté — ou bien peut-être à l'étage du lit superposé. La deuxième fois a dû avoir lieu dans les toilettes du grand amphithéâtre, la suivante sur une pelouse du campus au lendemain d'une fête. Tout était alors évident, facile et animal. Nous étions deux jeunes adultes ivres lâchés à travers la machine désirante d'une ville nouvelle, d'une ville construite autour de nous, autour de nos désirs, d'une ville construite pour satisfaire la prophétie autoréalisatrice qui voulait qu'en l'an 2000 l'agglomération parisienne compte 15 millions d'habitants, d'une ville offerte aux enfants étourdis des baby-boomers et aux corps mélangés d'une libération sexuelle dont nous étions, en ce matin du nouveau millénaire, les plus impatients des bénéficiaires — comme si nous pressentions déjà, dans le petit jour gris, que la fête était finie, que la courbe du progrès humain ne pourrait pas tenir éternellement, que la crise dont on nous parlait depuis l'enfance possédait des causes plus structurelles que conjoncturelles et que, derrière la déception démographique de savoir que Paris n'avait finalement pas dépassé les 12 millions d'habitants à la date fatidique, on pouvait entrevoir la terrifiante

45

idée du déclin de la France et d'un lent décroche-
ment de la péninsule européenne.

L'herbe était maintenant humide et nos peaux
étaient froides, comme le liquide qui avait coulé sur
ma main quand j'avais jeté le préservatif dans le
buisson voisin. Nous étions juste derrière l'école,
près de la pyramide inversée de la préfecture du
Val-d'Oise, dans un parc dont les allées rectilignes
étaient faites de plaques de béton séparées par des
joints sombres.

Je me souviens aussi d'une fois où nous avions
fait l'amour sur une passerelle piétonne — ville
nouvelle, Cergy-Pontoise accordait autant d'importance à la circulation automobile qu'à la sécurité
des piétons. J'ai du mal à me rappeler l'enchaîne-
ment exact des événements qui nous avaient
conduits là, nous étions allés à une fête, puis à une
autre fête, et nous avions beaucoup bu de ce cocktail qui resterait associé à mes années d'orgueil, le
trop sucré et trop clair vodka - Red Bull, au goût de
médicament. J'ai le souvenir d'un décollement,
d'une quasi-extase, de quelque chose qui correspondrait, mentalement, à la troisième dimension de
ces passerelles — des dizaines et des dizaines de
passerelles qui reliaient les blocs de la ville entre eux
et qui soulevaient lentement l'orthogonale Cergy
jusqu'à un monde à la géométrie plus fluide. C'est
sur ces spirales en pente douce que j'ai découvert
l'amour.

J'ai relevé doucement sa robe imprimée, sa robe
pleine de fleurs comme si toutes les fleurs s'étaient
réfugiées ici, à l'état desséché de signes, attendant
des jours meilleurs pour ressusciter. J'ai lentement

approché ma main de son sein, que j'ai tenu comme un objet d'architecture divine, comme un objet parfait, isolé dans la nuit par des milliards d'années de sélection naturelle, un objet dessiné par quelques nanomètres d'ADN et destiné à provoquer, à travers ma main asymétrique, une érection venue elle aussi de la nuit des temps et des galaxies lointaines de mon code génétique.

Alors la ville, cessant pour la première fois depuis mon arrivée de m'apparaître floue et confuse, a pris ses dimensions exactes, et j'ai compris la structure délicate, sensuelle et lumineuse de l'urbanisme sur dalle : celle d'un tissu gaufré qu'on aurait légèrement appliqué sur la terre pour protéger les hommes dans l'épaisseur aimante de ses couches superposées. J'avais traversé, avec Chloé, tous les étages de cette révélation, des parkings souterrains où sa main était venue chercher mon sexe au trottoir où elle avait soulevé sa robe en marchant devant moi, du jardin suspendu où elle m'avait pris dans sa bouche à la passerelle déserte où elle s'était accroupie sur moi.

J'ai eu alors l'image exacte, parfaitement emboîtée et précise de Cergy-Pontoise, et cette image allait demeurer pendant plusieurs années, bien après notre séparation, bien après d'autres aventures nocturnes, l'image la plus précise que j'aurais eue de l'amour — j'avais vu, ce soir, sur la fine passerelle, quelque chose prendre vie, s'envoler légèrement et devenir immense ; et cette chose, qui respirait presque, qui occupait tout l'espace de la nuit, n'était ni une création de mon cerveau ni, bien que je garde de ce moment une idée consolante et radieuse de l'urbanisme, une émanation de la ville, mais la certitude éphémère, en tenant entre mes mains les hanches mobiles et douces de Chloé, d'entrer dans la cité de Dieu.

Je serais en tout cas entré dans un paradis étudiant. C'était la fête trois à quatre soirs par semaine et nous avions tous notre corps de vingt ans, un corps que nous soumettions sans fatigue à un régime accéléré de nuits blanches, de sports de contact et de fêtes ininterrompues. J'ai d'ailleurs dû glisser très vite et sans m'en rendre compte dans le clan de ceux qui allaient finalement considérer la fête comme leur seule pratique sportive — et elle était un sport extrême.

Nous avons remporté facilement les élections du bureau des élèves et la Nuit de l'ESSEC nous appartenait désormais. J'ai été chargé, avec Chloé, de l'approvisionnement en Red Bull. Les autorités sanitaires avaient en effet rendu la boisson énergisante autrichienne illégale, la neurotoxicité de la taurine, son ingrédient principal, faisant l'objet d'une controverse scientifique, controverse dont la société autrichienne se moquait habilement, comme nous l'avions étudié en cours de marketing, en sponsorisant des sportifs qui buvaient quelques gorgées du mystérieux liquide avant de se jeter dans le vide d'à peu près toutes les manières dont la chose était envisageable. Après une minutieuse étude — nous adorions débattre de la rationalité économique de tout ce que nous entreprenions —, nous avons décidé de nous rendre aux Pays-Bas plutôt qu'en Andorre. Nous avons roulé toute une nuit vers l'est avec la mission presque sacrée de lever le blocus de la France, nous allions convertir ses futures élites à un produit tellement disruptif qu'on avait préféré le considérer comme une drogue plutôt que comme un atout économique, nous étions les nouveaux Escobar, les architectes d'un nouvel âge d'or économique reposant non plus sur la cocaïne, comme celui des années 80, mais sur un neurotransmetteur acide isolé dans la vésicule biliaire d'un taureau — taureau que nous associions évidemment à celui de Wall Street. Traversant l'Europe éclairée de la mégalopole rhénane pour rapporter à la métropole parisienne l'élixir sucré et jaune qui lui permettrait d'affronter l'avenir et de demeurer compétitive, nous nous arrêtions cependant de plus en plus souvent, à cause des effets diurétiques du produit interdit : d'abord à chaque station essence, puis bientôt tous les 10 kilomètres, sur la bande d'arrêt d'urgence, Chloé ne se cachant même plus au passage des camions qui rapportaient, de Rotterdam et d'Anvers, la marchandise chinoise qui commençait, ces années-là, à conquérir l'Europe, et je la suppliais de remonter en voiture, moins par jalousie que par crainte de voir le port du Havre et son annexe fluviale de Gennevilliers à jamais distancés par les grands ports du Nord si nous prenions trop de retard dans notre expédition de la dernière chance.

Le sort de Paris était entre nos mains et Chloé a fini par abandonner sa culotte en dentelle au réseau routier du Benelux.

Je dois d'ailleurs avouer que j'allais très peu à Paris, concentrant mes activités dans la ville nouvelle, qui m'offrait une existence complète et satisfaisante. Habitant modèle du node occidental, j'aimais rester aux confins de la ville-monde, sur les premières pentes du plateau du Vexin, qui remontait lentement jusqu'à la mer avant de s'y briser, soudain, dans les falaises blanches du pays de Caux. Je déambulais ivre à travers les lotissements-dortoirs silencieux et je dormais parfois à la belle étoile dans les doublures amoureuses de la ville sur dalle ou dans le grand télescope éventré de l'Axe majeur, le monument virtuel qui structurait la ville nouvelle et qui, pointé sur la lueur rouge de la capitale, se voulait le lointain prolongement de la voie triomphale.

Ce n'est pas de l'alcool que je buvais mais directement des neurotransmetteurs. J'ai commencé à en prendre conscience certains lendemains de fête, à Cergy, quand j'avais ressenti un manque et le désir soudain, absolu, de reboire — l'idée d'être téléguidé par des molécules inconnues m'avait au début séduit mais j'avais fini par emprunter un gros livre sur le sujet à la bibliothèque de la faculté de biologie, et j'étais venu le lire, un matin, sur une des terrasses de l'Axe majeur, me promettant de ne plus jamais boire, de ne plus me laisser entraîner aussi loin par l'alcool. C'était le début de l'été et j'ai pu croire, à cet instant, en une vie meilleure, adossé contre une colonne carrée comme un héros romantique qui s'éveillerait au sentiment du monde. Il y avait Paris, tout au fond, puis la Défense, qui figurait, avec ses vitres brillantes comme des neiges éternelles, une chaîne de montagnes inaccessible, puis plus près de moi un lac aménagé en base nautique, et enfin, au premier plan, mais formant comme le précurseur chimique de ce paysage idéal, les petits monuments rationalistes que l'Axe majeur égrenait vers l'est. Tout était harmonieux mais l'harmonie ne se produisait pas dans ces effets de perspective, l'harmonie véritable agissait à un niveau tout autre, celui des ions chlores bleus et des acides rouges de mes schémas de la synapse — le seul espace, en réalité, l'unique lieu, le reste du monde n'étant qu'une fonction de celui-ci. L'alcool apparaissait en vert dans ces schémas et jouait un rôle ambigu, parfois celui d'un stratège raffiné qui sélectionnait les molécules qu'il entendait favoriser pour leur attribuer des fonctions de sédition précises, d'autres fois celui d'un activiste fébrile cherchant à prendre, par tous les moyens et pour des années, le contrôle de la synapse, sans objectif précis, opérant là une révolution permanente qui finissait, généralement, par la condamnation à mort de l'organisme entier.

J'avais passé, effrayé, le reste du week-end enfermé dans mon studio, enchaînant les canettes bleu et gris de Red Bull et n'entendant bientôt plus que les battements de mon cœur et le bruit des touches qui remplissaient les cases du tableur où je tentais, pour la centième fois, de sauver la rentabilité de Mirapolis.

J'ai mis longtemps à comprendre la spécialité exacte de notre professeur de culture générale. Anthropologue de formation, Machelin avait été l'un des premiers à comprendre, après un séjour de trois mois à Dreux, son premier terrain, que le Front national allait devenir, en lieu et place du Parti communiste, le parti des ouvriers, des classes populaires et de la France périphérique — celle des bassins d'emploi frappés par des fermetures d'usines, des villes moyennes et des lisières pointillées des grandes métropoles. Cela avait été le sujet de sa thèse, dont les prophéties, spectaculairement confirmées par l'arrivée soudaine d'un peu plus de trente députés d'extrême droite à l'Assemblée nationale aux législatives de 1986, lui avaient permis d'obtenir facilement sa titularisation à la Sorbonne Nouvelle. Il avait alors pu acheter, dans le quartier Mouffetard tout proche, au pied de la montagne Sainte-Geneviève et au sud du Quartier latin, un bel appartement sous les toits, fait de la réunion d'une dizaine de chambres de bonne dont on avait abattu les cloisons.

Mais il continuait à explorer presque tous les week-ends la zone 5, la frange extrême de l'agglomération parisienne, qu'il rejoignait en RER, son carnet de notes sur les genoux jusqu'aux gares terminus, ne descendant du train qu'une fois la ville complètement disparue et absorbée par le monde végétal.

Il pressentait que quelque chose se jouait ici, à une heure de Paris, derrière les vitres rayées des RER, l'existence paradoxale d'un nouveau type de regroupement humain, essentiellement caractérisé par son éloignement du centre et par sa densité de population très faible, sans qu'on soit pour autant à la campagne — on était bien en ville, dans la mesure où les solidarités rurales traditionnelles n'existaient plus, on était bien en ville, même si l'emploi avait disparu et si les infrastructures de transport, affaiblies et intermittentes, faisaient de plus en plus défaut, on était bien en ville, et même dans ses quartiers les plus pauvres, ses nouvelles zones sensibles — bien que leur population, majoritairement blanche, ne soit pas issue de l'immigration. Ce fait, qu'il s'était plu à relever dans l'un des livres qu'il publiait tous les deux ou trois ans, et qu'il avait appelé cette fois *White Trash*, en appliquant à la France une catégorie jusque-là inédite et exclusivement américaine, avait contribué, par la polémique qu'il avait générée, à assurer sa position idéologique.

La prochaine révolution, avait-il théorisé dans ses deux livres suivants, *Zone gendarmerie* et *La Bataille des deux couronnes*, prendrait naissance ici, chez les petits propriétaires prolétarisés par leur éloignement du centre. Et ce serait une révolution conservatrice.

Son enseignement était en tout cas d'un conservatisme si absolu qu'il nous apparaissait révolutionnaire, à nous qui, malgré les efforts que nous déployions pour ressembler à des étudiants modèles et aux cadres dynamiques de demain — à des individus radicalement modernes et qui auraient atteint un stade de l'efficacité si extrême qu'il conférait presque à la cruauté —, étions demeurés les enfants du vieil humanisme républicain. Nous étions, politiquement et historiquement, d'une innocence à peu près totale ; nous ne savions rien, sinon que la démocratie était le meilleur des régimes et que la Cinquième République en était l'apothéose.

Son cours portait sur la notion de cité, et se voulait une introduction urbanistique à la philosophie politique. Il s'agissait en fait de comparer, presque mot à mot, les récits que faisaient Tite-Live et Plutarque de la fondation de Rome avec le fonctionnement concret d'une cité-État, tel qu'il était décrit par Machiavel. Fin dialecticien, Machelin n'écrivait jamais rien au tableau et se contentait de nous distribuer des mauvaises photocopies des textes qu'il voulait étudier avec nous, refusant de nous donner accès à rien d'autre et ne nous dévoilant jamais ses plans. C'était, pour la plupart d'entre nous, la preuve qu'il improvisait. Mais il était certain, pour les autres, qu'il allait quelque part, vers un dénouement contemporain, vers un foudroyant coup de théâtre politique, vers une révélation métaphysique de toute première grandeur — ce dont la fin prochaine du semestre risquait de nous priver. Nous blâmions alors, plutôt que la lenteur de Machelin, l'organisation des études à l'ESSEC, la jugeant trop hâtive et trop superficielle. Frustré, j'ai pris alors l'habitude de rester discuter avec lui à la fin des cours.

Il appartenait à une génération d'intellectuels qui avait entretenu des liens intimes avec l'idée de révolution. Il disait d'ailleurs qu'il avait été *situ*, et s'était vanté d'être l'auteur de l'une des trois photographies connues de Debord — la moins floue des trois. Il lui en était resté le goût des cartes et l'idée de dérive. Dérive qui l'avait finalement conduit, lui, l'universitaire progressiste, lui, le membre du comité de rédaction de plusieurs revues radicales, lui, le directeur de thèse le plus populaire de la Sorbonne Nouvelle et le signataire habituel de toutes sortes d'appels, de manifestes et de pétitions, à devenir l'un des premiers intellectuels de gauche à rejoindre l'homme fort de la droite, et son candidat probable à la présidentielle de 2007. Ce revirement idéologique surprise était intervenu pendant l'été, au milieu du mois d'août, et il avait pris la forme d'un article paru dans *Le Figaro*. Machelin y faisait de celui qu'il ne désignait jamais par son nom, mais qu'il s'amusait à appeler le Prince — terme un peu excessif, en tout cas programmatique, pour celui qui n'était encore que le ministre de l'Intérieur du président Chirac —, le héraut méconnu et injustement diffamé des idéaux de gauche, et le refondateur de la cité nouvelle, sur les ruines emmêlées et fumantes du 21 avril 2002 et du 11 septembre 2001.

Les collègues de Machelin et tous les intellectuels qui tenaient celui-ci pour l'un des leurs ont alors décidé, après d'intenses concertations qui avaient dû pimenter leurs vacances en Corse, à Ré ou à Patmos, de ne pas répliquer tout de suite et d'attendre la rentrée pour prononcer l'excommunication. Il était étrange que Machelin ne réponde pas au téléphone ; on suspectait le coup de folie, la crise éphémère. Machelin n'avait ainsi manifesté aucun signe de sympathie, pendant l'année écoulée, pour les intellectuels transfuges qui, réunis autour d'une revue diaboliquement nommée *Le Meilleur des mondes*, avaient soutenu l'invasion de l'Irak. On parlerait de tout ça en septembre, à tête reposée. Mais Machelin n'était jamais revenu. Il avait rejoint l'ESSEC, pour y enseigner la culture générale, discipline idéalement vague, à de futurs cadres supérieurs, contre un salaire multiplié par trois — tout en conservant, prudemment, un ancrage universitaire à Paris 8.

J'ignore si c'était pour se débarrasser de moi, alors qu'une nouvelle fois, après un cours sur la cité idéale de Platon, mes questions menaçaient de lui faire rater le RER qui devait le ramener à Paris, ou si c'était — nous étions déjà à la fin du semestre — une façon de me revoir, mais Machelin m'a proposé un jour d'opérer le parcours inverse du sien, et d'abandonner les études de commerce pour rejoindre l'Université, où je pourrais éventuellement, si cela m'intéressait vraiment, entamer sous sa direction une thèse sur les enceintes de Paris — il avait un peu réfléchi avant de me soumettre l'intitulé exact de ce qui devait m'occuper les dix prochaines années : *Paris gagnés : construire le Grand Paris*.

Mon père venait de mourir et j'avais hérité de la maison familiale, j'étais désormais libre de mes choix comme à l'abri du besoin ; fasciné par le personnage — et je crois aussi un peu déçu par l'enseignement trop technique prodigué par l'ESSEC —, j'en avais accepté l'idée sans même réfléchir.

Il nous manquait, à l'ESSEC, une donnée essen-
tielle au sujet de Machelin : nous ne savions pas
qu'il conseillait directement le ministre de l'Intérieur. Il ne me l'a appris que plus tard, alors que je
l'avais suivi à Paris 8, en opérant la plus improbable des réorientations universitaires, délaissant la
deuxième meilleure école de commerce de France
et la septième du monde pour une faculté déclas-
sée et périphérique, très justement ignorée par le
classement de Shanghai mais curieusement véné-
rée, sous son ancien nom de Vincennes, par les
amateurs de *French Theory* et de pensée critique.
Deleuze y avait en effet enseigné, alors qu'elle était
encore une enclave poststructuraliste expérimen-
tale en milieu forestier, avant qu'elle ne déménage
dans la rugueuse ville de Saint-Denis — sans que
l'on sache d'ailleurs s'il s'agissait là d'une punition
ou d'un acte audacieux de décentralisation universitaire, au service de la politique de la ville et du
désenclavement intellectuel d'un quartier sensible.
C'est en tout cas ici que Machelin avait trouvé
refuge, et c'est là que je me suis inscrit, à la rentrée

suivante, abandonnant l'un des campus les plus modernes de France, et l'un des mieux connectés au monde, pour une friche industrielle enclavée et partiellement reconvertie du dangereux 93 — mais Machelin, devinant mon appréhension légitime, m'avait garanti que je n'aurais quasiment jamais à me rendre là-bas.

Il m'avait pourtant fallu me déplacer plusieurs fois, au moment des inscriptions, et plaider longuement ma cause, la brusque inflexion de mon cursus semblant plutôt désorienter l'université rhizomique et libertaire de Saint-Denis. Machelin avait tout fait pour que je ne me décourage pas, me vantant ma future thèse comme un repli stratégique qui me permettrait bientôt de prétendre à d'importantes fonctions, dont il ne me disait encore rien, si ce n'est qu'elles ressortiraient du domaine politique — il semblait beaucoup miser sur moi.

Une fois inscrit, j'ai pris l'habitude de le voir à Paris presque chaque semaine, de façon très informelle, dans son grand appartement sous les toits ou dans le café qui occupait le rez-de-chaussée de son immeuble. C'est là que Machelin a commencé à me délivrer ce qu'il appelait son *enseignement ésotérique*. Il disait que Paris n'avait pas encore livré tous ses secrets. Il y avait sous cette conviction quelque chose de presque homérique, de virgilien, la croyance en un génie des lieux, en une divinité dormante et séquenoise, tutélaire et magique. Je devais retrouver cette structure presque oubliée en exhumant son squelette, ses cernes de croissance successifs, les lignes de vie de ses anciennes fortifications, les traces d'impact sur le sol de ce qu'avait été essentiellement Paris : le foyer de toutes les révolutions, la capitale de la modernité, la doublure sombre de Jérusalem.

Cela devait constituer l'objet occulte de ma thèse. C'était en tout cas ce que j'avais retenu de notre première discussion alcoolisée et nocturne, qui avait conduit au petit jour Machelin à me livrer, d'une voix sépulcrale, la clé de ma future interprétation de Paris : Paris était le seul lieu au monde où les termes de révolution et de révélation étaient interchangeables, le lieu de naissance de ce qu'il appelait, à mi-voix et comme s'il invoquait le grand Cthulhu lui-même, *le théologico-politique*. Machelin m'a cité Saint-Just : « Tous les arts ont produit leurs merveilles, l'art de gouverner n'a produit que des monstres. »

Pour me mettre sur la voie, il m'a alors désigné, comme premier objet d'étude, les anciennes fortifications de Paris — le cocon éventré de cette créature monstrueuse.

Réfugié à la BNF, conçue avec ses quatre tours, sa cour centrale inaccessible et son pont-levis au-dessus de la Seine comme un château fort, le dernier qu'on aurait construit en France, j'ai minutieusement compulsé des centaines de livres, anciens et modernes, sur l'art des fortifications, sur la technique du siège et, plus spécifiquement, sur les enceintes successives de Paris. Celles-ci, dans l'étourdissement de l'étude, ont commencé à m'apparaître moins comme un système défensif que comme les expressions, naïves et presque spontanées, de Paris — comme un ensemble de signes arrachés à la stupeur du temps, de longues phrases circulaires laissées là, sous leur forme enfantine et cursive, à l'appréciation de ses futurs exégètes. Je commençais, lentement, à concevoir Paris comme une gigantesque créature autonome — une créature froide, pensive et déterminée, une créature que j'invoquais en répétant son nom, le nom de « Paris », dont les deux syllabes, la première, très lourde, et la seconde, un peu traînante, m'évoquaient un animal lent, aux pas sourds et réguliers, qui tirait derrière lui le long appendice caudal des dragons ou des dinosaures : le démon de la modernité était tout près de reprendre vie et d'avaler le monde, de s'enrouler autour de lui comme une grande amanite fossile.

Je n'avais pas été aussi heureux depuis des années — depuis la mort de ma mère et les nuits de travail passionnées et mélancoliques qui l'avaient suivie. J'avais même, parfois, entre les grands doubles vitrages des salles qui entouraient le jardin interdit de la bibliothèque, un sentiment confus d'utilité, assez semblable, du moins c'était ainsi que je me le représentais, à celui des moines qui s'étaient jadis réfugiés loin des villes, moins parce qu'ils en fuyaient la corruption que parce qu'ils en admiraient sincèrement les beautés et qu'ils voulaient prier pour leur survie et servir de contrepoids à leurs splendeurs fragiles et babéliennes.

J'avançais, comme dans un rêve éveillé, à travers les plans contradictoires du vieux Paris qu'un bibliothécaire déroulait devant moi pour la première fois depuis au moins un siècle. J'ai appris peu à peu à déchiffrer sur ces plans les plus anciennes traces des enceintes de Paris — les cernes séculaires

61

qui témoignaient de sa croissance ininterrompue. Mon cabinet de travail sentait alors la moisissure et les sous-bois profonds, quand, devant moi, de l'autre côté de la baie vitrée, un pin maritime retenu par des bandes de caoutchouc noir oscillait à contretemps dans la végétation inodore.

J'ai ressenti, bientôt, le besoin d'étendre mes recherches au monde extérieur et de partir à la rencontre de vestiges plus incarnés, à commencer par ceux que les travaux du Grand Louvre avaient récemment exhumés. Machelin m'avait en tout cas convaincu que cela était nécessaire à mon apprentissage, que je devais à présent fuir les cafétérias sobres et climatisées de la BNF pour de meilleurs alcools du temps, des alcools plus profonds et plus vastes — il me l'avait suggéré un soir où nous avions exceptionnellement bu, nous arrêtant, entre la place de la Contrescarpe où nous avions dîné et son appartement, dans tous les bars encore ouverts de la rue Mouffetard. Nous avions bu un dégradé d'alcool qui nous avait conduits de la bière épaisse aux shots de vodka translucide, allégeant progressivement notre esprit à mesure que Machelin avançait dans son récit hydrologique et que je me perdais dans le delta saumâtre des alcools blancs. Il ne me reste qu'un souvenir un peu flou de ses explications, mais l'impression de dévoilement qu'elles opéraient sur moi, le sentiment d'adéquation parfaite entre le récit et son objet s'est maintenu, et c'est en partie pour retrouver cet emboîtement presque sacré entre les mots et les choses, entre la ville et mon cerveau alcoolisé, que j'ai continué, bien après sa mort abominable, ma dérive alcoolisée et géographique.

Nous étions, sur les contreforts de la montagne Sainte-Geneviève, à l'endroit où tout avait commencé, tout près du vrai centre de Paris. C'était devenu un quartier de psychanalystes, m'avait expliqué Machelin, l'une des plus fortes concentrations du monde, dans la ville qui semblait être la dernière à croire encore à l'ensorcelante invention viennoise et à ce qu'il appelait les viennoiseries spirituelles de la maison Freud. Freud dont les intuitions premières devaient beaucoup à son séjour parisien et à ses visites régulières à la Salpêtrière, un peu en contrebas de la montagne Sainte-Geneviève, au sommet de laquelle il s'était naturellement installé. C'était en tout cas ici que ses théories, irréelles et hypnotiques, avaient trouvé leur conservatoire naturel, ici où l'âme humaine, moelleuse et dorée, s'enroulait merveilleusement sur elle-même en contournant les plis feuilletés de ses gouffres.

Machelin s'était battu jadis pour la défense de cette montagne glorieuse qui commandait l'accès au Quartier latin — le quartier des étudiants et des révolutionnaires. Il avait été de ceux qui avaient dressé autour d'elle des barricades presque aussi hautes que les remparts de Philippe Auguste. Les étudiants avaient alors compris que le lieu était le verrou tactique et symbolique de la capitale.

J'avais raconté à Machelin l'avancée de mes travaux et mes conclusions provisoires avaient semblé corroborer ses intuitions. Le site sur lequel l'histoire de France avait déposé Paris avait commencé à montrer ses limites. La ville, partie de l'île de la

Cité mais maintenant agrandie aux dimensions d'un bassin versant, chevauchant de plus en plus souvent le plateau alentour et laissant des vallons en fendiller les pentes imprenables, se soumettait désormais plus aux hasards de la géologie qu'aux nécessités de la guerre. Paris depuis trop longtemps amolli s'était bien redressé en hâte en bâtissant à sa périphérie ces forts étoilés qui devaient contrôler tous les accès à sa cuvette centrale, mais l'ensemble demeurait trop ouvert pour ne pas attirer, comme aux époques lointaines des invasions barbares, de nouveaux envahisseurs. Paris s'était ainsi laissé enfermer seul dans un léger anachronisme défensif dont l'artillerie prussienne, venue d'un futur très proche et disposant ses batteries sur les hauteurs lointaines qui tenaient toute la capitale à leur por-tée, avait su profiter, laissant la ville fortifiée suc-comber à l'insurrection balistique de sa lointaine couronne.

J'analysais ainsi la Commune comme une réac-tion désespérée visant à rétablir, pour la dernière fois et pour un temps très court, l'équilibre perdu entre les lieux et leur génie : en s'emparant des der-nières fortifications naturelles de l'intra-muros, des hauteurs de Montmartre et de Belleville, les der-nières buttes témoins laissées largement intactes par l'urbanisme contre-révolutionnaire d'Hauss-mann, les Parisiens avaient tenté de rétablir le lien brisé entre la ville et son site. Mais en négligeant d'occuper le mont Valérien, la colline qui comman-dait la vallée aval de la Seine et permettait de contrôler tous les points de passage entre Paris et Versailles — les deux capitales rivales du pays en proie à la guerre civile —, les communards avaient précipité leur défaite. Paris avait non seulement perdu une guerre, événement normal appelé à se reproduire, mais il avait surtout, événement inédit et critique dont il n'allait peut-être jamais se relever entièrement, échoué à mener une révolution à son terme.

Machelin avait beaucoup apprécié ces intrusions dans le champ politique et cet usage presque structuraliste que je faisais de la géographie parisienne.

C'était cela : nous cherchions ensemble la structure à l'œuvre dans l'histoire de France, histoire depuis trop longtemps déformée par la masse de Paris pour ne pas s'y laisser prendre au piège, comme si Paris était devenu moins une ville que la forme même de l'inconscient national — l'inconscient national et les thérapies susceptibles de l'influencer, thérapies que Machelin rattachait en général moins à l'urbanisme qu'à une branche ésotérique de la philosophie politique, la psychogéographie, dont l'objet véritable était l'étude et la domestication de cette entité trouble et vénéneuse qu'il appelait le théologico-politique.

J'ai compris alors, je crois, la nature profonde qu'il voulait que je donne à mon travail : Paris, la capitale de la modernité et des révolutions, se déclarerait bientôt ville ouverte. Son dernier gardien, réfugié sous les toits de la dernière tour de sa dernière citadelle, avait décidé d'offrir au Prince de la droite les clés explicatives des vieilles théories gauchistes, le savant édifice d'un siècle de sciences humaines triomphantes, le fantôme de la révolution — tout cela était destiné à mourir dans la bouche pâteuse et noire de Machelin, l'artisan décisif de la révolution conservatrice, le nouveau conseiller du Prince.

Machelin était prêt à terminer le travail commencé trente-cinq ans plus tôt, dans la cour de la Sorbonne — la Sorbonne à qui on avait confié, un millénaire plus tôt, le soin d'arbitrer presque seule, et pour les siècles des siècles, les conflits entre le premier prince de la chrétienté et le premier évêque du Christ : il voulait détruire l'Université française, il voulait la soumettre. Il rêvait que les sciences humaines reforment sous son commandement le cortège napoléonien de l'expédition d'Égypte.

J'étais descendu le lendemain dans les anciennes fondations du Louvre, la partie la mieux conservée de l'enceinte de Philippe Auguste, transformée en prison de Piranèse pour touristes mondialisés — ceux-ci pouvant désormais évoluer dans les douves de l'ancienne citadelle, entre deux strates archéologiques séparées de mille ans, l'une faite de sable et de tessons de poterie, l'autre d'un plafond en béton contemporain de la pyramide. Arrivé là avec une exceptionnelle gueule de bois, j'ai ressenti assez vite des vertiges incontrôlables. La passerelle destinée à protéger les derniers niveaux archéologiques exhumés est ainsi devenue aussi instable qu'un pont de corde. J'ai continué pourtant à avancer jusqu'à l'escalier qui menait aux collections égyptiennes — mais le sphinx qui en protégeait l'accès me barrait le passage. Je suis parvenu, *in extremis*, à atteindre la margelle d'un vieux puits dans lequel j'ai vomi — un vomi rouge sang sur la lame de verre du projecteur dissimulé au fond. Les parois du puits ont alors pris la couleur angoissante d'un boyau. J'allais mieux, mais en me relevant je me suis trompé de direction en

67

tournant à gauche, vers l'intérieur du château, vers la base de son donjon circulaire, au lieu de reprendre le chemin des fossés extérieurs. L'environnement demeurait stable, l'angle que faisaient les murs avec les douves était conservé, le caillebotis postmoderne du sol était inchangé, mais tout était plus étroit : nous étions à l'intérieur du château. Cette évidence m'a malheureusement échappé et j'ai cru un instant que l'espace se resserrait autour de moi. J'ai même cru voir, avant de m'évanouir, la base du donjon tourner comme une meule, et prête à me broyer. Je me suis réveillé, entre les deux pompiers qui m'avaient secouru, dans un passage souterrain rempli de passe-câbles, de tuyaux et de portes coupe-feu qui débouchait directement sur la rue de Rivoli. J'ai marché, de là, jusqu'à Châtelet, d'où j'ai rejoint mécaniquement la BNF.

J'ai raconté le lendemain mon aventure à Machelin, qui a paru plutôt inquiet à l'idée que mes *dérives*, qu'il considérait comme quelque chose d'aussi sérieux que mon travail de recherche, tournent aussi mal ; il allait m'aider à lever la malédiction qui semblait me retenir prisonnier de l'enceinte de Philippe Auguste et d'un système de souterrains qui risquait de me renvoyer sans fin d'un musée à une bibliothèque.

Il m'a ainsi conseillé de préférer désormais à ces aventures l'exploration systématique, et moins risquée, des Halles. J'avais d'abord cru qu'il plaisantait, mais il m'avait montré, l'après-midi même, *In girum imus nocte et consumimur igni*, le film que Debord avait consacré à la destruction des pavillons Baltard, lieu d'alcoolisation traditionnel de la bohème situationniste. Machelin tenait le complexe souterrain qu'on avait construit à la place pour le plus important monument de Paris — et pour son ultime enceinte.

Il m'avait alors appris qu'un projet de rénovation était à l'étude. Le débat public et démocratique que la municipalité s'apprêtait à ouvrir serait hélas de nature à durablement empoisonner les relations entre les Parisiens et l'urbanisme. Les enquêtes publiques allaient évidemment permettre au peuple de Paris, et plus particulièrement aux habitants privilégiés du Ier arrondissement, d'avouer, aussi soulagé sans doute que les habitants de la grande couronne quand ils finissaient par confesser qu'ils votaient pour le Front national, qu'il détestait les Halles, les Halles et leurs flux de banlieusards, les Halles et leurs boutiques de vêtements communautaires, les Halles et leur vulgarité commerciale, les Halles et leurs cinémas qui ne diffusaient que des blockbusters à destination des résidents incultes des quartiers périphériques, les Halles qui avaient été l'un des incubateurs des nouvelles cultures urbaines, l'un des lieux de naissance d'une société de consommation universelle — les Halles comme plus grand centre commercial urbain d'Europe et comme lieu d'introduction en France du breakdance, du graff et du skate, les Halles comme laboratoire urbain de tous les syncrétismes et de tous les métissages, dont elles n'étaient, au final, que la transposition architecturale, le diorama profond et anxiogène. Un esprit aussi libre que Debord, qu'on imaginerait incapable de ressentir des épiphanies au milieu des légumes ou d'être atteint par le syndrome de Stendhal devant l'étal d'un tripier, s'y était lui-même laissé prendre et avait plusieurs fois déclaré que Paris était mort moins d'avoir perdu une révolution en 1968 que d'avoir laissé son marché de gros déménager à Rungis l'année suivante. Et le trou qui avait succédé aux pavillons détruits allait servir, pendant la décennie suivante, de lieu commun facile sur l'inanité du progrès, sur l'échec du gauchisme, sur le martyre de Paris, sur le suicide culturel de la France et son absorption terminale par le trou noir de la société de consommation, dernière et plus dangereuse des hérésies millénaristes.

L'anomalie urbanistique des Halles avait cependant fini par être résorbée et les membres de la société du spectacle et de consommation allaient, dès l'inauguration de la gare d'interconnexion RER, en 1977, plébisciter le site et ses facilités d'accès, avant d'en découvrir, deux ans plus tard, avec l'ouverture du Forum — nom savant donné au complexe formé par le centre commercial, les cinémas et la piscine olympique —, les infinies possibilités d'usage. Les Halles demeuraient, trente ans après leur création, une zone d'échange à la topologie parfaite entre la périphérie annelée des zones RER et le centre de Paris tout craquelé d'histoire, les Halles étaient la projection holographique sur cinq niveaux souterrains de la vie moderne et de toutes ses modalités d'échange, les Halles étaient le grenier merveilleux de la vie dans une société industrielle avancée, de la vie dans ce qu'elle aurait eu, finirait-on par reconnaître un jour, de meilleur, la vie tolérante et joyeuse, avec des hommes infiniment plus exigeants vis-à-vis de la qualité des produits qu'ils consommaient que vis-à-vis d'eux-mêmes, comme si l'ère religieuse était enfin achevée, comme si l'ère d'une vie plus entière, plus libre et plus diverse l'avait supplantée, comme si un nouvel animal était apparu dans cet espace clos semblable à cette grotte roumaine peuplée de créatures qui n'avaient jamais vu la lumière du soleil, sans que leurs merveilleuses facultés d'évolution n'en soient entravées, et qui avaient survécu en créant autour d'elles un écosystème complet. C'est là que je devais me rendre, plus qu'à la BNF, plutôt qu'au Louvre ou à Notre-Dame si je voulais comprendre Paris, si je voulais saisir son caractère sacré.

Je m'étais alors souvenu du centre commercial Belle Épine, que j'avais visité peu avant mon entrée en quatrième, à la recherche d'une calculatrice scientifique Texas Instruments alors en rupture de stock aux 4 Temps de la Défense ; il m'était apparu comme une sorte de sanctuaire et, à cause de son nom bien sûr mais aussi par la sophistication de l'objet que j'allais y chercher — un objet issu de la conquête spatiale et probablement plus lié au ciel que la couronne d'épines qu'on avait déposée là-bas —, comme le successeur évident de la Sainte-Chapelle.

La FNAC des Halles était en tout cas devenue le premier point de vente mondial de *La Société du spectacle*.

J'avais accompagné un jour Machelin dans sa cave. Il m'avait d'abord fait remarquer le salpêtre sur les murs : c'était l'élément de base de la poudre à canon, il y en avait en abondance dans toutes les caves du quartier. La montagne Sainte-Geneviève était quasiment construite sur un arsenal — sous les pavés la plage et sous la plage la poudre noire. Puis il m'avait montré un énorme tuyau en me disant que la Bièvre, canalisée, passait à l'intérieur. Nous étions dans le lit d'une rivière morte, une rivière qui avait été captée dans un égout collecteur conçu par mon lointain ancêtre, égout qui l'obligeait, contre les lois normales de l'hydrodynamique, à passer sous la Seine par le siphon de l'Alma où elle servait à amorcer le mouvement de l'eau sale vers un site de retraitement situé sur l'autre rive. Il y avait là un crime contre la nature qui fascinait visiblement Machelin, comme le fascinait, je crois, que je sois relié à cette machination.

Machelin m'a enfin montré ses archives, cachées derrière une vieille porte en bois. Il y avait là, avait-il prétendu, une version manuscrite inédite de *La Société du spectacle* qu'il était le seul à avoir lue, et qui me reviendrait à sa mort. Je lui avais bien sûr demandé pourquoi il ne l'avait pas fait publier, et il m'avait répondu qu'étant pour l'heure le seul à pouvoir en utiliser les outils théoriques, il préférait en livrer une interprétation pratique, une interprétation en tout cas plus facile à comprendre pour notre époque qui ne savait plus lire. Je ne sais pas s'il disait vrai. Je n'ai vu, ce jour-là, que des piles de vieux journaux, et une inondation devait tout détruire quelques années plus tard.

Tout mon travail de cette époque, la recherche obsessionnelle et minutieuse d'un objet inconnu à travers les cernes et les traces faiblement radioactives qu'il avait laissés, me fait penser rétroactivement à ces énigmes géologiques qui, parties d'un matériel épars mais mystérieusement concentrique, conduisent à postuler l'existence oubliée d'un cratère d'impact, et à en inférer les propriétés lointaines du météore disparu : j'étais à la recherche du cratère d'impact qu'une ancienne capitale du monde avait laissé sur le globe terrestre.

J'en étais arrivé, d'enceinte en enceinte, dans les parages d'un objet assez flou, connu pour être le dernier cercle défensif construit autour de Paris avant l'abstraction de la guerre spatiale et l'abandon définitif du système des forts. On avait alors, pour la toute dernière fois, exploité la forme géologique de la ville et invoqué le génie silencieux de son site en incrustant autour d'elle, sur les rebords lointains des péninsules forestières qui marquaient les limites entre le Paris alluvial et le plateau céréalier, une dernière ligne de défense.

Cette enceinte, connue sous le nom de dispositif Séré de Rivières et contemporaine de la crise de l'obus-torpille — un obus capable de transpercer toutes les anciennes murailles —, était plus creusée que bâtie, et presque négative, ses forts ayant dû être enfoncés dans l'humus sableux de la ceinture verte pour ne présenter qu'une seule face à l'agresseur, celle, visible seulement du ciel, d'un discret polygone qu'aucun tir tendu ne pouvait plus atteindre et dont j'avais appris à discerner l'existence sur mes cartes IGN. Machelin, heureux que j'en sois arrivé jusque-là, presque aux frontières actuelles de la ville, m'avait alors proposé de visiter l'un de ces forts, où un de ses amis, membre du CNRS, avait son laboratoire.

Il m'avait un jour expliqué, alors qu'une réforme du CNRS faisait l'actualité et que la droite promettait de mettre un terme à ce qui constituait pour elle une aberration économique, que tout le charme de l'institution publique, dont beaucoup de laboratoires étaient concentrés sur la montagne Sainte-Geneviève, tenait à ce que la pression académique y soit assez faible pour laisser à ses chercheurs une liberté presque totale, liberté que beaucoup utilisaient pour nourrir les pages d'infinies controverses des forums où ils échangeaient avec des amateurs plus ou moins éclairés et des théoriciens du complot en quête d'indices sur les armes secrètes américaines et sur les dernières avancées de la NASA dans le domaine des propulsions alternatives. C'était là, beaucoup plus que dans *Nature* ou *Science & Vie*, que se jouait pour Machelin l'avenir de notre civilisation technique — là où la science devenait, loin des laboratoires et de ceux qui la pratiquaient vraiment, quelque chose de substantiel pour tous ceux qui, sans rien y comprendre tout à fait, croyaient en elle, en la science comme complot, comme récit véritable, comme face cachée du monde — comme dernière religion de l'Occident laïc, comme machinerie fantastique capable de produire des révélations au rythme incroyable d'au moins une par génération, quand les religions les plus performantes n'avaient pu en exhiber beaucoup plus d'une par millénaire. Cette science monstrueuse et cachée n'avait presque aucune conséquence sur la science sérieuse, mais c'était là, à quelques exceptions près, tout le romanesque de notre époque.

Il y avait une physique des forts, m'avait expliqué Machelin dans le RER qui nous avait conduits là-bas. La crise de l'obus-torpille avait ainsi moins été un problème de blindage que de mathématique : elle annonçait une ère où l'on devrait renoncer aux jolies paraboles de la balistique pour affronter directement la matière, dans ce qu'elle avait de plus dur et de plus évanescent. On se rapprochait, loin de la dialectique du blindage et de l'obus, des découvertes qui transformeraient bientôt la matière en arme ultime et en énergie pure, et qui rendraient la défense d'une ville théoriquement impossible.

Le fort était situé à l'extrémité sud du plateau de Vélizy et il ne pouvait être rejoint qu'à pied, après une longue marche en forêt. J'ai réalisé là, pour la première fois, à quel point la condition physique de Machelin était dégradée. Il avait dû reprendre son souffle, après une courte montée, en se tenant à la rambarde d'un pont qui surmontait une autoroute.

Je me souviens de la blancheur anormale de ses mains sur la rambarde en aluminium oxydé. Il avait pourtant bu, avant de repartir, quelques gorgées de vodka et il m'avait ensuite tendu la petite bouteille, que j'avais finie en regardant les voitures et en me demandant si j'étais déjà passé à cet endroit, au milieu des bois, sur ce qui devait être l'A86.

Un coureur, qui portait d'étranges chaussures plates à orteils séparés et une combinaison fluo futuriste, avait alors traversé l'autoroute, avant de disparaître dans les bois aussi brutalement qu'il était apparu.

Nous marchions maintenant depuis presque une demi-heure et notre expédition en avait acquis un caractère quasi initiatique, impression renforcée par le silence inhabituel de Machelin — je crois qu'il souffrait beaucoup. Nous sommes enfin arrivés à l'entrée grillagée du site, où son ami, Cordier, nous attendait. Le fort était resté invisible jusqu'au dernier virage, et même là, il ne nous avait présenté que l'aspect énigmatique d'un long tunnel percé dans une muraille entièrement recouverte de lierre.

Je me suis retrouvé soudain en face de mon ancien collège, comme si Paris, à chacune de ses extrémités, devait se reproduire à l'identique, comme si Paris était devenu un pavage régulier et cauchemardesque du plan. J'ai mis en tout cas un instant à exclure cette hypothèse, totalement irréaliste au regard de la ligne de RER que nous venions de prendre. Un bâtiment préfabriqué en tout point identique à celui-ci avait seulement été construit au deuxième étage de ce qui avait dû être l'édifice principal du fort.

Le CNRS venait de renoncer à ce laboratoire

aménagé, comme beaucoup d'autres, dans un des forts abandonnés des anciennes fortifications de Paris : Cordier nous a ainsi cité celui du fort d'Aubervilliers, où Joliot-Curie, le père de la bombe française, avait pratiqué des expériences sur la radioactivité, ainsi qu'un autre, à l'est, où le CEA avait longtemps testé des munitions à l'uranium appauvri. Mais le CNRS avait fait ici un usage inverse des blindages fossilisés du fort : il s'était moins agi de contenir un rayonnement interne que de se protéger du rayonnement extérieur afin d'étudier la lointaine magnétosphère, l'enceinte radio-électrique de la Terre. Il avait fallu pour cela isoler les appareils de tous les bruits parasites. Mais ceux-ci, dans une banlieue parisienne de plus en plus peuplée, s'étaient finalement révélés trop nombreux et tout avait depuis longtemps migré en Antarctique. Il n'était resté que quelques bureaux, puis le site avait été définitivement fermé.

Cordier nous a d'abord fait entrer dans une redoute où des cuves d'azote liquide, oubliées là pour toujours, semblaient attendre que l'Univers refroidisse à leur température, et où des kilomètres de bandes magnétiques emmêlées gardaient l'empreinte confuse de pulsars oubliés. Nous avons ensuite descendu une longue rampe inclinée creusée dans l'épaisseur du rempart invisible. Il n'y avait aucune source de lumière, seulement la lampe que tenait Cordier, et le silence était total. Nous avons continué à avancer jusqu'à une porte blindée, qui donnait sur un premier sas, puis sur un autre. Aucune prison au monde n'avait un tel dispositif de sécurité — à moins d'accueillir une créature non humaine. La première salle était vide, à l'exception d'un renfoncement désagréable, d'une obscurité répugnante. La deuxième salle, très vaste, était entièrement occupée par une immense paillasse centrale en béton, au-dessus de laquelle pendaient quelques anneaux. Une rigole en faisait le tour. Il était impossible de ne pas penser à une table de dissection, une table de dissection de plusieurs mètres de long construite sur mesure pour un être aux dimensions monstrueuses. Les traces de plusieurs attaches, disposées sans aucune cohérence, accréditaient en tout cas l'idée que la créature ne possédait pas une anatomie normale. C'était, nous a expliqué Cordier, les fixations de plusieurs appareils de mesure. La dernière pièce était encore plus grande, près de 30 mètres de long. La cellule, avais-je suggéré — plutôt la chambre à gaz, m'avait corrigé Machelin en me désignant des ouïes régulières en haut des murs. Je commençais à me sentir très mal à l'aise et les explications rationnelles que donnait Cordier ne parvenaient qu'à amplifier l'horreur des lieux — la créature qu'on avait emprisonnée, assassinée et disséquée ici avait été l'Univers lui-même, l'Univers ramené à sa nature monstrueuse.

Cordier nous a raconté, quand nous sommes ressortis à l'air libre, la nature des expériences qu'il avait menées ici. La plus marquante avait été faite en collaboration avec l'Institut d'optique d'Orsay. Il s'agissait d'une expérience cruciale, située aux confins de la physique quantique et de la physique relativiste, d'une expérience visant à clore la fameuse polémique opposant l'équanime Niels Bohr, prêt à accueillir n'importe quel paradoxe pourvu qu'il corresponde aux prédictions de la théorie, à un Einstein torturé et inquiet, soucieux de la cohérence métaphysique des phénomènes observés. À cet égard, le phénomène répugnant de l'intrication quantique, qui soutenait que deux particules restaient liées et dépendantes à travers l'espace et le temps, quelle que soit leur distance, contredisait le dogme fondamental de la théorie relativiste, qui stipulait que rien ne pouvait se propager plus vite que la lumière. L'intrication quantique contredisait toute la physique connue jusquelà, et semblait même de nature à rendre le concept d'espace inopérant et vide.

Après ce bref exposé, qui m'avait fait, dans la cour aveugle du fort, l'effet d'un conte de fées, dont j'étais incapable de déterminer s'il finissait bien ou mal — l'Univers était non local, l'espace était devenu une fiction et le réel l'hologramme confus de quelques équations mathématiques bizarrement symétriques —, Cordier nous avait fait entrer dans une redoute, symétrique à la première, qui donnait elle aussi sur une longue rampe inclinée. Mais aucune chambre secrète au fond de celle-ci, seulement un boyau de presque 100 mètres de longueur, taillé dans la roche calcaire du plateau. Les crédits avaient manqué pour aller plus loin ; le tunnel s'était arrêté là. Cordier avait pourtant été l'un des premiers à percevoir les applications possibles de l'intrication quantique : si l'on pouvait communiquer instantanément à distance, il était possible d'envisager sérieusement la question de la téléportation. Cordier était prêt, en tout cas, à recevoir par laser les premiers photons polarisés par le laboratoire d'Orsay, situé juste en face, dans l'alignement du tunnel, de l'autre côté de la vallée de la Bièvre. Il avait aménagé presque seul la chambre destinée à les accueillir, intacts et comme sortis d'un futur immédiat. Il était même prêt à faire le voyage avec eux — j'avais repensé au coureur entraperçu un peu plus tôt en me demandant si ce n'était pas Cordier lui-même, sorti d'un futur proche, qui nous aurait tourné autour pour nous rabattre sur son piège diabolique.

Trop précurseur, Cordier avait en tout cas très vite cessé d'interagir avec les équipes de l'Institut d'optique et s'était retrouvé placardisé dans son fort, que ses collègues avaient abandonné les uns après les autres jusqu'à sa fermeture définitive. J'ai compris soudain, en voyant les milliers de pages recouvertes d'équations qui jonchaient le sol, que Cordier vivait ici et qu'il continuait à creuser patiemment son tunnel.

Les chaussures à orteils séparés étaient bien là dans un coin un peu plus sombre.

Nous l'avons laissé et nous sommes repartis vers Paris juste avant la tombée de la nuit. Tandis que nous marchions vers le RER, Machelin souriait, fier de son effet, sans faire aucun autre commentaire. J'avais l'impression d'être arrivé au bout de quelque chose. Si j'étais en analyse, m'a-t-il finalement dit, ce serait le moment où nous pourrions convenir d'un arrêt de la cure. Mais j'étais son étudiant, et j'avais toujours une thèse à écrire.

Je devrais encore parler des *Pariser Kanonen*, ces canons d'une portée dépassant les 100 kilomètres dont l'armée allemande était parvenue à hisser un exemplaire sur une cuesta du Bassin parisien, juste derrière Soissons. L'un de ses tout premiers tirs, au printemps 1918, marquait symboliquement le moment où Paris avait été définitivement trahi et abandonné par son site ; l'obus était venu crever la voûte de l'église Saint-Gervais, construite, juste derrière l'Hôtel de Ville, sur une petite levée de terre qui bordait la Seine et qui demeurait l'un des rares vestiges de sa seconde enceinte. Puis Paris avait accueilli, moins pour lui-même que pour vérifier les ultimes réglages de l'engin, les tout premiers impacts de la fusée V2, dont les débris permettront aux scientifiques français de reconstituer sa centrale inertielle, et de lancer, à leur tour, des engins spatiaux depuis le site algérien d'Hammaguir. Machelin m'avait raconté tout cela presque d'une traite pour m'annoncer soudain, alors que notre train atteignait Saint-Michel, que c'était là-bas, au milieu du désert, que j'aurais à me rendre, pour y continuer mon apprentissage auprès d'un de ses amis urbanistes.

Il avait évoqué enfin le triomphe définitif du paradigme non local, l'éclatement de Paris et les fluctuations quantiques de la guerre du XXIe siècle, guerre essentiellement asymétrique dont nous devions devenir les stratèges et les théoriciens, guerre qui avait justement éclaté ici, à cet emplacement même — et il m'avait montré, sur le pilier de la gare souterraine, avec un sens du timing et de la mise en scène qui m'avait impressionné, la plaque en marbre qui rendait hommage aux huit victimes de l'attentat terroriste du 25 juillet 1995.

J'ai très peu vu Machelin pendant les mois qui ont suivi l'obscure révélation du métro Saint-Michel. Puis nous nous sommes revus à un rythme accéléré. Il a alors commencé à me parler ouvertement de celui qu'il appelait son autre élève, le Prince, qu'il voyait de plus en plus souvent et qui lui donnait entière satisfaction. Machelin m'avait ainsi raconté ses premiers pas de conseiller occulte. Le Prince avait un emploi du temps chargé et une capacité d'attention volontairement restreinte — comme toutes les personnes véritablement habiles, il décevait la plupart de ses visiteurs par la banalité de ses propos et par sa faculté à éteindre les feux intellectuels de toutes les conversations savantes. Beaucoup d'universitaires avaient ainsi été appelés à se prononcer au cours d'un déjeuner ou d'un dîner qui devait constituer le dernier étage, le résumé parfait, l'harmonique suprême de leur brillante carrière — le moment bref où ils pourraient infléchir l'histoire du monde —, sur les mérites comparés des présentateurs de BFMTV ou de LCI, présentateurs dont ils ignoraient généralement les noms, les visages, la place dans la grille horaire et les rivalités secrètes ; désespérés, ils confessaient en général et d'un ton supérieur qu'ils ne regardaient pas la télévision, que tout cela allait trop vite, que la politique était un art du temps et non une gestion de l'urgence, contrairement à ce qu'en montraient les chaînes d'information en continu. Ils venaient, sans s'en apercevoir, de s'attirer le mépris définitif du Prince, grand consommateur — et grand pourvoyeur — d'information en continu. La conversation leur échapperait désormais, et leur sujet d'élection, l'unique raison de leur présence à table, ne serait plus jamais abordé.

Machelin avait en fait été l'un des rares à oser une provocation directe et à avoir su profiter de la surprise du Prince pour dérouler, en quelques mots, une théorie susceptible d'être aussitôt comprise et acceptée par lui. Il avait ainsi rappelé au Prince — pourtant le grand architecte du tournant sécuritaire de la campagne de 2002 — que la non-qualification miraculeuse du candidat de gauche au profit du Front national était un pur hasard. Tant que la droite n'aurait pas appris à désamorcer cet étrange missile politique conçu vingt ans plus tôt par Mitterrand pour la diviser, elle resterait sous la menace d'un *21 avril à l'envers*. Il fallait développer d'urgence des contre-mesures efficaces, et il existait justement à peu près autant d'électeurs du Front national qu'il y avait de musulmans en France. On pouvait utiliser cette masse de toutes les façons qu'on le souhaitait. C'était un appel au génie politique.

Tout cela était encore très confus pour moi, et même un peu effrayant : il demeurait chez moi une sorte de gêne, liée à l'idée que la droite, si elle était sans doute plus efficace que la gauche et par bien des côtés plus rationnelle, était infréquentable — en tout cas pour un universitaire. Je ne comprenais pas où Machelin voulait en venir, ni ce qu'il cherchait au contact de cet homme dont le rapport à la politique nous éloignait des jolies fictions platoniciennes qu'il aimait évoquer à Cergy, de cet homme qui incarnait le monopole de la violence légale — c'est-à-dire, du point de vue d'un praticien des sciences humaines, la part archaïque de nos sociétés imparfaitement modernes.

Mais je n'avais encore rien vu. Machelin m'avait ainsi lâché un jour, rayonnant, que la transformation du premier flic de France en prêtre était presque achevée, propos qui m'étaient restés longtemps incompréhensibles tant la laïcité faisait alors l'objet d'un consensus général, malgré quelques faits divers, de nature plus allégorique que réelle, qui opposaient parfois la République à des lycéennes voilées — on parlait alors de *foulard islamique*, et tout avait commencé dans la lointaine ville de Creil, ville que j'avais longtemps confondue avec Creys-Malville, site d'implantation du surgénérateur expérimental Superphénix et autre scène médiatique des guerres entre anciens et modernes qui avaient mollement rythmé mon enfance, guerres sans enjeux véritables puisque les anciens, par principe, devaient toujours perdre.

Mais ce qui rendait les propos de Machelin encore plus obscurs, c'était d'imaginer que celui qui incarnait, dans l'imaginaire politique français du début des années 2000, la trahison, la petitesse, l'envie et toutes les vertus mauvaises du *libéralisme à l'anglo-saxonne* puisse incarner une quelconque des vertus chrétiennes — autre que la foi, égoïste et païenne, en sa bonne étoile, et l'espérance, absurde, tant ses adversaires étaient nombreux et plus charismatiques que lui, en son destin présidentiel.

Les choses étaient pourtant en train de changer. Le ministre de l'Intérieur était devenu omniprésent sur la première et sur la sixième chaîne, qui assiégeaient alors, en cet âge ancien des médias hertziens, la citadelle de centre gauche des chaînes publiques. Jouant son rôle de ministre régalien d'une façon quasi mythologique, il était un élément permanent du paysage médiatique, une force ubiquiste, une déité jamais aussi présente que quand elle était invisible et se distribuait, comme une force physique ou une peur contagieuse, à travers les corps interchangeables et recouverts de kevlar des forces de l'ordre, des forces de l'ordre qui portaient leur nouvelle livrée télégénique sur laquelle se détachaient les lettres fluorescentes du beau mot de *Police*. C'était le ministre lui-même qui plaçait les radars, qui courait dans les escaliers, qui fracassait les portes, qui tenait le flambeau de la justice — de cette manière étrange, mais réglementaire, le bras replié et le poing rejeté vers l'arrière, dont les forces de police tenaient leurs lampes torches.

L'un des effets les plus spectaculaires de sa nomination, en 2002, avait sans doute été cette transformation spectaculaire du paysage audiovisuel français, marquée par l'apparition d'innombrables émissions consacrées au quotidien des forces de l'ordre.

Le champ médiatique était en train de changer et semblait de nature à légitimer n'importe quelle ambition un peu construite. La diffusion sur M6 de la version française de *Big Brother*, l'émission hollandaise par laquelle le scandale avait commencé, avait été vécue par l'intelligentsia parisienne comme une véritable catastrophe intellectuelle, qui l'avait conduite à cumuler, en un mois, plus de points Godwin que tout le reste de l'Internet mondial en une année, et qui avait amené les milieux artistiques au bord du schisme quand *Les Cahiers du cinéma* avaient fait entrer l'émission dans leur liste des dix meilleurs films de l'année écoulée. Le Prince avait alors été l'un des premiers à comprendre, en vrai politique, que ce chaos pouvait lui être bénéfique, que le discrédit qui pesait désormais, après la normalisation rapide de la télé-réalité, sur les intellectuels de gauche qui avaient pris Steevy et Loana pour des barbares ravageurs et incultes, ainsi que le triomphe esthétique d'un média — la télévision — qu'il aimait et maîtrisait bien mieux que ses rivaux, pouvait lui offrir la popularité qui lui faisait défaut, auprès des élites comme auprès du peuple, et qu'il n'avait pour cela qu'un geste à faire, et qui plus est un geste d'une facilité déconcertante : autoriser des équipes de télévision à venir filmer les forces de police en action.

Personne n'avait pu s'opposer à cela, ni le président Chirac, qui y avait vu une manière de continuer un combat pour la sécurité routière qui constituait un champ de bataille plus sûr que l'Irak, ni le CSA, l'autorité qui surveillait l'indépendance et l'absence de partis pris des médias : ses seules recommandations avaient été que les candidats disposent d'une pièce où ils pourraient échapper un instant aux caméras omniprésentes, et qu'on évite à tout prix la publicité déguisée pour telle ou telle marque — les concurrents de *Loft Story*, ainsi qu'on avait finalement choisi de nommer le *Big Brother* français pour en dissimuler le totalitarisme derrière un écran de libertinage, n'avaient ainsi jamais bu que des boissons anonymisées par des feuilles blanches roulées en cylindre autour d'elles.

Cette opération étant inapplicable à la réalité entière, et le floutage des logos publicitaires, omniprésents dans n'importe quel paysage urbain, s'étant avéré trop coûteux à mettre en œuvre, les chaînes avaient adopté un étrange compromis qui consistait à retourner la réalité entière, afin que les logos des marques et les enseignes des magasins soient moins facilement identifiables, sans que la chose n'affecte ni la forme des villes, globalement symétriques, ni les corps humains, qui résistaient bien eux aussi à la traversée du miroir. La police s'en était même trouvée incidemment renforcée, les lettres figurant inversées sur les capots de ses voitures d'intervention, afin d'être redressées par les rétroviseurs des véhicules poursuivis, s'étant retrouvées les seules écritures lisibles de ce paysage aux signes indéchiffrables — et qui n'était pas sans rappeler la ténébreuse interdiction d'écrire qu'on avait adressée aux *lofteurs*, à qui on avait confisqué papier et crayons afin qu'ils resservent leurs seuls commentaires à la caméra avide du *confessionnal*.

Ce monde inversé, violent et prétendument inculte, avait été le premier royaume du Prince.

Machelin, qui venait de s'y faire admettre, était jusque-là resté étranger à sa constitution. Sa mission était même plutôt d'en faire sortir le ministre, et d'opérer ainsi la translation problématique d'un héros de télé-réalité vers le monde réel — sujet particulièrement délicat, quand on savait que pour un Steevy, sur le point de retrouver un nom complet et une fonction sociale à peu près claire, il restait douze «Kenza-du-Loft», douze «Jean-Édouard-de-la-piscine», qui demeureraient à jamais prisonniers de l'enfer sartrien de leur jeunesse médiatique.

Le Prince avait jusque-là opéré sur les passions mauvaises : réprimant la délinquance, emprisonnant les méchants, préservant la paix civile, il était devenu une sorte de justicier de l'ombre et des nuits bleues des reportages de seconde partie de soirée — la France des descentes de police et des opérations de contrôle dans des cités labyrinthiques ou sur les voies d'accès enténébrées des autoroutes meurtrières. Le Prince appartenait à ce pays nocturne et anonyme, à cette France mauvaise, surprise dans le noir en plein comportement délictuel, à cette France caméra à l'épaule que j'avais vue bouger sur la petite télé cubique de mon studio de Cergy comme les glaçons dans mon verre de vodka-Red Bull, France plus réelle et plus sombre que le plateau alentour — plateau qui retenait la ville nouvelle loin des coteaux abrupts de la réalité, loin du lieu où tout pouvait casser, lieu qu'un film, *La Haine*, avait justement situé ici même, juste en dessous de Cergy, là où Chanteloup-les-Vignes tentait de projeter ses tours malveillantes jusqu'à notre fin nuage de prospérité crayeuse.

Le film était resté célèbre pour son travelling liminaire qui représentait, accompagné d'un commentaire qui hanterait longtemps ma génération, la chute d'un cocktail Molotov sur la terre : « C'est l'histoire d'un homme qui tombe d'un immeuble de cinquante étages. Le mec, au fur et à mesure de sa chute, se répète sans cesse pour se rassurer : jusqu'ici tout va bien, jusqu'ici tout va bien, jusqu'ici tout va bien. Mais l'important c'est pas la chute, c'est l'atterrissage. » Quels que soient notre niveau social et notre degré de croyance envers une sortie de crise généralisée — niveau social et croyance que les étudiants de l'ESSEC portaient presque à l'incandescence —, l'avertissement était demeuré, et nous étions tous préparés à ce que les choses dégénèrent un jour. Le bureau des élèves, à l'approche de la Nuit de l'ESSEC, prenait ainsi des mesures discriminatoires secrètes pour éviter que la fête ne serve de cheval de Troie aux troupes vengeresses de la cité voisine.

Mais il ne nous avait pas échappé — spécialement à nous, jeunes sympathisants de droite terrifiés par l'existence toute proche d'un quartier sensible, à nous, jeunes urbains encerclés par l'univers sans loi des banlieues difficiles — que l'arme volée à la police au début du film était finalement revenue dans de bonnes mains, celles du Prince, après de trop longues années d'impuissance et de laxisme.

Le mal avait été vaincu et il était temps d'imaginer de nouveaux attributs et de nouvelles missions au ministre de l'Intérieur. Cette opération, habituelle sous la Cinquième République — Mitterrand et Chirac avaient exercé eux aussi, à un moment de

leur carrière, cette fonction stratégique, mais potentiellement dangereuse en matière d'image, de premier flic de France —, était connue sous le nom de
présidentialisation.

C'était un terme que Machelin jugeait grandilo-
quent. Il préférait dire qu'il devait simplement
fabriquer un homme, tout simplement un homme.
Un homme de plus, un Prince démocrate, conçu à
l'image de tous les autres et destiné à n'apeurer
personne, à condition bien sûr qu'il soit un homme
complet, à qui il ne manquerait aucune faculté,
sensible ou spirituelle. La mission de Machelin
avait alors été d'imaginer comment le ministre
pourrait révulser son domaine, l'intérieur policier
et secret, pour qu'il devienne la chose publique
entière, claire, universelle et rationnelle.

Obsédé par le passage nécessaire du monde
médiatique au monde réel, par le retournement du
miroir, Machelin ne voulait rien laisser au hasard ;
il voulait que la sortie du Prince du monde des
apparences soit un événement marquant de l'histoire de France ; il voulait que la traversée du miroir
de celui qui n'avait été jusque-là que le héros lointain des télé-réalités policières qui avaient pris possession du champ médiatique s'accompagne d'un
effet de réel définitif : le Prince devait régner sur les
choses et non sur leurs reflets.

Machelin avait peur de livrer au monde une chi-
mère incomplète, un homme sans dimension qui,
une fois le miroir traversé, se retournerait sans cesse
d'une opinion à l'autre au risque de dénoncer le
secret de ses origines : petit artefact conçu par des
spin doctors invisibles, il devait maintenant faire

croire à sa propre épaisseur. Il devait, avait ajouté Machelin en souriant, *gauchir son image*. La clé de cette métamorphose, Machelin l'avait découverte dans l'une des attributions secondaires et anachroniques des ministres de l'Intérieur de la Cinquième République, qui demeuraient, malgré le caractère inébranlablement laïc de celle-ci, chargés des cultes : « L'État, était-il écrit, ne reconnaît aucun culte mais n'en ignore aucun. »

Machelin m'avait expliqué un soir pourquoi les miroirs inversaient la droite et la gauche, et pas le haut et le bas. Tout commençait aux premiers temps de l'Univers, ou plutôt dans un Univers presque vide, à l'exception d'un seul objet, une main coupée. L'auteur de ce conte philosophique qui transformait l'espace en scène de crime et qui faisait de Dieu le seul coupable possible était Kant. La question, avait continué Machelin, consistait à savoir si cette main était une main gauche ou une main droite. Cela semblait évident et à la portée du premier enquêteur venu, mais, en réalité, il n'existait pas de réponse à cette question. On pouvait en effet décrire cette main de toutes les façons, compter ses doigts, préciser le dessin de ses empreintes digitales et parcourir avec des nanorobots son système vasculaire aussi précisément qu'on avait remonté l'Amazone et tous ses affluents, il était impossible de déterminer s'il s'agissait d'une main droite ou d'une main gauche. Il n'existait pas de description objective capable de distinguer l'une de l'autre — il aurait fallu pour cela, hypothèse interdite, car l'Univers était vide, que l'enquêteur se rende sur place et applique l'une de ses propres mains sur la main solitaire. Sans ce contact, la main demeurait dans un état d'indétermination désagréable et semblait devoir osciller, pour l'éternité, entre deux possibilités égales. Leibniz avait anticipé, et partiellement résolu l'énigme de cette main coupée : si toutes les choses pouvaient être réduites à leur description abstraite et disséquées, comme la main du célèbre tableau de Rembrandt, en faisceaux et tendons de propriétés conjointes, il fallait pour que deux choses soient numériquement distinctes qu'elles ne puissent être rapportées à des descriptions similaires. On pouvait cependant imaginer, sans contradiction logique, un Univers qui, séparé par un grand miroir entre deux parties identiques, verrait tous ses objets dédoublés. Le crime de Kant n'avait cependant pas été conçu pour de telles extrémités métaphysiques — ou plutôt Kant avait résolu l'énigme, en faisant disparaître toute la scène de crime : cette main, lâchée presque par inadvertance dans son système philosophique, visait à démontrer l'idéalité de l'espace. Mais il existait, avait tenu à préciser Machelin, une autre résolution possible de l'énigme, à la fois plus correcte et plus désagréable, qui consistait à prendre cette expérience de pensée comme une démonstration par l'absurde de l'existence de Dieu, garante de l'idée que le monde était un rêve plutôt qu'un cauchemar — c'était là, au fond, la meilleure objection et la résolution la plus facile du crime de Kant.

J'ai vu à cet instant Machelin frissonner et se raidir : l'existence de Dieu était la seule chose qui effrayait les hommes de sa génération, la seule anomalie métaphysique qui leur faisait vraiment peur. La nuit était maintenant tombée, et il s'était mis à pleuvoir. La pluie avait rapidement transformé le bas de l'avenue des Gobelins en une sorte de gigantesque miroir concave, comme l'un de ceux que l'on destinait à l'observation du ciel profond. Machelin m'a raconté comment les astronomes faisaient jadis tourner une pellicule de mercure dans le fond de leur télescope pour lui donner une courbure et une définition parfaites. J'étais déjà ivre et j'ai vu la place se mettre à tourner lentement. Les rideaux d'immeubles trop fins des rives de l'ancienne Bièvre flottaient à sa périphérie comme des décors mobiles et les voitures glissaient comme des billes sur l'étendue liquide soulevée à ses bords par la force centrifuge, tandis que Machelin, la voix alourdie par l'alcool, continuait son œuvre de dévoilement du monde. À mi-voix et d'un seul souffle, il m'avait expliqué, dans le café presque vide où le seul bruit était celui que faisait le serveur empilant les petites vertèbres chaudes des tasses à café sur le percolateur, que la gauche et la droite n'étaient pas des propriétés absolues, mais relatives : c'était des propriétés qui dépendaient de la forme même de notre corps. Les miroirs ne nous inversaient pas comme les lentilles d'un appareil photo ou comme les pupilles de nos yeux, qui renversent tout, bas et haut, gauche et droite. Ils inversaient seulement l'avant et l'arrière. Ils nous écrasaient. Nous étions étendus à plat sur les miroirs comme des échantillons biologiques sur les lames d'un microscope. Les miroirs ne nous reproduisaient pas en relief. Ils nous arrachaient la peau, ou plutôt nous montraient tels qu'on nous verrait, en transparence, si l'on tenait devant soi la peau d'un homme écorché.

Il existait un homme qui avait subi entièrement l'expérience du miroir. Cet homme, l'homme de Vitruve d'après la mort de l'homme, mis à mort et ressuscité comme le Christ rédempteur de l'ère moderne, s'appelait Joseph Jernigan. Joseph Jernigan, l'homme-médicament, l'homme capable de guérir l'homme, l'homme enfin livré, loin des pactes douteux avec la terre harmonieuse ou avec les cieux vengeurs, à sa nature entière et exclusive, au fascinant apprentissage de la politique comme travail de l'homme sur l'homme et miroir infini de sa propre domination, avait conclu Machelin au moment où le serveur avait fait descendre le rideau métallique aussi rapidement qu'une lame de guillotine.

La guillotine, justement. Machelin s'était brusquement accroché à mon bras : tout était là, dans cet objet emblématique, dans ce symbole effroyable de la modernité. Le docteur Guillotin, son promoteur, était à l'origine d'une autre innovation capitale de l'ère révolutionnaire. C'était lui qui avait proposé de distribuer la représentation nationale dans un hémicycle — sur le modèle, évidemment, des amphithéâtres de médecine. De l'application de cette forme savante au champ politique, jusque-là plutôt organisé en rangées et en ordres, étaient nés les concepts géniaux de droite et de gauche. La gauche et la droite, avait conclu Machelin de façon parfaitement syllogistique, étaient donc nées autour d'un cadavre — cadavre qu'elles s'étaient disputé jusqu'à ce que celui de Jernigan les réconcilie.

Nous étions alors allés chez lui en empruntant un escalier de service qui menait du café à son appartement. J'avais de plus en plus de mal à suivre son raisonnement, raisonnement interrompu à chaque fois qu'il s'effondrait sur l'escalier en spirale. Mais j'arrivais toujours à le relever et à lui réapprendre la marche. Il reprenait alors et semblait parler sous le coup d'une inspiration subite, ou d'une terreur que je ne lui avais jamais vue. J'avais l'impression qu'il avançait ainsi vers une révélation grandiose — comme vers sa mort prochaine.

La tête renversée en arrière sur la volée de marches qui menait au dernier étage, il avait maintenant les yeux démesurément agrandis et son visage, que je voyais pour la première fois à l'envers, était méconnaissable — il ressemblait un peu à celui du cadavre au premier plan du *Radeau de la Méduse*. Machelin répétait d'ailleurs ces mots : « Un grand cadavre à la renverse, un grand cadavre à la renverse. » C'est la parution, quelques années plus tard, du livre de justification d'un autre intellectuel transfuge, livre qui s'appelait précisément ainsi, qui m'avait donné la clé de cette phrase : venu de la préface de Sartre à l'*Aden Arabie* de Nizan, préface consacrée aux idéaux de jeunesse et à leur trahison fatale, ce grand cadavre désignait la gauche.

Et la gauche était ce soir-là au plus mal. Machelin m'a avoué, en bavant, qu'il tutoyait désormais le Prince. Il m'avait fallu le traîner jusque chez lui où, lentement, il avait repris ses esprits, continuant ce qui ressemblait de plus en plus à une justification.

Je crois que Machelin, dont le glissement vers la droite était pourtant depuis longtemps irrésistible, dont le ralliement au Prince était connu, avait soudain pris conscience de la gravité de son acte et du caractère faustien de ce qui aurait dû rester un simple jeu. Il avait voulu devenir, par défi plutôt que par ambition, un homme de l'ombre, un visiteur du soir — et tout en avait acquis pour lui un caractère crépusculaire, et tout s'était passé comme s'il était devenu lui-même une ombre et une créature de la nuit qui tombait sur le monde.

Il allait cependant beaucoup mieux, maintenant que nous étions arrivés chez lui. Les cigarettes qu'il fumait les unes à la suite des autres l'avaient sans doute réveillé et il allait bientôt pouvoir recommencer à boire. Il avait alors rapidement retrouvé son autorité professorale.

Joseph Jernigan était un cambrioleur américain qui, surpris par sa victime, l'avait assassinée. Condamné à mort par l'État du Texas, il avait été exécuté par injection létale. Son corps, qu'il avait offert à la médecine dans un dernier acte de repentance, allait servir de support au *Visible Human Project*, le plus complet des atlas anatomiques jamais imaginés, constitué de presque deux mille cartes. Aucune d'elles n'avait pourtant été dessinée, Jernigan les ayant directement fournies, avec l'aide d'une équipe médicale venue le découper en tranches d'une épaisseur d'un millimètre.

Le célèbre visage de sable de la fin des *Mots et les Choses*, l'homme que les sciences naturelles et le biopouvoir devaient découper en préparation de laboratoire et seulement conserver dans le sérum physiologique d'un océan de données, cet homme, le sujet et l'objet d'une anthropologie nouvelle, cet homme qui avait assisté à sa propre mort, Foucault ne l'avait pas connu. Cet homme était Joseph Jernigan.

Machelin était fasciné par Foucault, Foucault qu'il avait, je crois, personnellement connu et que, principal introducteur en Europe des techniques sexuelles enseignées dans les *backrooms* de l'Ouest américain, il tenait pour le patient zéro du sida en France — et quasiment pour un théoricien génocidaire.

Le supplice de Damiens, cher à Foucault, était en tout cas largement dépassé en horreur, avait précisé Machelin, on avait même égalé, dans un obscur laboratoire du Texas, le supplice chinois des cent morceaux — supplice dont Machelin m'avait avoué, ce soir-là, qu'il possédait un échantillon rare. Il avait alors sorti une plaque de verre fumé d'un tiroir de son bureau. Je n'avais pas compris d'abord de quoi il s'agissait, on ne voyait rien, sinon la tache vaguement inquiétante d'un test de Rorschach. Machelin avait alors disparu dans sa chambre, dont il était ressorti avec un petit appareil binoculaire, semblable à ceux qu'on vendait dans les boutiques autour de Notre-Dame ou au pied du Sacré-Cœur. La plaque avait pris ses dimensions réelles, et j'avais vu, au milieu d'une foule indescriptible, le corps d'un homme démembré, d'un homme dont les yeux ouverts et la bouche déformée ne laissaient pourtant aucun doute sur le fait qu'il soit encore vivant.

« Je réserve ce spectacle à de très rares initiés —

même le ministre, notre futur Prince, n'y a pas eu accès — la mort de Damiens l'a suffisamment écœuré, je crois, pour qu'il ait été nécessaire de sortir de la poche de ma veste cette preuve tridimensionnelle de l'existence du mal. »

Après ce court intermède horrifique, Machelin a repris ses explications. Soigneusement déposées sur des plaques de verre, les tranches de Jernigan avaient ensuite été photographiées, puis numérisées. Son corps avait ainsi été reconstitué en 3D, comme un paysage fait de courbes de niveau superposées. Jernigan survivait depuis dans les ordinateurs des facultés de médecine, ou sur des serveurs accessibles à quiconque désirait plonger dans son corps constellé d'organes et plus lumineux, plus clair et plus rassurant qu'un ciel d'été.

On avait même découvert, dans ses tissus conjonctifs numériquement réajustés, deux ou trois détails inconnus qui avaient jusque-là échappé à l'œil exercé des anatomistes — le corps de Jernigan, tranché presque vif, ne s'était pas effondré sur lui-même comme celui de cadavres qu'on disséquait d'habitude — il était encore à l'état de cathédrale, tous ses vaisseaux ouverts et remplis de couleur.

Il y avait là, enfin, la résolution définitive de l'énigme du châtiment, la résolution de l'énigme politique elle-même, qui était en réalité extrêmement simple, et tenait exclusivement aux rapports que la politique choisissait d'entretenir avec le mal, mal dont elle avait le devoir d'expurger l'Univers et dont il était devenu certain, à mesure que l'humanité s'enfonçait dans l'époque moderne, qu'elle ne pouvait y parvenir qu'en s'arrogeant le monopole de celui-ci. L'hypothèse de Foucault, à cet égard, avait été la bonne : la nature de ce mal était bien thérapeutique. Le mal politique était entièrement subordonné à l'idée de punition — à l'idée d'une réparation, métaphysique et symétrique, des crimes de l'Univers dans le corps du coupable.

La distinction primitive entre droite et gauche passait précisément ici : la droite entendait punir le criminel, quand la gauche entendait le rééduquer. Mais les deux positions portaient en réalité toutes deux l'idée d'une guérison de l'Univers entier à travers un traitement spécifique appliqué au corps du coupable.

Les modernes, qu'ils soient de droite ou de gauche, qu'ils soient partisans de la peine de mort ou de la rééducation, avaient toujours eu un problème avec la justice, qui fonctionne mal dans un Univers sans Dieu et régi par les seules lois naturelles — chose parfaitement résumée par Nietzsche : « Il lui fallut agir de la façon dont il agit ; en punissant, nous punissons l'éternelle nécessité. » Cette tension entre le crime et le châtiment, entre l'obligation de punir et celle de comprendre, pour mieux prévenir un jour la réédition des crimes et lever la malédiction de Caïn, cette tension avait été presque résolue, pour la première fois, dans le destin de Joseph Jernigan, résolution parfaite d'une intrigue criminelle à portée métaphysique.

Il y avait là aussi, peut-être, l'élucidation possible du crime de Kant.

Pendant que Machelin parlait, j'avais étudié son appartement en détail. Très étendu mais aux perspectives absorbées par ses profondes soupentes, il était caractéristique d'un certain mode de vie, un peu orientalisant, qui avait été popularisé, avant l'invention des magazines de décoration, par les portraits intimes des intellectuels que publiait alors *Le Nouvel Observateur* en pleine page. Cette évolution de l'habitat, vers moins de hauteur sous plafond mais plus d'épure horizontale, avait été rendue possible, m'avait expliqué Machelin un jour, par la fin de la domesticité citadine, qui, en libérant les septièmes étages de leurs occupants traditionnels, avait permis à une génération éprise de liberté de partir à la conquête de la dernière aventure immobilière d'un Paris enclos dans les gabarits du baron Haussmann, et de disposer là, au hasard de son inspiration, ses meubles bas chinés. Ce mode de vie devait aussi beaucoup, ce constat avait été comme une de mes premières incursions dans le champ urbanistique, à l'apparition émancipatrice du sani-broyeur dont les engrenages avaient résolu, dans ces étages traditionnellement privés d'eau courante, le problème de l'évacuation des excréments solides — sanibroyeur dont l'inventeur n'était autre que le propriétaire du *Nouvel Observateur*, le promoteur principal d'une *French Theory* justement ouverte sur les béances organiques du champ psychanalytique.

J'ai réalisé soudain qu'avec ses fauteuils gris sans structure apparente et ses bibliothèques aux rayonnages remplis de revues aux dos beiges, l'appartement de Machelin était la copie conforme de celui de Foucault, tel qu'il était souvent apparu dans les pages du magazine derrière le crâne chauve, brillant et un peu pointu de l'intellectuel.

J'ai compris, ce soir-là, à quel point Machelin était hanté par les miroirs. Au café, il m'avait fait changer de place à chaque fois qu'il s'était retrouvé en face d'eux. Il n'y en avait pas chez lui, pas même au-dessus du lavabo de la salle de bains où j'étais allé vomir. Les seuls présents étaient ceux, sphériques et accrochés en grappe, d'une grande lampe en inox, qu'il tolérait sans doute parce qu'il était impossible de s'y voir vraiment : moins que des miroirs, c'était comme les mains tendues et suppliantes d'un autre monde après son absorption dans une singularité terminale, d'un monde tout proche, mais asphyxié, naturalisé et détruit juste pour le plaisir des yeux — quelque chose comme l'équivalent métaphysique d'une tête réduite jivaro.

Son visage, progressivement déformé par l'alcool, devait lui faire horreur.

Je ne l'ai jamais vu boire autre chose que de l'alcool. La vaisselle sale qui s'entassait dans l'évier m'avait d'ailleurs empêché de me remplir un verre d'eau. J'en étais venu à penser qu'il vivait dans un monde inversé — un monde corrompu — où l'alcool aurait remplacé l'eau de façon indétectable. Je me souviens de ce que j'avais ressenti, les deux mains appuyées sur les rebords froids du lavabo et le regard perdu dans l'objet manquant qui aurait dû me faire face : j'étais en train de basculer dans un cauchemar qui n'était pas le mien, dans un monde où les miroirs ne devaient pas, à aucun prix, exister. J'arrivais dans la zone du pouvoir et de ses grandes solitudes, là où le jeu démocratique des reflets et des ressemblances était brisé par l'ambition de ces hommes qui avaient décidé de ne plus croire qu'en eux-mêmes — croyance qui finissait par les rendre jaloux de leur propre personne.

Machelin m'avait appris que *Le Prince* de Machiavel, que nous avions minutieusement étudié à l'ESSEC et qu'il relisait sans cesse, ressortait d'un genre littéraire nommé *specula principum*, le miroir du prince. C'était au départ un genre exclusivement apologétique et moral qui, comme les vanités en peinture, était un instrument religieux destiné à rappeler la petitesse de l'homme, quelle que puisse être sa grandeur apparente. Jusqu'à ce que Machiavel prenne l'expression au premier degré : ce n'était plus le Prince qui devait ressembler au néant enclos dans le miroir qui le regardait, mais le miroir lui-même, mobile et rapide, qui devait s'efforcer de ressembler au Prince. Avec Machiavel commençait cette traversée du miroir, ce retournement de perspective propre à la modernité : l'idéal revenait parmi les hommes et l'analyse de leur comportement fournissait la matière exclusive de la science politique. C'était ce petit miroir fidèle et portatif, cette conception efficace du pouvoir, cette idée facile de la coercition des hommes que l'Occident allait promener sur tous les chemins du monde. Le machiavélisme avait facilement triomphé. Mais cela allait paradoxalement entraîner sa perte.

Il faudra bien que l'Occident sorte un jour de Machiavel, comme on sort d'une prison, car nous étions maintenant en danger de mort, avait conclu Machelin.

Le Prince, avait-il repris après un long silence, était à tous les égards le plus habile des hommes politiques qu'on ait vus en France depuis au moins une génération ; il avait peu d'opinions personnelles, il était souple et dénué de scrupules comme d'amis véritables. Mais cela n'était pas suffisant, pour Machelin, son critique le plus sévère. Il était trop facile d'être Machiavel en France, pays latin, léger et feuilletonesque ; il était trop facile, en France, d'occuper des fonctions importantes, et même présidentielles, sans être un homme d'État. Machelin voulait que le Prince soit enfin, après le sympathique désastre des années Chirac — le plus beau et le plus vain des mousquetaires de la Cinquième République —, politiquement à la hauteur de la fonction. Il rêvait d'un héros politique véritable, d'une sorte de pendant de droite à l'implacable Robespierre, d'un être politique moins aimable que presque sacré.

L'État ne pouvait pas seulement détenir le monopole de la violence légale, comme le Prince ne pouvait pas seulement être le premier flic de France. Il lui fallait aussi incarner une vision. Il fallait que le Prince soit le lieutenant de Dieu — terme qui trouvait, dans une société laïque, son sens véritable. Il fallait que de l'élection du Prince dépende une cosmogonie nouvelle, bien plus qu'un projet de société — fétiche facile des candidats de gauche. Le Prince devait retrouver le sens métaphysique et religieux de l'élection. Il devait être non pas un homme providentiel, mais la Providence même. Il fallait que ceux qui votent pour lui croient sincèrement qu'il possédait le pouvoir surnaturel de guérir la société du mal. Il ne pouvait être celui qui reconnaissait l'existence du mal sans être aussi celui qui préserverait pour toujours la société de son influence. Machelin amenait ainsi, lentement, le Prince vers des thèmes religieux — vers sa traversée définitive du miroir, sa sortie du monde poli des apparences républicaines.

Un dieu frappait aujourd'hui aux portes de l'Occident, et nous n'étions absolument pas prêts à le recevoir, comme l'avaient montré les aventures tragicomiques de la CIA avec les moudjahidin afghans ou avec l'ayatollah Khomeyni. Nous étions en fait beaucoup trop prêts à le recevoir, comme nous avions reçu, pendant quelques mois, l'inexplicable révolutionnaire à Neauphle-le-Château, dans les paisibles Yvelines. Il fallait, pour une fois, entendre la prophétie de Foucault, journaliste de prestige dépêché par *Le Nouvel Observateur* à Téhéran : ce qui s'était joué là-bas, oublié ici depuis la Renaissance, était de l'ordre d'une *spiritualité politique*. L'urbaniste que j'aspirais à devenir devait méditer l'unique exemple qu'il en avait alors donné, la fabuleuse parabole : après la destruction d'une ville par un tremblement de terre, métaphore évidente, mais inversée, de celui de Lisbonne — l'événement décisif qui avait achevé de convertir l'Europe savante à l'athéisme —, les habitants de celle-ci, mécontents de la façon dont le gouvernement du shah entendait mener la reconstruction, avaient fait sécession et étaient partis, sous la conduite d'un chef religieux, fonder une nouvelle ville, avec ses réseaux d'adduction d'eau et toutes ses infrastructures.

Ce dieu, urbaniste et fantasque, s'était ensuite révélé à New York le 11 septembre 2001 et à Paris, quoique sous une forme mineure, quelques années plus tôt, quand il avait tenté de ranimer près de la Seine l'archange saint Michel, le Djibril du Coran.

La cité de Dieu, m'avait-il dit avant de s'endormir, s'était effondrée dans la cité des hommes, et la malédiction, aussi grave que celle de Babel, courrait jusqu'à ce que l'on invente des dieux nouveaux, des dieux contemporains de l'âge des mégalopoles. Ces dieux inconnus et encore inarticulés, avait-il ajouté, n'avaient jamais été aussi proches — et le passage d'un métro avait soudain fait se heurter les sphères métalliques de la grande lampe.

Machelin, j'allais progressivement le découvrir, avait conçu toute la dialectique communautaire du futur candidat à la présidentielle — le communautarisme apparaissant alors, dans l'abécédaire républicain, presque comme un synonyme de la guerre civile. Il voyait justement les religions comme d'excellents motifs de discorde, et surtout comme d'excellentes idéologies de substitution, après le déclin des utopies politiques et le triomphe terminal de l'individualisme bourgeois — lequel, sans les religions pour lui rendre un peu de frisson, aurait tenu pour l'éternité la social-démocratie pour le meilleur des régimes et une personnalité comme Jack Lang, un ancien ministre de la Culture qui demeurait année après année la personnalité politique préférée des Français, pour son candidat naturel. Les religions allaient rendre un peu d'âme à tout cela, rendre un peu d'histoire à l'histoire, un peu de politique à la politique.

Les gens, disait-il souvent, gardaient un bon souvenir du 11 Septembre ; c'était en tout cas la dernière fois que la politique s'était hissée au niveau du divertissement. Il disait aussi que la France ne s'était jamais autant ennuyée qu'au tournant du millénaire, entre sa victoire à la Coupe du monde de 1998, qui était venue cicatriser les deux grandes blessures de son histoire récente — le défaitisme de 1940 était enfin vengé et les deux buts de Zidane compensaient largement la décolonisation —, et le 11 Septembre, événement étranger, mais de nature à relancer l'histoire jusque dans les provinces oubliées de l'empire.

Une émission hebdomadaire de seconde partie de soirée avait alors profité du marasme idéologique de ces années de transition pour s'installer si confortablement dans le paysage audiovisuel français qu'on avait pu lui reprocher de vider les discothèques, tant il apparaissait impensable, aux adolescents et aux jeunes adultes de la génération Y, de manquer ce rendez-vous du samedi soir — chose que Machelin avait découverte dès sa première année d'enseignement à Cergy.

Tout le monde en parle avait été lancée à l'automne 1998, alors que Lionel Jospin et Jacques Chirac entamaient la deuxième année d'une cohabitation exemplaire et que le pays, gouverné par une gauche plurielle et réformatrice qui s'apprêtait à réduire la durée du travail pour résorber le chômage d'une façon qu'on pensait enfin définitive, ne craignait au fond plus que le choc anesthésique, choc anesthésique qui venait justement de plonger Jean-Pierre Chevènement, son très républicain ministre de l'Intérieur, dans un coma profond, dont il s'était finalement réveillé en se proclamant, sobrement, « le miraculé de la République » — unique événement de ces années d'ennui et seul prodige attesté de l'idéologie, triomphante et désenchantée, du citoyennisme.

L'émission avait présenté, pendant ses trois premières années, le visage d'un talk-show apaisé, à l'image d'une société française peu divisée et qui s'apprêtait à entrer sans heurts dans le troisième millénaire, son héritage démocratique bien géré par une classe politique compétente et sa part de rêve parfaitement tenue par une société du spectacle, plaisante et variée, qui lui tenait lieu d'inoffensive aristocratie. Les deux mondes se retrouvaient là tous les samedis soir, autour d'un animateur, Thierry Ardisson, connu pour son goût, mesuré et piquant, du scandale — il avait interviewé Gainsbourg à sa grande époque, il avait fait de la pub, il s'était drogué comme il avait pratiqué l'échangisme, et il gardait de tout cela un goût de la provocation qui donnait à son émission un caractère sulfureux élégant, sans les habituelles vulgarités des autres émissions — le sérieux et l'intelligence demeuraient toujours à portée de main, comme les attributs raffinés, et délicatement sadiens, d'une soirée réussie. Thierry Ardisson manifestait là d'authentiques efforts pour incarner une sorte de décadence qui était paradoxalement devenue, à mesure que la France s'endormait, une manière de défendre sa civilisation vieillissante.

Son éternel costume noir, qui lui avait valu le surnom enviable d'*homme en noir*, s'était mis à ressembler à la tenue d'un confesseur jésuite, à qui on pouvait tout dire et qui comprenait tout, le bien, le mal, l'innocence et la perversité. Ses provocations — il avait demandé notamment à un ancien

Premier ministre « si sucer c'était tromper » — ne choquaient en réalité plus personne et la France se serait bien vue vieillir entre un politique comme Jospin, pour le sérieux des affaires, et un présentateur comme Ardisson, pour ne pas mourir d'ennui.

Mais, autant les baby-boomers, convertis par le mitterrandisme et les années de gauche caviar au déclin inéluctable des révolutions et à l'idée douceâtre de la fin de l'histoire, avaient été bien préparés à la chute du Mur, qu'ils avaient accueillie avec une sérénité de quadragénaires, et dont ils avaient vu, dans l'ouverture en janvier 1990 d'un premier McDonald's à Moscou, une conclusion heureuse et définitive, autant le 11 septembre 2001 allait leur demander un remarquable effort d'interprétation, m'avait expliqué Machelin : c'était, pour la première génération née après 1945, l'apparition soudaine d'une scène de guerre dans le théâtre urbain. C'était plus encore, pour une génération largement athée, la réintroduction, violente, de thèmes religieux dans son quotidien laïc. L'événement allait ainsi exiger de Thierry Ardisson, baby-boomer alpha, qu'il fournisse, le cap de la cinquantaine tout juste dépassé et sa quatrième saison à peine commencée, le plus grand effort qui pouvait être demandé aux hommes de sa génération : s'adapter, au plus vite, pour ne pas paraître ringard, dépassé ou has been — le 21 avril 2002 n'allait, lui, pas en laisser la chance au candidat socialiste.

L'animateur avait alors compris — on l'y avait en tout cas aidé — qu'il lui suffisait, pour survivre au nouveau contexte idéologique et à cette radicalisation inattendue du débat, de seulement continuer à faire ce qu'il avait toujours fait, mais de façon peut-être plus ouverte et plus franche : le chaos ambiant, après tout, validait de façon inespérée sa curiosité postmoderne, son ouverture d'esprit paroxystique, son anarchisme de droite, sa quête effrénée de récits pittoresques et un peu borderline. Il lui suffisait, pour s'accorder avec l'air du temps, de regarder enfin la société française moins comme une République indivisible que comme un cabinet de curiosités pour faire de *Tout le monde en parle* le chœur lointain et francophone des paradigmes, identitaires et polémiques, qui allaient définir le siècle à venir, spectacle d'un monde en guerre qui plaçait la France, multiculturelle et multiconfessionnelle, dans une situation inédite et enviable de porte-parole de la grande crise mondiale du vivre-ensemble.

Les courtes notices biographiques des invités — la fiche que lisait l'animateur avant de les interviewer — avaient toujours mentionné quelques éléments identitaires précis, comme l'affirmation d'une préférence sexuelle, d'un engagement politique ou sociétal, mentions tout à fait dans le goût de l'époque pour le récit de soi et le constructivisme, et dont témoignait par exemple la généralisation rapide des théories du genre, forme achevée d'un libéralisme politique qui avait culminé, en 1999, par l'adoption du PACS. Mais de plus en plus, les fiches s'étaient allongées de considérations, en apparence bienveillantes et strictement généalogiques, qui prétendaient rattacher ces identités, libératrices et mobiles, à de courts récits biographiques, donnant à la question de l'identité une tournure plus essentialiste.

On en était arrivé assez vite, au prétexte de faire la promotion des récits publiés en catastrophe par les victimes télégéniques de quelques faits divers emblématiques, à des invités sans autre biographie que leur identité, simples masques destinés à faire trembler la France, fantômes, comme il y avait eu un siècle plus tôt une laïcité de guerre, d'un communautarisme de combat qui transformait peu à peu le ministre de l'Intérieur en dernier garant de l'universalisme républicain.

C'est en tout cas ainsi que Machelin m'avait décrit la séquence qu'il avait mise au point avec celle qui était encore la productrice de l'émission, mais qui allait bientôt devenir l'autre grande conseillère politique du Prince, Sophie Nivelle, dont le catholicisme sincère alternait entre la séduisante idée de croisade et celle, plus difficile à manier, mais tout aussi authentique, de l'Amour universel.

J'ignore encore quel type de synthèse le Prince tentait d'atteindre à travers eux, en les faisant travailler ensemble — mais il n'a jamais été, après tout, un homme de synthèse, ni même un intellectuel : les contradictions ne lui faisaient pas peur et lui permettaient de presque toujours doubler ses bénéfices politiques. Je peux seulement interpréter ce goût particulier du Prince pour la polémique comme la preuve que Machelin, de par son insincérité même, possédait un léger ascendant sur Nivelle, simple supplément d'âme plutôt que stratège machiavélien.

Ils ont néanmoins imaginé ensemble la séquence qui allait métamorphoser le Prince en candidat éligible, séquence dont j'avais été, sans m'en rendre compte, le témoin direct, le jour où, lorsque j'étais encore à l'ESSEC, j'avais accompagné, avec Chloé, Machelin jusque dans les loges de l'émission où il était venu présenter une énième version de son livre classique sur la crise des banlieues et le vote Front national — il devait s'agir cette fois-ci du *Grand Dézonage*. J'avais seulement noté ce jour-là qu'il était ami avec Ardisson. En tout cas, ils se tutoyaient.

Un invité, qui venait de publier un livre expliquant qu'aucun avion ne s'était jamais écrasé sur le Pentagone mais qu'un complot s'était abattu sur le monde, allait, en un peu moins d'une demi-heure, éclipser tous les autres, y compris Machelin. Celui-ci n'en avait cependant tiré aucun mécontentement, bien que ses propres réponses aux questions de l'homme en noir, en forme d'avertissement, quelques semaines avant le 21 avril 2002, auraient eu ce soir-là quelque chose de plus urgent et de plus nécessaire — mais j'ignorais alors que Machelin venait d'entrer au service du Prince, et qu'il s'était moins donné pour tâche d'alerter les Français que de démontrer à celui-ci l'étendue de ses pouvoirs prophétiques.

J'avais assisté ainsi, depuis le petit moniteur de retour vidéo de la loge, à l'invention de Thierry Meyssan. Ardisson et Machelin, même dans ce que j'ai vu de l'émission avant le montage définitif, l'avaient laissé parler sans interruption, validant même à plusieurs reprises l'un ou l'autre de ses propos, comme si, à défaut de les endosser eux-mêmes, ils prenaient plaisir à les entendre proférer. Thierry Meyssan avait en tout cas été complaisamment présenté par Ardisson comme un défenseur acharné de la liberté d'opinion, fils d'un proche de Chaban-Delmas et de la responsable des Œuvres du diocèse de Bordeaux.

Son intervention paranoïaque allait demeurer un instant culte de l'émission, et marquer son discret changement de registre : sans renoncer en rien à sa mécanique de divertissement, *Tout le monde en parle* était désormais au service des intérêts du Prince. Dès la semaine suivante, Ardisson avait accueilli, pour une sorte de droit de réponse de la raison institutionnelle à la folie médiatique, les débatteurs Joffrin et Finkielkraut, dont les condamnations parallèles du négationnisme et d'Internet s'étaient neutralisées — l'époque, comme ils l'avaient pourtant bien perçu, manquait de recul et désirait des mises en scène assez simples.

Tout le monde en parle allait justement les lui fournir. Quelques mois plus tard, pour célébrer le premier anniversaire du 11 Septembre, l'émission avait reçu Taslima Nasreen, une intellectuelle bangladaise menacée de mort pour avoir osé critiquer l'islam. On l'avait fait asseoir à côté de la comédienne Arielle Dombasle, qui portait une gigantesque croix autour du cou. Quelques instants plus tard, le rappeur Kery James, venu partager sur le plateau la pureté de sa foi islamique, foi miséricordieuse, s'était vu mettre en difficulté en affirmant que l'islam prônait le respect de la femme — expression d'un rapport asymétrique entre les deux sexes qui avait profondément choqué une militante féministe, astucieusement placée là ; les Français, dans le public et au-delà, avaient commencé à s'interroger avec elle sur une incompatibilité possible entre cette religion et la République.

La quête d'invités de plus en plus transcendés par leurs opinions, leur foi ou leurs souffrances avait conduit l'émission à recevoir enfin une pure abstraction, une femme portant un masque blanc et un pseudonyme, une femme victime d'un crime d'honneur en Palestine, brûlée vive par un membre de sa famille et condamnée depuis à se cacher ainsi, sans que jamais l'émission ne précise si c'était pour échapper à ses agresseurs ou pour épargner à son pays d'accueil le spectacle affligeant de sa défiguration. Cela importait peu, finalement ; avec son masque blanc, Souad personnalisait la peur, et c'était à chacun d'en faire l'interprétation. L'islam était alors devenu, pour beaucoup, le nouveau nom du mal.

Contre toute sa famille politique, contre la gauche laïcarde, contre l'ordre du monde, le Prince avait alors choisi d'opérer une spectaculaire opération de rapprochement avec l'islam de France — en ce même mois d'avril 2003 qui venait de voir les Américains entrer dans Bagdad. Le coup me paraissait incroyablement risqué, mais Machelin, sans rien me révéler, m'avait seulement dit d'attendre et d'être attentif. La situation m'apparaissait quoi qu'il en soit extrêmement confuse.

La France avait alors pris la tête de la coalition des anti-guerre et Paris avait accueilli plusieurs manifestations spontanées de soutien à Saddam Hussein. J'avais été témoin de la dispersion de l'une d'elles, dans le métro, quand j'avais vu déferler sur le quai une dizaine de jeunes de banlieue, terrifiants et archétypaux, qui portaient des keffiehs autour de leurs têtes et des drapeaux palestiniens sur les épaules, et qui hurlaient, à destination des voyageurs terrorisés : « Vive Saddam Hussein ! » en frappant à coups de pied la rame qui venait de fermer précipitamment ses portes.

J'avais, je l'avoue, instinctivement repensé au métro Charonne.

Il fallait aller vite, très vite, et le Prince était, à peu près exclusivement, une garantie de vitesse. Au printemps de cette année-là, le ministre de l'Intérieur viendrait ainsi, sur les conseils de Machelin, au congrès de l'UOIF, l'Union des organisations islamiques de France, qui se tenait au Bourget, en Seine-Saint-Denis — département où l'islam était devenu la première religion en nombre de fidèles.

La plupart des commentateurs avaient voulu y voir une opération électoraliste. Je continue à penser, avec Machelin, l'instigateur de cette séquence, qu'il faut faire de cet événement une lecture plus littérale que machiavélique : il s'agissait, essentiellement, d'un acte religieux.

Le Prince était venu solliciter une aide. Il était venu solliciter le secours du théologico-politique.

Le ministre de l'Intérieur avait en tout cas choisi ce moment de grande tension pour se rendre au congrès annuel de l'Union des organisations islamiques de France. C'était, pour celle-ci, un excellent coup médiatique, et pour le Prince, un acte de courage politique incontestable, quoique aux motivations dernières obscures et aux conséquences encore incalculables — seul Machelin semblait en mesure de voir comment tout cela allait tourner.

On était alors à un mois des élections qui devaient décider de la composition du CFCM, le Conseil français du culte musulman, conseil dont le ministre de l'Intérieur avait appelé à la création rapide, constatant que le manque d'interlocuteurs fiables entre les instances de l'État et la communauté musulmane était préjudiciable au bon fonctionnement de la République.

La venue du ministre au Bourget était de nature à donner à l'UOIF un avantage tactique. Les adversaires, innombrables, de ce déplacement avaient alors tenu à spécifier que l'organisation était liée à la confrérie des Frères musulmans — ce qui signifiait, pour les spécialistes, qu'on pouvait craindre sa redoutable finesse politique, et ce qui la rattachait pour les autres, soit l'immense majorité des Français, à une secte confuse, médiévale et barbare, opinion soutenue, aussi, par les demi-habiles, qui rappelaient que l'Égypte laïque et l'Arabie wahhabite, toutes deux alliées de la France, considéraient la confrérie comme une organisation terroriste. On avait alors logiquement accusé le ministre de jouer avec le feu en accordant ainsi l'onction républicaine à un islamisme international aux intentions mal connues et au double discours parfaitement maîtrisé, à l'image de l'un des prédicateurs phares du mouvement, le petit-fils du fondateur de la confrérie, Tariq Ramadan, figure montante d'un islamisme d'autant plus décomplexé qu'il se cachait derrière le visage séduisant et le discours modéré d'un citoyen helvétique à l'accent un peu traînant. On s'inquiétait aussi de ce que l'islam de France, qui avait jusque-là gardé une tournure presque coloniale, avec des imams principalement formés au Maghreb et plus ou moins contrôlés par les services secrets des régimes amis du Maroc et de la Tunisie — ou qui avaient à peu près su, pendant la guerre civile algérienne, empêcher la radicalisation de leurs fidèles —, s'ouvre trop brutalement au monde et devienne incontrôlable.

C'était justement, m'avait expliqué Machelin, tout l'intérêt tactique de l'opération du Bourget. Le monde arabe était en train de se reconfigurer, et les alliés d'hier allaient bientôt perdre leur importance stratégique au profit de nouveaux entrants comme le richissime Qatar. Les Frères musulmans étaient en tout cas à l'affût de la moindre opportunité et il était absurde de ne pas compter avec eux. Les horizons lointains de ce Grand Jeu devaient cependant être rapportés aux intérêts hexagonaux. Ceux-ci avaient l'avantage d'être extrêmement simples : l'électorat de droite avait peur des musulmans. On pouvait gagner sur les deux tableaux : le Prince viendrait bien au Bourget, pour flatter l'électorat musulman et prendre date en vue des lointaines échéances géopolitiques qui l'attendaient quand il serait devenu président, comme pour montrer qu'il était partout chez lui, partout à l'aise, décomplexé de tout, de Dieu, de la République et de l'existence en son sein de communautés qui semblaient résister à l'idéal froid et fusionnel du creuset républicain.

L'époque des calculs mesquins de ses prédécesseurs était révolue, le Prince viendrait au Bourget, et il parlerait devant une salle où les femmes et les hommes seraient séparés, devant une salle où celles-ci seraient voilées et ceux-là barbus, et cela serait visible à l'image, comme le fait, attendu et programmé, que la salle, maintenue jusque-là dans un état subcritique, se mette à le siffler et à le huer au moment où, en chevalier impassible des valeurs républicaines, il réaffirmerait l'universalité de la loi en venant seulement rappeler — commentaire qui prendrait la forme d'une simple incise de bon sens — que les femmes, sur les photos d'identité officielles, ne devaient pas être voilées.

L'UOIF n'avait pas vu venir le coup imparable qu'avait mis au point Machelin et que le Prince avait parfaitement exécuté : la salle s'était rebellée comme prévu et la foule avait dévoilé, dans les journaux du soir, sa nature fanatique, devant le ministre regardant, par-dessus elle, son électorat en face.

Il ne restait plus qu'à mettre en scène la panique de son adversaire, adversaire que le trop charismatique Tariq Ramadan allait, sans même s'en rendre compte, incarner à la perfection, devenant à lui seul l'Infâme des contes de Voltaire, le Tartuffe du théâtre classique.

Celui-ci, croyant que rien n'avait changé, s'était livré dès la rentrée suivante à un exercice de manipulation médiatique un peu convenu, mais bien maîtrisé, depuis la première affaire de ce type, survenue à Creil en 1989 — c'était croire, de façon présomptueuse, que l'instrumentalisation du voile, en l'occurrence l'expulsion de deux lycéennes d'un établissement d'Aubervilliers, lui appartenait comme un trésor politique personnel, c'était oublier un peu vite ce qui s'était passé au Bourget au printemps et faire peu de cas du génie politique du Prince, à qui tout réussissait, à qui même les événements, les faits divers et les polémiques obéissaient désormais.

Les deux jeunes filles, très belles, avaient été invitées en octobre dans l'émission du samedi soir. Ardisson les avait laissées parler de liberté, et leurs visages doux, à l'ovale parfait souligné par les voiles virginaux qu'elles portaient, témoignaient en silence de leur innocence. L'animateur avait alors annoncé l'arrivée surprise sur le plateau du célèbre prédicateur. La caméra était passée, le temps qu'il parcoure les quelques pas qui menaient de sa loge au plateau, sur les visages émus et bouleversés de Lila et Alma, et cela avait suffi pour que le prédicateur impeccable devienne, par sa seule beauté magnétique combinée à la fragilité des deux jeunes filles, un gourou malfaisant.

Un mois plus tard, le Prince était l'invité de l'émission *100 minutes pour convaincre*, où il avait livré, contre un Tariq Ramadan au visage agrandi pour occuper tout l'écran géant qui le représentait en duplex de Genève, contre un Tariq Ramadan mis en difficulté sur la question de la lapidation rituelle des femmes infidèles, contre un Tariq Ramadan de plus en plus retranché derrière la grille que formaient les écrans où apparaissait son visage, l'une de ses plus belles batailles médiatiques. Il s'était même permis, après avoir écrasé l'Infâme, de répondre à la question du journaliste Alain Duhamel qui lui demandait s'il lui arrivait, le matin en se rasant, de penser à la présidentielle qu'il y pensait, et pas seulement quand il se rasait.

Le séduisant prédicateur suisse à la barbe soignée n'était déjà plus qu'un lointain souvenir et la campagne présidentielle était officiellement lancée. La dialectique communautaire et religieuse avait logiquement abouti à cette déclaration de candidature. La menace communautaire était désormais le principal trésor de guerre du Prince.

Machelin et Nivelle avaient alors supervisé ce qui serait la contribution du Prince à l'anniversaire de la loi de 1905. Elle prendrait la forme d'un livre d'entretiens entre le Prince, un philosophe chrétien et un prêtre dominicain, livre dont je relirais bientôt les épreuves, mon travail consistant à unifier le style de l'ouvrage et à trouver un juste milieu entre les réponses spontanées, et souvent caricaturales, du Prince et leur réécriture, beaucoup trop savante, par Machelin et Nivelle.

Sa publication avait constitué le deuxième étage de la fusée du Bourget, la révélation que, derrière le garant intransigeant de la laïcité, il existait un homme, un homme qui, comme tous les hommes, était un être d'espérance. Cette espérance transcendait les religions et transcendait même l'État républicain, État républicain qui n'existait, en dernier lieu, que pour garantir que cette espérance puisse toujours trouver à s'exprimer, car elle était la vérité de l'homme. Se dessinait ainsi le portrait délicat d'un prince chrétien, chose presque taboue dans la Cinquième République.

J'ai mis longtemps, en réalité, à m'apercevoir de la charge polémique réelle du livre. Elle était dirigée contre la lecture majoritaire de la loi de 1905, celle d'une laïcité de combat, celle de la République radicale et anticléricale de la Belle Époque, celle de l'affirmation de l'idée républicaine comme horizon spirituel suffisant des modernes, celle que dénonçait Tocqueville, dans la citation liminaire : « C'est le despotisme qui peut se passer de la foi, mais non la liberté. La religion est beaucoup plus nécessaire dans la république qu'ils préconisent que dans la monarchie qu'ils attaquent. » Il ressortait finalement de l'ouvrage qu'un État laïc était quelque chose d'aussi monstrueux et inhumain qu'une théocratie. Derrière les apparences relâchées d'un livre d'entretiens, il s'agissait en réalité d'un pamphlet redoutable, presque d'une arme de guerre, jusque dans la couleur verte de sa couverture — celle de l'espérance chrétienne et de l'islam vénéneux —, jusque dans les formulations irréprochables qui abondaient dans ses pages, et que seul un lecteur malveillant aurait pu juger ambiguës, trahissant par là, au moment de dénoncer l'hypocrisie du Prince, sa maîtrise personnelle du double discours — piège adressé au prédicateur défait un an plus tôt, comme, en fait, à tous les adversaires, potentiellement innombrables, de sa nouvelle conception ouverte et inégalitaire de la laïcité.

Le livre commençait ainsi, en référence à des otages français détenus en Irak par un groupe islamiste opposé à la loi sur l'interdiction du voile, par saluer le courage des représentants de l'islam de France qui avaient condamné cette action, et il y avait derrière cet hommage la suggestion d'un lien possible entre ce crime de guerre lointain et les musulmans de France, le rappel subliminal que des revendications communautaires locales pouvaient tirer un avantage de ces attaques déterritorialisées. La création du CFCM visait précisément à délier l'islam de France de ses allégeances ambiguës et lointaines. La tonalité générale du livre, passé cette ouverture un peu sournoise, était d'une rare douceur — mais douceur qui rappelait au fond les lois confessionnelles ouvertes et généreuses de l'ancien colonisateur, heureux de trouver dans les structures religieuses des auxiliaires de gouvernement plutôt que des ferments de révolte : l'islam était le meilleur dérivatif à la violence et à la drogue qui gangrenaient les banlieues, il était une réponse à la crise sociale, à la crise des valeurs qui avait plongé une trop grande partie de la jeunesse de France dans le désarroi, désarroi qui avait pu mener certains jusqu'au terrorisme. Le Prince se revendiquait ensuite de culture catholique — de cette culture catholique qui était le véritable creuset où s'étaient formées, dans le secret des âmes pieuses et avant même la proclamation tardive de la République et de la laïcité, les belles idées de tolérance, de liberté de conscience et d'ouverture fraternelle aux opinions d'autrui. En confessant, au détour d'une phrase, qu'il essayait de croire, le Prince se revendiquait encore plus explicitement de tout ce glorieux héritage, de toute cette civilisation magnifique dont la laïcité ne présentait que l'une des dimensions, le profil le plus acceptable, la mince tranche, invisible et abstraite, destinée à l'admiration de tous, mais que chacun pouvait faire pivoter vers lui pour jouir des merveilles spirituelles intactes qu'elle recelait encore. C'était l'argument principal du livre : la laïcité y apparaissait comme profondément chrétienne, et le Prince, à n'en pas douter, serait le digne héritier des souverains très chrétiens qui s'étaient succédé à la tête de la France — souverains très chrétiens, mais d'une liberté absolue, capables comme Henri IV de promulguer des édits de tolérance ou comme François Ier de s'allier avec la Sublime Porte. L'Espérance, dans la théologie du Prince, était au-dessus des partis et des hommes. Elle acceptait leurs diversités, leurs divisions et leurs luttes car elle était au fond la seule République, la République véritable.

On était là au cœur, jubilait Machelin, de la nuit étoilée du théologico-politique, on enjambait toute l'époque moderne pour retrouver une fraîcheur et des dangers qu'on n'avait plus vus depuis la Renaissance. En confessant, chose inédite pour un candidat à la présidentielle, sa foi catholique, le Prince venait même d'octroyer à son futur mandat les attributs subliminaux d'une croisade.

Comme elle avait témoigné de peu d'antisémitisme avant l'affaire Dreyfus et de peu d'islamophobie avant le 11 Septembre — les Arabes, plus ou moins catégorisés comme des délinquants potentiels, étaient craints, les musulmans assez peu, étant même en général considérés comme des Arabes gentils et, à leur manière un peu désuète, comme des Arabes plus civilisés que les autres —, Machelin voulait que la société française réagisse à des sujets qui l'avaient jusque-là laissée indifférente. Il voulait qu'elle se polarise, qu'elle se remette à croire aux forces politiques, dans le sens le plus primitif du terme : il fallait que chacun soit, vis-à-vis des autres, dans une position d'ami ou d'ennemi, et il laissait l'indifférence aux hommes sans ambition. Il semblait, à chacune de nos rencontres, de plus en plus obsédé par le thème de la guerre civile — guerre civile dont il trouvait le modèle, par-delà la Révolution, dans les guerres de Religion du lointain XVIe siècle. Machelin comptait utiliser les musulmans de France comme une force politique inédite et presque pure et rêvait de faire de la communauté musulmane, qu'il pensait comme un tout unifié — et géolocalisé —, un acteur historique décisif.

Je me souviens d'un rapide schéma de la région parisienne qu'il avait un jour dessiné sur la table d'un café. Paris apparaissait parfaitement verrouillé, parfaitement tenu par ses trois départements limitrophes, tous les trois évidés sur leur face intérieure pour s'emboîter dans la forme ronde et pleine de la capitale. Machelin avait alors hachuré la Seine-Saint-Denis. C'est, avait-il dit, le coin qu'il faut enfoncer si l'on veut faire éclater l'ensemble, si l'on veut desserrer les cernes de l'histoire de France pour soulever Paris.

Machelin considérait son travail avec moi comme terminé. Je devais à présent achever ma thèse sur les élargissements successifs de Paris. Il me serait nécessaire, pour cela, de prendre de la hauteur pour ne pas me laisser étouffer par mon objet tentaculaire. Le désert algérien convenait tout à fait pour cela, il serait un lieu d'étude idéal. Colomb-Béchar était même pour moi la seule destination possible, Colomb-Béchar, la porte du Sahara, en lieu et place de Colombes et des boucles mouillées de la Seine. Directement le désert, la grande banlieue du monde, et inutile de s'attarder à Alger ou Oran, dont les façades haussmanniennes n'avaient rien à m'apprendre, directement le désert où un de ses vieux amis, devenu urbaniste, me ferait descendre la vallée de la Saoura en direction du sud jusqu'au chantier absurde et pharaonique d'une ville nouvelle dont il supervisait les travaux. Je serais embauché comme consultant et bénéficierais de conditions de travail parfaites pour finir ma thèse, et revenir, enrichi de mon expérience algérienne, dans le jeu politique parisien. À cet égard ma thèse était quelque chose de tout à fait secondaire, et je devrais plutôt concentrer mes efforts sur un objet plus petit, qui prendrait idéalement la forme d'un rapport — Machelin se chargeant, à demi-mot, d'en obtenir la commande. Je reviendrais en tout cas d'Algérie avec un diplôme d'urbanisme et une solide expérience de terrain, que nous saurions habilement mettre à la disposition du Prince.

J'ai ainsi atterri, au début de l'automne 2005, à l'aéroport de Béchar, ville qui avait perdu, avec la décolonisation, la moitié de son patronyme, celui de l'officier français qui l'avait découverte. Ville de garnison et verrou stratégique près de la frontière marocaine, Béchar devait être l'un des nœuds ferroviaires principaux du Transsaharien, et l'abandon du projet l'avait laissée à peu près seule dans une immense plaine caillouteuse, un désert ingrat et triste dont ses bâtiments cubiques et poussiéreux, vus du ciel, se détachaient difficilement — la ville évoquait un chaos rocheux érodé par le vent et bientôt rendu au plan horizontal.

Béchar avait conservé son statut de ville pionnière, ainsi que me l'avait révélé, dès mes premiers instants sur le sol algérien, l'étrange population de travailleurs chinois qui peuplait son aéroport. Silencieux, ils occupaient presque tous les fauteuils du hall d'attente et semblaient revenir d'une longue et difficile mission qui les avait laissés là, épuisés, à des milliers de kilomètres de chez eux et à l'un des endroits les plus hostiles de la terre. Je savais qu'il y avait du pétrole et du gaz en quantité importante dans le Sahara algérien, je savais que l'État avait investi énormément d'argent là-bas, dans cette immense zone stratégique qui était demeurée, pendant les années noires, l'une des zones les plus sûres du pays.

La France avait, dès ces premiers instants d'hyper-orientalisme, basculé dans le domaine des choses lointaines, elle s'était détachée de moi comme une chose exotique, une chose dont seuls mon passeport et ma nostalgie immédiate témoignaient. Mais je me sentais en réalité presque étranger au monde, entraîné par le mouvement de balourd de ce pays dont le centre de gravité, beaucoup trop bas, tombait au milieu du désert. J'avais atterri dans la vallée de la Mort mais il n'existait aucune Californie de l'autre côté, aucun océan bleu, aucune ville lumineuse, seulement des milliards et des milliards de tonnes de sable.

J'ai retrouvé facilement Lossac, l'ami de Machelin, venu personnellement m'accueillir. Bronzé, avenant et sans âge, il portait une Rolex, un panama et un costume de lin blanc. Il faisait figure, dans cet aéroport marqué par la fatigue et le fonctionnalisme, d'exception lumineuse.

Lossac avait préparé pour moi tout un itinéraire de reconnaissance qui me laisserait le temps de m'habituer au désert avant de rejoindre mon poste avancé d'Adrar. Il m'a alors un peu raconté sa vie dans la voiture, ou plutôt sa jeunesse. Il avait connu Machelin et Cordier — l'ami de Machelin qui vivait dans un fort — à la fac, ils avaient fait la révolution ensemble — expression un peu étonnante, même pour un soixante-huitard, mais qui avait dû bénéficier ici d'une conservation exemplaire, du fait de la rhétorique marxiste, jamais complètement éteinte, du vieux FLN. Il était resté vague, ensuite, sur ses activités professionnelles ultérieures. Il avait refusé de citer une seule de ses réalisations urbanistiques en métropole, mais il semblait avoir participé à beaucoup de choses. Je lui ai demandé s'il avait connu mon grand-père. Il n'a d'abord rien répondu avant de mystérieusement ajouter qu'il l'avait vu peu avant sa mort et qu'il lui avait même parlé, l'enjoignant à la prudence et le suppliant une dernière fois de ne pas commettre l'irréparable — en vain. J'ai voulu savoir s'ils avaient travaillé ensemble et je n'ai obtenu qu'une réponse imprécise. Mais c'est lui qui, après un long silence, m'a demandé si le corps avait fini par être retrouvé — il devait sans doute vouloir dire rapatrié. J'ai répondu que je n'en savais rien. Il m'est soudain apparu étrange de n'avoir jamais su où il avait été enterré — pas même sur quelle rive de la Méditerranée. Il était en tout cas trop tard pour interroger mon père à ce sujet. J'en avais conclu qu'il avait dû être incinéré — ce qui, en 1980, présentait un caractère suffisamment insolite, voire tabou, pour expliquer le silence familial à son sujet.

Lossac avait très vite repris son récit et il m'a semblé de plus en plus évident qu'il en éludait la plus grande part : il manquait, entre ses études et son arrivée en Algérie dans les années 1990 — la pire époque, d'ailleurs, pour se rendre là-bas —, environ une vingtaine d'années. Je lui ai prêté, en guise d'explication, une carrière clandestine, un engagement gauchiste un peu trop radical qui l'aurait conduit à son départ précipité de France pour éviter une condamnation judiciaire. Ou bien son départ relevait d'un simple dégoût de l'Occident, chose assez répandue parmi les hommes éduqués de sa génération. Son apprentissage politique, fait sur les pentes de la montagne Sainte-Geneviève, l'avait entraîné beaucoup plus loin que dans le quartier Mouffetard cher à Machelin, de l'autre côté de la Méditerranée, dans un pays où tout était neuf et encore à construire — un rêve d'architecte.

Un rêve d'architecte. C'est lui qui avait prononcé ces mots, dans lesquels il semblait mettre autant de cupidité que d'idéalisme.

Traversant Béchar dans sa Range Rover climatisée, je constatais que le paysage s'opposait, pour l'heure, à toute montée d'orientalisme. Béchar était désespérant. Il n'y avait aucun arbre, aucun signe d'une quelconque exubérance de vie, pas même la satisfaction intellectuelle de deviner, sous la forme de la ville, la forme de son site. Béchar occupait une plaine et semblait n'avoir rien à offrir d'autre que son plan rectangulaire, troué ici ou là par une caserne, une école ou un hôpital — simples anomalies de la grille qui venaient rappeler qu'en l'absence d'un réseau hydrographique, qui tenait lieu, partout ailleurs, de carte primitive, la seule géographie physique était celle des besoins humains élémentaires et des artefacts qu'on avait posés sur le sol pour les satisfaire.

C'est paradoxalement ici que j'ai eu la vision soudaine de Paris comme d'une étoile dont les longues branches auraient été dessinées par le ruissellement de l'eau, d'une étoile dont le centre se confondrait avec le méandre disparu qui remontait jadis jusqu'au pied de Montmartre et dont les branches principales seraient représentées par la Seine et ses deux affluents majeurs qui encadraient Paris, la Marne en amont et l'Oise en aval; c'est en traversant la sèche Béchar que j'ai eu la vision de la concordance parfaite atteinte là-bas entre le réseau urbain et le réseau hydraulique, que j'ai compris la ville comme dépôt alluvial, comme remplissage progressif de cette étoile d'eau tombée sur le calcaire neuf du Bassin parisien, étoile d'eau dont on avait immobilisé la forme en apposant sur chacune de ses pointes cinq villes nouvelles, cinq villes nouvelles destinées à contenir la structure magique et rayonnante de la capitale de la France.

On avait ainsi respecté la forme de l'eau, changeante et éternelle, de l'eau plus vieille que le soleil et si sensible à la gravité de la Terre que les fleuves conservaient leur cours longtemps après que leurs montagnes natives avaient disparu — c'était les continents eux-mêmes qui revenaient s'y baigner plusieurs fois. J'ai repensé aux fantasmes quantiques de Machelin et à l'eau comme un liquide non local, comme un liquide sans mémoire et ignorant le temps, comme une substance épandue dans l'Univers pour relancer sans fin l'expérience de la vie en se laissant parfois, à titre exceptionnel, capter par les grands collecteurs des villes lumineuses — lumineuses et mouillées comme des photographies tout juste sorties du révélateur et toutes tremblantes encore des particules fixées par les eaux noires du grand ciel nocturne.

Lossac m'a laissé vivre en silence ma première expérience métaphysique du désert, connaissant sans doute, par habitude, les premiers effets de celui-ci sur un cerveau habitué aux villes occidentales.

« Vous apprendrez à comprendre et peut-être à aimer ces villes du désert », m'a-t-il enfin expliqué, considérant sans doute que ma méditation avait assez duré et qu'il était temps d'opposer des considérations urbanistiques à ma mélancolie. « Elles ont quelque chose de brutal, comme les villes de la reconstruction, Saint-Nazaire ou Le Havre : deux coups de râteau dans le sable, un plan orthogonal, des matériaux très pauvres — ici ceux du désert, incapable de fournir le bois nécessaire aux charpentes ou l'eau pour le béton, là ceux de l'après-guerre, graciles et préfabriqués. Mais l'essentiel est là, justement, car le décoratif, le superflu a volé en éclats : il ne reste que le plan. Ce sont des villes d'urbanistes, pas des villes d'architectes. Le plan des villes possède en lui quelque chose de sacré. Le sacré minimal, celui du droit, de la propriété privée, qui lui garantit une sorte d'éternité, qui fait que, par exemple, on retrouve encore, plusieurs siècles après leur disparition, les enceintes de Paris dans le parcellaire. Le sacré de Rome, la Ville éternelle, à l'origine simple sillon tracé par Romulus. Le sacré de Carthage, ville détruite, déclarée *sacer*, c'est-à-dire maudite, et recouverte, jusqu'à sa résurrection tardive par Flaubert, d'une couche de sel qui l'a jetée dans un oubli surnaturel. Le sacré astronomique de Carnac ou de Stonehenge. Le sacré cosmogonique des villes blanches destinées à refléter le soleil, ou des villes de boue séchée rendant leurs eaux au ciel. Le sacré mécanique des villes modernes, des monstres d'organisation plus sophistiqués que des cerveaux humains et pourtant animés par des créatures aveugles, vivant à ras de terre comme des insectes rampants. Les villes n'existent pas. Elles sont faites pour être traversées, pas pour être regardées. Jusqu'à Nadar, l'ami de Baudelaire et le premier à photographier Paris depuis un ballon, elles n'ont même jamais été vues en entier. Elles sont là, éparses, incompréhensibles, labyrinthiques, elles supplient le ciel qu'il les regarde enfin. Elles sont la moitié des choses, la vue en coupe, l'organe mort entre les mains implorantes des haruspices. Elles sont des messages adressés aux dieux — ou que les dieux nous adressent. Nous autres, urbanistes, nous parlons aux dieux plutôt qu'aux hommes. »

Le désert, pour le moment, me décevait un peu. Il n'y avait, pendant des kilomètres, presque aucune variété dans le paysage, seulement des milliards de cailloux aux formes inexpressives, un désordre si aléatoire qu'il en devenait la régularité même, un bruit blanc géologique que des nuages rares tentaient, en noircissant ici ou là des zones imprécises, d'animer en vain.

Lossac a soudain freiné brutalement. J'ai cru voir un pick-up en travers de la route, et je me suis souvenu aussitôt du mode opératoire des islamistes : dresser un faux barrage militaire, faire sortir les passagers des voitures, les égorger un à un.

Mais le pick-up était simplement arrêté sur un petit parking qui servait de belvédère. Nous étions arrivés au bord du plateau de Béchar et devant nous commençait le Grand Erg occidental. La dune géante de Taghit nous faisait face et, derrière elle, des millions d'autres dunes, délicatement dessinées par la lumière rasante et rendues translucides comme des quartiers d'orange. Je n'avais jamais rien vu d'aussi beau.

Le plateau désertique que nous avions péniblement traversé, décapé par le vent, ne servait qu'à cela, à alimenter en poudre lumineuse la vallée infinie, comme à laisser filer vers elle, filtrée par la machinerie gigantesque des foggaras et de leurs longs souterrains en pente douce, sa nappe d'eau fossile — une oasis est justement apparue au pied de la dune immense.

Nous avons dormi le premier soir dans un hôtel presque abandonné, à la piscine vide et aux chambres lentement envahies par les cafards à mesure que le ciel se remplissait d'étoiles.

Le lendemain devait nous conduire jusqu'à Béni Abbès. J'ai commencé, en pénétrant dans la voiture de Lossac, à trouver la situation gênante — nous ne nous connaissions pas la veille et nous étions déjà en train de faire du tourisme ensemble. Lossac a continué à me parler d'architecture, comme si nous étions dans la situation caricaturale d'un vieil esthète homosexuel et de son jeune protégé accomplissant un voyage initiatique en Orient. Tout cela était ridicule. Ma mauvaise humeur a sans doute conduit Lossac à me parler plus franchement.

Non, je n'étais pas en train d'accomplir mon Grand Tour, ou plutôt, s'il y avait bien un peu de ça — le contrat était clair, je devais revenir en France avec une solide expérience de terrain et un diplôme d'urbanisme valide —, mon voyage dans

135

cette ancienne doublure coloniale de la France, dans ce pays truqué par le secret-défense, la guerre civile et les coups d'État invisibles, devait servir à me dévoiler, plutôt que les merveilles de l'art, celles de la politique — en laquelle s'incarnaient les plus précieuses facettes du génie humain.

Tout viendrait en temps venu, mais il allait sans doute m'épargner certaines des étapes de ce voyage initiatique, mis au point, de façon collégiale, par Machelin, Cordier et lui. Comme tous les anciens combattants — et ils se percevaient vraiment tous les trois comme des vétérans de Mai 68 —, ils avaient une tendance un peu ridicule à la nostalgie. Machelin aurait ainsi aimé que nous allions voir, près de Béchar, le site où l'avion du général Leclerc, le libérateur de Paris, s'était écrasé en 1947 : cela aurait été un excellent sujet de méditation sur la chance en politique, ainsi que — bien que rien ne permît d'étayer la thèse de l'attentat, et encore moins celle du crime politique commandité par un de Gaulle jaloux — sur les moyens d'influencer celle-ci.

Cordier aurait aimé, lui, que je descende jusqu'à l'extrême Sud, jusqu'à Tamanrasset, jusqu'à la montagne fendue qui témoignait là-bas de l'un des plus audacieux coups politiques du gaullisme renaissant : la mise au pas définitive, pour éviter une fronde inévitable — les accords d'Évian venaient tout juste d'être signés —, d'une partie de l'état-major militaire français, gravement irradié à la suite d'un problème de confinement de l'essai souterrain auquel ses membres les plus indociles avaient été conviés. Je ne connaissais pas cette anecdote sans doute apocryphe et probablement sortie du vieux fond antigaulliste de l'extrême droite ou de la légende noire du Quartier latin, mais le nom de Tamanrasset m'était familier. Il était apparu plusieurs fois dans les récits qui m'avaient été faits de la mort de mon grand-père, et je me suis demandé un instant si la montagne qui lui avait été fatale n'était pas la montagne fendue du récit de Lossac. Enfant, j'avais fait plusieurs fois des cauchemars dans lesquels mon grand-père, tombé dans une faille, était retenu vivant dans une montagne et attendait, assis, que je vienne le délivrer, et l'idée d'une grotte immense et secrète aux parois vitrifiées par la bombe pouvait correspondre à la montagne creuse de mon rêve.

Tamanrasset était aussi la ville où était mort Charles de Foucauld, dont j'avais lu, enfant, une biographie en bande dessinée — et l'image de mon grand-père, assis et prisonnier, s'était toujours confondue depuis avec celle de l'ermite du désert.

Notre itinéraire devait justement nous conduire ce soir-là à Béni Abbès, la ville du premier ermitage saharien de Charles de Foucauld, dont l'errance spirituelle semblait coïncider, dans le jour finissant, avec les lieux où la France avait mis au point son arme apocalyptique. Quelque chose se mettait très lentement en place, sans que je puisse encore comprendre de quoi il retournait exactement.

Lossac m'a finalement donné, sur la route de Béni Abbès, les raisons véritables de mon aventure saharienne. Machelin avait voulu me protéger, ou du moins me préserver pour plus tard. Des événements dramatiques allaient bientôt survenir en métropole. Tout allait être à reconstruire et il était important que je prenne du champ par rapport à la situation française. La séquence qui se jouait depuis hier en France était explosive.

Il m'a demandé si j'avais suivi les derniers événements. Je n'avais vu que les reportages sur l'économie agraire algérienne de la télévision publique, et je m'étais endormi très tôt.

Ce qu'il m'a révélé, de façon un peu solennelle, m'a paru d'abord insignifiant. Mais les événements de la métropole, à mesure que nous nous sommes enfoncés plus loin dans le désert, allaient devenir de plus en plus effrayants. Métropole, événements : c'était là le vocabulaire qu'employait Lossac et qui rappelait directement la guerre d'Algérie.

Hier soir, a commencé Lossac, alors que je contemplais le coucher de soleil sur les dunes du

Grand Erg occidental, le Prince était venu, à la tombée du jour, visiter un commissariat situé sur la Dalle d'Argenteuil, la grande ville du Val-d'Oise située de l'autre côté de la Seine, presque en face de Colombes. Il s'agissait de montrer, et une armée de journalistes et de policiers avait été convoquée pour cela, que la République était partout chez elle. Les choses, naturellement, avaient dégénéré très vite, et des projectiles avaient commencé à s'abattre sur le ministre et sur les officiels en uniforme qui l'accompagnaient. Le Prince avait pourtant continué à avancer, sous la protection des valises en kevlar de son service d'ordre et au milieu des cris de la foule, comme Napoléon à Arcole.

Je connaissais les lieux, c'était l'un des plus fascinants quartiers surélevés d'Europe, issus, comme celui de la Défense, d'une conception fonctionnaliste et ségrégationniste des flux de circulation : en haut, les piétons, en bas, les voitures, système à l'origine plutôt utopique, qui plaçait l'habitat et le loisir au-dessus du transport et du travail, tout en préservant de vastes espaces vides où la vie sociale pourrait s'épanouir. La chose, à l'exception notable de la Défense, avait plutôt échoué, les habitants des tours construites au-dessus des dalles ne parvenant pas à habiter ces espaces publics mal protégés du vent, les automobilistes eux-mêmes ayant tendance à contourner, en raison de leur caractère anxiogène, les tunnels qui leur étaient attribués. Seuls les espaces intermédiaires, réservés en principe aux techniciens ou aux évacuations d'urgence — les doubles planchers des dalles, les escaliers de secours, les conduits d'aération ou les locaux à poubelles —, avaient fait l'objet d'une réelle appropriation, soit comme logements pour les SDF, soit comme caches pour les différents trafics qui s'opéraient dans la semi-clandestinité du bâti. C'était en tout cas ainsi que j'avais toujours entendu parler de la Dalle d'Argenteuil : comme d'une usine inversée destinée à désosser les scooters volés dans les Hauts-de-Seine voisins, comme d'une plate-forme logistique qui contrôlait le marché de la drogue dans l'Ouest parisien.

Mais la citadelle incivile n'était pas imprenable. Ce soir-là, le Prince allait la reconquérir, malgré l'hostilité de la foule. Arrivé au pied d'une tour, le Prince avait levé les yeux et répondu à une habitante excédée — mais restée hors champ, ce qui avait conduit certains médias à douter de son existence :

« Vous en avez assez de cette racaille ? Eh bien on va vous en débarrasser. »

Six ans plus tôt, un précédent ministre de l'Intérieur avait déclenché une longue polémique en nommant, avec une amusante ironie rousseauiste, les mineurs délinquants des *sauvageons*. Le terme de racaille n'avait pas cette connotation paternaliste et presque bienveillante. C'était un terme haineux et agressif, qu'on trouvait par exemple beaucoup dans la littérature pamphlétaire de la première moitié du XXe siècle, un mot réapparu pour désigner un individu indistinct, violent et irrécupérable qui avait fixé son habitat dans les halls d'immeuble, les caves et les parkings, un être mauvais, mauvais par instinct, comme un parasite, un être incapable de s'organiser et simplement capable de nuire, de ronger la société en s'attaquant prioritairement, faute d'imagination et de ressources, aux autres habitants des tours, les *braves gens*, ceux qui se levaient tôt pour aller travailler et qui n'en pouvaient plus de voir leurs boîtes à lettres éventrées, leurs voitures brûlées et leurs filles harcelées.

Mais le mot avait aussi été retourné et il constituait depuis longtemps, pour les jeunes habitants des quartiers sensibles, une sorte d'idéal identitaire, un dandysme antibourgeois, une insoumission de classe — la racaille était devenue une aristocratie. J'avais perçu cela, dès le début des années 1990, dans mon collège de Colombes, avec l'arrivée des Air Max, des Pump et des survêtements Tacchini. Bientôt, la marque emblématique de la bourgeoisie française, Lacoste, qui sponsorisait le tennis et le golf et dont les polos continuaient à habiller la jeunesse dorée de l'Ouest parisien, passerait elle aussi à l'ennemi, et ce serait désormais nous qui nous habillerions comme eux, ou bien qui serions obligés d'aller chercher de plus en plus loin, chez Burberry, Fred Perry ou Ralph Lauren, des marques distinctives.

Un serveur, à Taghit, m'avait demandé d'où je venais. J'avais répondu Paris, il m'avait alors demandé si j'habitais le 93, comme si le département périphérique était devenu un quartier de la ville, un quartier plus célèbre que Montmartre — comme si Paris était devenu la banlieue et la Seine-Saint-Denis le centre.

La situation des banlieues était en apparence normalisée et le spectre des émeutes semblait s'être définitivement évanoui, comme les tours de

La Courneuve ou des Minguettes, que les explosions chirurgicales des programmes de rénovation urbaine avaient fait disparaître dans un passé lointain, passé dont les clips de hip-hop se plaisaient à remémorer les hautes heures, comme les spectacles son et lumière faisaient revivre des couleurs oubliées sur les façades blanches des cathédrales. Cet univers de béton semblait ainsi avoir rejoint les anciennes mythologies de la France, pour former un moment presque autonome du temps, comme l'avait fait l'époque féodale, une fois ses châteaux forts démantelés par Richelieu, quand elle était devenue le décor de convention des romans de chevalerie — romans dont les stéréotypes, les *ego trips* interminables et les rébellions un peu vaines contre l'ordre du monde paraissaient avoir anticipé la plupart des tropismes de la culture hip-hop.

Mais un seul mot, la nuit dernière, avait suffi à ressusciter, intact, l'ancien royaume et son ancienne déliquescence, cette crise de banlieue interminable, ce malaise des cités qui empêchait cet univers encore instable d'atteindre au caractère inoffensif des mythologies constituées.

C'était désormais une question de jours, d'heures, avant que les banlieues ne reviennent brutalement dans l'histoire de France. C'était en tout cas la conviction de Lossac qui, tout en conduisant sur une route absolument rectiligne seulement marquée ici ou là par la présence d'un pneu abandonné, semblait aussi concentré que s'il conduisait une Formule 1 entre des chicanes meurtrières — il n'avait pas détaché une seule fois son regard de la route monotone.

J'ai tenté de le rassurer en lui rappelant que le Prince était coutumier de ce genre de dérapages, comme au printemps dernier, quand il avait annoncé vouloir nettoyer La Courneuve au Kärcher.

Lossac a alors enfin détaché les yeux de la route :

« Vous ne comprenez pas, m'a-t-il dit. C'est un code, un mot-clé, un signal. Il y a un agenda, un agenda secret. La chronologie en a été dressée par Machelin lui-même. La guerre civile en France est en train d'éclater. »

La nouvelle était tellement extraordinaire, tellement exotique, que j'ai mis longtemps à m'apercevoir que nous avions décroché du plateau lunaire, sur lequel nous roulions depuis Taghit, pour retrouver la profondeur végétale d'une nouvelle oasis. Nous étions arrivés à Béni Abbès, où nous passerions la nuit.

Lossac m'a aussitôt proposé de visiter l'ermitage de Charles de Foucauld. Malgré les moines décapités de Tibhirine, il était encore habité par deux dominicains qui en entretenaient le petit musée, la chapelle et le jardin. Un fortin, situé juste en face de l'ermitage et au sommet duquel un militaire, protégé par des sacs de sable, tenait un fusil-mitrailleur, venait seul rappeler la proximité de la guerre civile.

Il était possible de dormir dans l'ermitage, et comme j'étais, après deux jours de désert, dans l'état de mysticisme ordinaire de tous ceux qui découvraient la région, j'ai accueilli cette possibilité avec joie — la présence rassurante du militaire n'était pas étrangère à mon enthousiasme. Lossac a préféré, lui, rejoindre un hôtel équipé d'une piscine. Il viendrait me chercher le lendemain matin, mais j'aurais sans doute, m'a-t-il précisé avant de me laisser, un appel de Machelin dans la soirée.

J'ai parcouru seul les pièces du petit ermitage. Le bureau semblait ne pas avoir bougé depuis un siècle et on s'attendait presque à voir le corps momifié du missionnaire à sa table de travail. Un exemplaire original de son dictionnaire franco-touareg était là, tout comme les Évangiles qu'il avait traduits en langue dialectale. Seule une photo de l'abbé Pierre, prise dans les années 1960, témoignait du passage du temps, comme le sol de la chapelle, recouvert d'une profonde couche de sable. J'ai tenté, sans succès, de prier un instant, mais j'ai eu plus d'émotion dans la bibliothèque, envahie par les belles intégrales bilingues orangées de philosophie grecque de la collection Budé.

J'ai feuilleté *Les Lois* et *La République* en imaginant qu'il s'agissait des seules copies subsistantes des œuvres de Platon, rejouant pour moi seul l'un des mythes fondateurs de la philosophie occidentale, qui voulait que les chefs-d'œuvre antiques aient survécu à la chute de l'Empire romain dans les sables du désert, entre Tombouctou et Bagdad. Leo Strauss, l'un des maîtres de Machelin, aurait ainsi redécouvert l'un des secrets de Platon dans l'œuvre d'al-Farabi, un secret qui concernait la nature des rapports entre le prince et le philosophe, prisme primordial qui suffisait presque pour résumer toute l'histoire humaine et auquel il avait donné le nom mystérieux de *théologico-politique* — il y aurait eu là une sorte de pacte qui visait à restaurer, sur les murs de la caverne de Platon, les images du jardin d'Éden. Il y avait eu aussi l'élaboration d'un labyrinthe, institutionnel et mental, destiné à retenir le prince prisonnier — le prince plus dangereux que le Minotaure et le Léviathan réunis, plus puissant peut-être que le Messie de la Bible —, un labyrinthe au cœur duquel seuls quelques philosophes auraient le courage de redescendre, à des siècles d'intervalle, pour tenter d'apprivoiser la bête.

Je me suis alors souvenu de ce que Machelin nous avait expliqué un jour à Cergy : les plaisirs de la politique étaient spirituellement plus profonds et plus riches que ceux de la philosophie et de la religion, et il aurait été inhumain de ne pas y succomber.

J'ai fini par recevoir comme prévu son appel. Je captais très mal et j'ai dû ressortir dans le jardin de l'ermitage. Des chats très maigres qui miaulaient en se frottant à mes jambes m'empêchaient de bien entendre, mais je n'ai pas osé quitter l'enclave chrétienne sécurisée — l'oasis au cœur de l'oasis.

Machelin m'a répété plusieurs fois que je trouverais à mon retour la France en ruine, mais que ces ruines seraient celles sur lesquelles on pourrait reconstruire la civilisation et qu'elles porteraient le visage réparé de l'homme. Lui allait maintenant s'effacer pour laisser le Prince accomplir son destin — il était après tout un vieux gauchiste et il devait faire partie du reflux historique. Sa défaite serait sa plus belle victoire, son sacrifice atteindrait des dimensions abrahamiques. Je devais pour ma part me tenir prêt. Quand les choses se seraient calmées, je deviendrais naturellement l'un des cadres du nouveau régime. Paris, un jour, m'appartiendrait. Je pouvais en faire le vœu ce soir : c'était la nuit du destin.

La communication, très pénible, a fini par couper. Je n'ai pas osé regarder les étoiles, serrées et asphyxiantes, et je suis rentré dans ma chambre, où j'ai ouvert, mécaniquement, le recueil de citations de Charles de Foucauld qui se trouvait sur la table de nuit. Je suis alors précisément tombé sur une évocation de la nuit du destin : « La lune, qui brille au milieu d'un ciel sans nuages, jette une clarté douce ; l'air est tiède, pas un souffle ne l'agite. En ce calme profond, au milieu de cette nature féerique, j'atteins mon premier gîte du Sahara. On comprend, dans le recueillement de nuits semblables, cette croyance des Arabes à une nuit mystérieuse, *leïla el qedr*, dans laquelle le ciel s'entr'ouvre, les anges descendent sur la terre, les eaux de la mer deviennent douces, et tout ce qu'il y a d'inanimé dans la nature s'incline pour adorer son Créateur. »

Cette nuit de prière suivait immédiatement, d'après le religieux, une nuit plus effrayante, qui voyait les démons tentateurs sortir de la terre. J'ai essayé, en m'endormant, d'établir une chronologie fiable en me demandant si nous traversions la nuit des anges ou celle des démons, puis j'ai fait un rêve confus, dans lequel Machelin se métamorphosait d'abord en Charles de Foucauld puis en Charles de Gaulle, avant de se stabiliser sous la forme de Michel Foucault. Quand je me suis réveillé, il faisait déjà près de 40 degrés. J'ai mangé quelques dattes et salué les religieux puis j'ai retrouvé Lossac, qui m'attendait dans sa voiture. Nous allions à Timimoun.

Il avait lui aussi reçu un appel de Machelin. Mais, plutôt que de m'en révéler le contenu, il avait préféré reprendre son rôle de guide. L'hôtel où nous allions descendre représentait la pointe avancée de l'architecture moderne dans le Grand Erg occidental, la dernière falaise de béton avant le sable concassé du désert. Son architecte, Fernand Pouillon, était venu se réfugier ici à la suite de l'affaire du Point du Jour, opération complexe mêlant construction d'une cité HLM à Boulogne et financement occulte du gaullisme, sur fond de guerre d'Algérie, et ce bâtiment était le chef-d'œuvre de ses années d'exil.

De couleur rouge, il était presque indiscernable de la vieille ville de Timimoun, contre laquelle il était adossé — mais sans que sa simplicité structurelle n'ait eu spécialement à en souffrir. Les chambres étaient distribuées sur deux arcs de cercle superposés autour d'un toit-terrasse évidé en son centre par le bassin d'une piscine. Chaque cellule d'habitation était ainsi reliée à ces parties communes, tout en paraissant commander seule la totalité du site auquel l'hôtel faisait face — le versant sud du Grand Erg occidental.

J'ai passé une heure, fasciné, à mon balcon, détaillant chaque plan du paysage, de la palmeraie immédiate, presque à portée de main et secrètement ruisselante de l'eau des foggaras, à la longue plaine salée et blanche qui menait aux premières dunes, avec entre les deux, mince rejet végétal, une oasis miniature — qui devait correspondre au lieu où l'hôtel rejetait ses eaux usées. Tout était simple et beau, l'architecture et le désert paraissaient exprimer une mystérieuse essence commune dont j'étais l'unique spectateur et bénéficiaire.

J'ai fini par rejoindre la terrasse où j'ai retrouvé Lossac, qui buvait une bière avec un guide touareg et une cardiologue. L'hôtel accueillait en effet un congrès de la Société algérienne de cardiologie consacré aux risques vasculaires et nous avions été accueillis, dès le hall d'entrée, par une vue éclatée d'un cœur gigantesque aux coronaires obstruées par une substance jaune — j'avais pris la chose, un peu rapidement, pour un plan de l'hôtel. La conversation tournait sur les opportunités immobilières du désert. J'ai appris ainsi que pour environ 1 000 euros je pouvais me porter acquéreur d'une parcelle de un hectare. Avec une motopompe et un bassin, je pourrais y cultiver les dattes, m'y établir peut-être, et vivre une vie de douceur et d'étude, lisant et relisant Platon en vidant peu à peu la nappe aquifère fossile. La cardiologue nous a mis ensuite en garde, tout en caressant d'une main distraite la structure tubulaire de son fauteuil, contre les dangers de l'alcool et de l'oisiveté. La nuit allait bientôt tomber et nous avons recommandé des bières.

Lossac s'était éloigné un instant pour téléphoner sur le rebord de la terrasse. Son ombre, qui s'allongeait de plus en plus, a fini par nous atteindre. Il est alors lentement revenu vers nous.

Il me cachait le soleil couchant quand il a prononcé ces mots définitifs : « Machelin est mort. Une crise cardiaque. »

Je me suis mécaniquement tourné vers la cardiologue, mais j'ai constaté qu'elle avait disparu, tout comme le guide touareg — ne restaient que les structures compliquées de leurs fauteuils tournés vers la piscine vide. Lossac s'est assis à côté de moi.

Les circonstances de sa mort étaient particulièrement troubles. Machelin s'était rendu cet après-midi dans le 93 pour y photographier, semblait-il, de nouveaux équipements urbains dans un quartier sensible d'Épinay- sur-Seine, des lampadaires ou des bancs, installés par une société pour laquelle il travaillait comme consultant — des *dérives* rémunérées, au pays de la politique de la ville, pour étudier une possible extension de la doctrine Giuliani au territoire francilien : tolérance zéro, respect du mobilier urbain, condamnation systématique des vandales et remplacement immédat des objets vandalisés.

Il avait été pris à partie par un groupe de jeunes, probablement des dealers, qui ne voulaient pas être photographiés. Ils avaient d'abord arraché son appareil, ce qui l'avait fait tomber, puis ils l'avaient lynché à coups de pied avant de prendre la fuite, le laissant pour mort. C'était son cœur qui avait fini par lâcher, alors qu'il était resté là presque une heure, allongé sur le ventre entre un bac à fleurs et une cabine téléphonique, à la vue de tous, sans que personne n'ose appeler les pompiers — à moins que les pompiers aient refusé de venir, une machine à laver s'étant quelques jours plus tôt abattue sur une voiture d'intervention dans la cité voisine.

Le mot maudit de la veille, le mot tabou, le mot de *racaille* prononcé par le Prince désignait donc bien une réalité concrète. Machelin venait d'en apporter la preuve scientifique. Il venait de montrer que derrière le mot la chose existait, comme une maladie des villes, une violence gratuite et sauvage, une menace permanente pour la République et pour les hommes de bonne volonté — on avait assassiné froidement un modeste universitaire, un citoyen engagé, un homme attaché au bien-être des habitants des banlieues.

Il avait bien choisi le lieu de son martyre, avait conclu Lossac. Sa cirrhose alcoolique, ainsi qu'il me l'a alors appris, lui laissait de toute façon moins de six mois à vivre. Il avait fait comme son maître Debord qui, se sachant médicalement condamné, s'était tiré un coup de fusil. Il avait fait beaucoup mieux, en réalité. Il avait donné à la dérive sa forme définitive, achevée et sacrificielle. Il avait passé sa vie à étudier la ville et les banlieues sensibles, et son objet d'étude l'avait finalement tué. C'était pour lui la mort idéale.

Fanatisés par cette mort, nous ne cherchions déjà plus à en établir les circonstances exactes — avait-il délibérément provoqué ses tueurs, les avait-il payés pour qu'ils l'assassinent ? Nous préférions, ce soir, en ressasser l'héroïsme confus, le caractère tragique et légendaire. Partis ainsi, plus rien ne nous avait arrêtés et nous étions même descendus jusqu'aux gouffres politiques de l'Antiquité, transformant toutes ses morts exceptionnelles en préfiguration parfaite de ce sacrifice terminal : Machelin avait joué le rôle d'Isaac et le Prince celui d'Abraham, il avait enfreint les règles implacables qui régissaient les frontières de l'*urbs* pour laisser Romulus accomplir sa mission civilisatrice, il avait égalé César se laissant tuer pour que l'Empire existe, son sacrifice imitait même celui du Christ qui s'était laissé conduire au Golgotha pour que soit scellée la nouvelle alliance.

Aucun de nous deux n'a pleuré, pourtant. Il y avait dans cette mort un sublime inconnu et étrange qui nous intimidait et auquel, à l'exception des frissons qui nous saisissaient comme des mains de démon sorties de la nuit visqueuse des constellations, nous ne savions pas comment réagir. J'avais perdu mon maître ; c'était comme si je devenais orphelin pour la troisième fois. Je regardais ma vie devant moi comme quelque chose de vide — Lossac représentant trop peu de chose et le Prince demeurant une réalité lointaine.

J'ai alors pris, face au désert anonyme, des résolutions définitives : je terminerais ma thèse, je deviendrais urbaniste, je rentrerais en France où je tenterais, d'une façon ou d'une autre, de rejoindre le Prince. C'était la nuit du destin et ma décision était irrévocable ; j'accomplirais scrupuleusement le programme de Machelin.

Il avait l'habitude, à l'ESSEC, de laisser sans réponse la question qui structurait chacun de ses semestres d'enseignement. Ses étudiants devaient alors décider eux-mêmes du sens profond qu'il avait voulu y mettre : était-il de gauche ou de droite, conservateur ou révolutionnaire, était-il du côté d'Athènes ou de Sparte, que mettait-il au premier plan, le prince ou son conseiller, l'histoire ou les idées, la paix ou la guerre, les Anciens ou les Modernes ?

Sa mort brutale avait finalement laissé ces questions en suspens. Il m'appartenait désormais d'y répondre.

J'ai fini par abandonner la terrasse pour rejoindre ma chambre, laissant Lossac méditer seul sur la mort de son ami au bord de la piscine vide.

Ne parvenant pas à dormir et définitivement lassé par les reportages de la télévision nationale algérienne, je me suis mis à chercher des nouvelles de la France à travers les canaux lointains et neigeux d'un mauvais téléviseur. J'ai fini par identifier la silhouette floue mais familière d'un présentateur du journal de la nuit. J'étais curieux de savoir comment la mort de Machelin allait être traitée.

Les images ne correspondaient pas à celles qui illustraient d'habitude une mort violente : pas de gros plans sur le trottoir fatal, ni d'enquête de voisinage ou de plans panoramiques sur des barres d'habitation. Elles faisaient au contraire l'objet d'un traitement absolument spectaculaire : voitures incendiées, bandes de jeunes lançant des projectiles sur les caméras, appels au calme et à l'émeute entremêlés.

J'ai mis quelques minutes à comprendre qu'il s'agissait d'un autre événement. Nous n'étions pas à Épinay-sur-Seine mais à l'autre extrémité du 93, à Clichy-sous-Bois. Ce n'était pas la mort de Machelin qui avait provoqué cette poussée de violence, c'était celle de deux adolescents qui, montés sur le toit d'un transformateur, s'étaient fait électrocuter, dans des circonstances encore confuses, mais qui impliquaient une poursuite policière.

Les plus importantes émeutes urbaines qu'avait connues la France venaient de commencer.

Mes amis parisiens m'ont soutenu plus tard que rien ne s'était passé, que leur vie n'avait changé en rien, que Paris n'avait pas été assiégé par les émeutiers, et que leurs agissements n'avaient d'ailleurs presque jamais franchi la barrière du périphérique. Vue d'Algérie, à travers le filtre exclusif des chaînes d'information, qu'elles soient françaises, américaines ou qataries, la France était en feu.

On n'avait pas vu ça depuis Mai 68 — et Mai 68, encore, était une référence rassurante, c'était l'insurrection de la jeunesse étudiante, quelque chose qui relevait plus de l'insolence que de la violence, cela avait été une manière festive et précipitée de finir la grande révolution bourgeoise en affirmant, de façon beaucoup plus raisonnée et structurée qu'il n'y paraissait, que celle-ci devait maintenant s'étendre aux mœurs. Mais on avait affaire ici à des populations beaucoup moins prévisibles et aux objectifs beaucoup moins clairs, à des populations sans ethos et sans mœurs, à des populations qui ne possédaient rien, ni capital économique ni capital culturel — à des populations qui n'avaient rien à perdre. C'était une insurrection venue de la périphérie plutôt que du centre, c'était quelque chose qui rappelait au fond plus la Terreur de 1793, issue d'une émeute du faubourg Saint-Antoine, que la fête de 1968, presque entièrement contenue par la montagne Sainte-Geneviève.

Nous sommes restés encore une semaine à Timimoun, dans l'hôtel soudain vidé de tous ses cardiologues, passant nos nuits impuissantes devant les images des émeutes et nos journées, effrayées et vacantes, à recevoir, du personnel de l'hôtel, de nos guides touaregs ou de simples passants croisés dans les rues de Timimoun, des messages de soutien pour notre pays en proie à la guerre civile — et j'avais alors l'impression que je ne le retrouverais jamais, que je devrais m'installer ici pour toujours, dans la chaleur hostile du Grand Erg occidental.

Prisonniers d'un programme que Machelin avait fixé à l'avance et que Lossac me faisait suivre à la lettre, comme un rituel funéraire rassurant dans l'immense chaos qu'allaient devenir nos vies, j'accomplissais mécaniquement mes devoirs touristiques, visitant des ksars ensablés, montant à dromadaire, apprenant à escalader les dunes et participant aux festivités qui marquaient la fin du ramadan. Tout semblait fait pour que j'apprenne en accéléré le folklore du désert, pour que je m'acclimate à lui comme si je ne devais jamais en ressortir.

J'étais mieux ici qu'à Paris, me répétait Lossac.

Nous avons enfin atteint Adrar, notre terminus, alors que le gouvernement français venait de proclamer l'état d'urgence et le couvre-feu.

J'ai pris possession de la maison qui m'était allouée, un simple cube de parpaings nus tout juste assez cimenté pour empêcher les serpents de rentrer. Ma chambre était à l'étage et le rez-de-chaussée était occupé par un petit bureau. Il y avait un peu d'eau, dans la salle de bains, et une vieille domestique, apparemment habituée à préparer les repas à même le sol, pallierait l'absence de cuisine.

J'allais passer un an dans ces conditions précaires et presque monacales. Mais la résidence de Lossac, une sorte de palais, avec son jardin intérieur, sa belle piscine en mosaïque, ses bassins innombrables et ses patios mauresques, me demeurerait ouverte à n'importe quelle heure, et j'alternerais ainsi entre les deux univers, comme dans ces récits des *Mille et Une Nuits* qui voyaient des mendiants devenir des princes pour quelques heures avant de retourner à leur condition primitive.

Mes souvenirs de la période sont confus. Je me rappelle surtout la façon dont les événements m'apparaissaient filtrés par l'empathie ambiguë de mes interlocuteurs algériens, sans doute heureux de pouvoir contempler au loin, après le trauma-tisme des années noires, les images d'une autre guerre civile.

Lossac recevait le soir des notables d'Adrar, des policiers, des militaires ou des cadres de la Sonatrach, la toute-puissante compagnie pétrolière nationale, et ils discutaient de la situation désespérée de la France — condamnée, sous peu et de source sûre, à demander l'aide des services secrets algériens pour contrôler sa population civile. L'un d'eux aimait aussi évoquer un complot fomenté par le Mossad, qui visait, en exacerbant les tensions inter-communautaires, à provoquer un exode massif des juifs de France vers Israël, exode de nature à renverser la démographie de plus en plus critique de la colonie juive — on retrouvait sa main derrière le jet d'un cocktail Molotov en direction d'une synagogue isolée du Blanc-Mesnil, ou derrière l'étrange rebond d'une grenade lacrymogène, soi-disant tirée par la police vers des manifestants, mais qui avait mystérieusement roulé, comme dans la théorie de la balle magique de Dallas, jusqu'à la salle de prière bondée d'une mosquée de Clichy-sous-Bois. Un autre notable, bizarrement francophile et dont on disait qu'il travaillait pour les services secrets, se réjouissait, lui, de l'intrication manifeste entre nos deux pays. Il soutenait, avec une certaine fierté patriotique, que les principaux meneurs appartenaient à la deuxième ou à la troisième génération des Algériens de France, les émeutes apparaissant ainsi comme une guerre de représailles de l'ancienne colonie contre la métropole, une guerre de France comme il y avait eu une guerre d'Algérie. Je les écoutais débattre jusque très tard dans la résidence de Lossac. Ils repartaient enfin à leur vie désertique, un peu gras, serrés dans leurs uniformes, satisfaits de leurs théories et heureux d'être pour une fois du bon côté de l'histoire et de la Méditerranée.

Lossac, lui, continuait à voir partout et à l'occasion de n'importe quel événement — un soulèvement en province, l'incendie d'un entrepôt de moquette, l'attaque d'un bus de ramassage scolaire ou d'une école — la main posthume, mais toujours chanceuse, de son ami défunt. Il m'avait fait part plusieurs fois de son admiration pour le coup de génie de Machelin, celui d'avoir conçu les émeutes de l'automne 2005 comme un livre dont chacun pouvait être le héros, comme un spectacle total qui rendait la position neutre de l'observateur impossible, et qui obligeait n'importe qui à prendre parti, pour ou contre les émeutiers, pour ou contre le Prince — c'était frappant dans les commentaires qui étaient faits, à chaud, sur la situation de la France dans les débats télévisés. On se disputait ainsi, comme au temps des querelles jansénistes sur la grâce et la liberté, entre deux interprétations schismatiques de la mort des deux adolescents de Clichy-sous-Bois : certains les considéraient comme coupables, leur fuite démontrant qu'ils avaient quelque chose à se reprocher, les autres les présumaient innocents, leur fuite, alors qu'ils n'avaient rien à se reprocher, apportant la preuve que c'était la société entière qui était coupable. Mais l'habileté de Machelin avait été, à travers son sacrifice, écho anticipé de celui des jeunes fugitifs, de dépasser cette dialectique, de l'empêcher de se laisser ainsi enfermer dans les termes de ce débat somme toute classique — un traditionnel débat droite-gauche — et inutilement rationnel. La mort de Machelin permettait aux spectateurs de l'événement de choisir entre plusieurs victimes et différents bourreaux, en fonction de leur position sociale, de leur appartenance à une communauté ou à une génération donnée, et de pouvoir s'indigner, au choix, d'un meurtre gratuit ou d'un crime d'État — de la mort de deux jeunes de banlieue d'origine africaine pourchassés par les forces de l'ordre ou de celle d'un irréprochable intellectuel, d'un baby-boomer respectable, d'un cinquantenaire de race blanche.

Sans le sacrifice de Machelin, commentait encore Lossac, les émeutes n'auraient pas dépassé leur dialectique enfantine, une version à peine adolescente du jeu du chat et de la souris conduite à l'échelle 1, et plutôt que d'atteindre à la glaciale cruauté de la guerre civile, elles seraient restées dans le domaine de la simulation, du simulacre, de la simple manifestation d'humeur — ce qu'était très largement resté Mai 68. La mort de Machelin suggérait au contraire que les émeutiers pouvaient gagner, que la ville était un terrain de conquête et qu'elle pouvait leur appartenir, qu'ils avaient droit de vie ou de mort sur tous ceux qui s'aventuraient entre les tours de leurs communes libres, qu'ils n'étaient pas descendus dans les rues pour exprimer leur malaise mais pour affirmer leur puissance.

Ces sacrifices symétriques, celui de Machelin et celui des adolescents, rendaient enfin inopérante la traditionnelle résolution du conflit par la désignation d'un bouc émissaire — façon subliminale d'en appeler à la juridiction transcendante d'un homme providentiel.

En réalité, les jeux conceptuels de Lossac, comme les théories complotistes de ses hôtes, me fatiguaient, comme se fatiguaient également les émeutiers de France. Le décompte matinal des voitures brûlées indiquait un reflux assez net.

Les émeutes étaient restées, finalement, un phénomène périphérique qui s'était propagé de quartier en quartier comme une bulle médiatique, grâce à l'émulation des images, sans atteindre jamais le stade prérévolutionnaire. La chose, en réalité, présentait même des caractéristiques étonnamment médiévales : outre les pillages d'entrepôts et de magasins, propres à toutes les jacqueries, et les affrontements asymétriques avec les forces anti-émeute de l'État central, les observateurs avaient remarqué, chez les émeutiers, des comportements presque féodaux — ils tenaient leurs quartiers comme des citadelles, se reconnaissaient entre eux en criant les noms un peu désuets de leurs tours — Utrillo, Triolet ou Gagarine — et se méfiaient autant des incursions rivales des quartiers voisins que des forces de l'ordre. Cette fragmentation, héritée du temps lointain des grands ensembles, avait été fatale au mouvement. Moins qu'à une révolution, on avait assisté au fond à une brusque montée de chauvinisme, au triomphe anachronique de l'esprit de village dans les marges arriérées de la ville-monde, à une Coupe de France des quartiers sensibles, compétition qui s'était arrêtée d'elle-même, faute d'intérêt, au niveau des seizièmes de finale. Tout avait pris fin vers la mi-novembre.

J'avais passé tout le mois qu'avaient duré ces événements à fixer, depuis le désert, le mirage de ce pays incendié, passant mes matinées et mes après-midi à dresser les plans d'une ville nouvelle, dessinant à moi seul, moi, l'enfant de Colombes, la ville aux neuf mille pavillons, presque autant de petites maisons pionnières, sèches et disgracieuses, destinées à envahir la banlieue désolée d'Adrar où j'allais, en fin de journée, effectuer des relevés photographiques destinés au gouvernement algérien, notre commanditaire, me réfugiant, les jours de trop forte chaleur, dans les mausolées ombragés qui accueillaient la dépouille d'un saint homme et qui compliquaient parfois le plan orthogonal de ma cité des sables.

J'avais pris l'habitude, au plus fort des émeutes, d'y prier en secret, demandant à Dieu qu'Il épargne ma maison de Colombes et l'orgueilleux Paris — le rituel, tel que me l'avait décrit un vieil habitant d'Adrar, consistait à déchirer ensuite un petit morceau du tissu qui recouvrait la tombe et à le conserver avec soi jusqu'à ce que le vœu soit exaucé.

J'avais en réalité les yeux toujours fixés sur Clichy-sous-Bois, sur la cité du Chêne Pointu et sur celle des Bosquets, l'épicentre des émeutes.

Je devais éviter à Adrar un désastre similaire. Nous avions vécu avec ces émeutes, nous autres, urbanistes, notre 6 août 1945 ; nous avions découvert soudain la face sombre de notre spécialité pacifique, nous avions vu nos utopies isométriques, nos croquis innocents se retourner soudain contre la civilisation des hommes.

Je repensais souvent à mon grand-père, à l'Algérie des « Mille villages » et de l'effondrement rapide de l'expérience coloniale — expérience audacieuse et ratée mais qui s'était révélée très formatrice pour toute une génération d'architectes et de hauts fonctionnaires. La Cinquième République était née ici, sur les ruines de l'Algérie perdue.

Je m'endormais ainsi, le soir, en tentant de visualiser les temps longs de l'histoire et les symétries cachées qui pouvaient exister entre ses structures profondes. Le nombre d'Algériens de France avait dû dépasser depuis longtemps celui des Français d'Algérie, et les deux courbes s'étaient probablement croisées, dès l'époque des grands ensembles, un peu avant l'indépendance.

Tout cela était assez confus. Les statistiques ethniques, jugées antirépublicaines, étaient illégales, quand la guerre d'Algérie, la dernière guerre pour laquelle la France avait mobilisé ses conscrits, elle, était restée de l'ordre du secret de famille, qui ne pouvait réapparaître, comme les traumas des théories freudiennes, que dans les scènes hallucinées du rêve médiatique : de brusques images de tortures, le mot rébus de gégène, surnom des groupes électrogènes, qui évoquait aussi bien le diminutif familier d'un prénom ancien que la vallée biblique et pestilentielle de Géhenne, l'apparition cauchemardesque du poignard coupable d'un ancien tortionnaire devenu un leader politique de premier plan ou la confession d'un général borgne revenu des années 1950 pour annoncer, au seuil de la mort, qu'il ne regrettait rien. Les émeutes elles-mêmes se rattachaient confusément, sans que la chose soit tout à fait claire — sinon pour les sociologues d'extrême gauche ou pour les militants d'extrême droite —, à cette histoire lointaine.

Ces apparitions ressemblaient en tout cas, pour ceux qui croyaient à la psychogénéalogie ou à l'esprit de l'histoire, à des spectres mal enterrés destinés à revenir hanter éternellement la France, et pour ceux qui n'y croyaient pas, qui préféraient le mécanisme froid des sciences humaines à ces causalités magiques, à un *impensé colonial* aux conséquences encore plus fantastiques : la découverte d'une faille béante au cœur des idéologies républicaines, d'une situation critique d'endettement symbolique vis-à-vis d'un indigénat fantôme.

Je ne m'étais jamais beaucoup intéressé à tout cela. J'avais eu, pourtant, dans l'avion qui m'avait conduit d'Alger à Béchar, le sentiment de survoler un théâtre de guerre — d'une guerre qui n'était peut-être pas tout à fait achevée, une guerre qui pouvait, vue d'avion, se résumer à quelque chose de très abstrait : un quadrillage déformé, par endroits presque vertical, une carte que le soleil aurait rendue cassante et agressive. Je m'étais souvenu que Bourdieu s'était exercé ici, dans ce paysage austère et abrasif où mon avion projetait son ombre irrégulière, à devenir un critique impitoyable de la société française. Le philosophe qu'il aspirait à devenir avait perdu ici même tout intérêt pour l'idéalisme et s'était transformé en sociologue minutieux et sévère, puis en tacticien des conquêtes sociales. Les classes pauvres, les dominés, les prolétaires étaient alors devenus pour un demi-siècle en France le sujet prioritaire des études sociologiques et j'avais sous les yeux le territoire d'où les concepts — qui allaient permettre à ces populations, largement reléguées dans les banlieues des villes, de devenir l'enjeu théorique majeur de la sociologie française — avaient été élaborés.

J'avais alors vu l'arrière-pays algérien se décalquer soudain sur la banlieue parisienne. J'avais vu les caïdats, les réseaux complexes, les interdits archaïques et les codes d'honneur sortir des manuels d'ethnologie pour venir contaminer le réel. J'avais compris comment les strates sociales et les ethos entremêlés de l'Algérie profonde s'étaient retrouvés, par la magie combinée de la croissance économique, du regroupement familial et de l'urbanisme des grands ensembles, téléportés dans un pays nouveau où ils avaient été redistribués, de façon aléatoire, dans les cellules modernes de la ville périphérique. On avait alors assisté au retour de comportements que l'on croyait circonscrits à jamais au passé romanesque et brutal du monde méditerranéen : vendettas, crimes d'honneur et luttes à mort pour le contrôle d'un territoire

— c'était sans doute ce qui avait coûté la vie à Machelin. Mais on assistait aussi — le retour, après seulement un mois d'émeutes, à l'*ordre républicain*, terme pour le coup assez ironique, en témoignait peut-être — au dépassement de ces paradigmes territoriaux archaïques et à la résorption progressive de ces conflits tribaux grâce à l'émergence d'un nouvel universel, celui de l'*oumma*, la communauté des fidèles, comme s'il se produisait dans le lointain 93 ce qui s'était produit un millénaire plus tôt en Algérie quand la civilisation arabe s'était substituée aux anciens systèmes claniques.

Une expression, de plus en plus polémique, avait fait son apparition dans l'espace public : on commençait à parler des *banlieues de l'islam*. Il y avait là un mélange d'effroi, devant cette religion inconnue et potentiellement dangereuse — l'intérêt pour l'islam se limitant à peu près en France à la question du voile et à celle du terrorisme —, mais aussi de dépit, à voir la France des clochers et des cathédrales demeurer presque inerte, au sens chimique, face à ce qu'on comparait de plus en plus à une invasion ou à une *Reconquista* à l'envers. On était même confronté à un paradoxe incompréhensible : la nouvelle carte spirituelle de la France prenait plus volontiers Clichy-sous-Bois comme centre que Vézelay et c'était, entre les cathédrales d'Amiens, de Beauvais, de Paris, de Laon et de Reims, dans une cité de Creil que l'Esprit saint s'était finalement posé.

La chose était d'autant plus irritante que ces cités avaient été précisément conçues pour être les citadelles imprenables de la modernité.

On assistait à la résurgence, dans le pays le plus laïc et athée du monde, du fait religieux, fait qui trouvait à se réfugier là, faute de lieux mieux adaptés, dans les caves qui menaient aux chaufferies des immeubles ou dans les laboratoires carrelés des bouchers en faillite qui, malgré leur position stratégique dans les petits centres commerciaux bâtis au pied des tours, n'avaient pas su prendre le virage du halal.

Le grand ensemble de Clichy-sous-Bois, construit sur une butte témoin qui offrait à ses tours le contrôle stratégique de tout le 93, était ainsi devenu, depuis que les émeutes l'avaient exondé, le décalque parfait de ces arrière-pays problématiques, de ces hauts plateaux hors du temps, de ces forteresses minérales d'où le monde ancien, miraculeusement préservé, continuait à exercer son orgueilleuse contestation des valeurs modernes.

La cité avait pourtant été conçue par l'un des meilleurs architectes et urbanistes de son époque, Bernard Zehrfuss, à qui la France devait les majestueux voiles de béton du CNIT et le solennel planmasse de la Défense. Tout avait été disposé avec un soin minutieux, selon les préceptes rationnels de la charte d'Athènes, pour accueillir 20 000 habitants, la population d'une ville moyenne, sur un plateau boisé qui dominait l'Est parisien. La grammaire moderne de l'urbanisme avait articulé ici ses phrases les plus simples, son langage le plus compréhensible, fait d'une alternance de barres et de tours, de pleins et de vides, de murs rideaux, de toits-terrasses et de plateaux superposés laissés en partage entre terre et ciel. Chaque propriétaire — il s'agissait d'une copropriété et non d'une résidence HLM gérée par un bailleur social — posséderait là, en plus de l'eau courante, de l'électricité et du chauffage, un point de vue privilégié et exclusif sur les tours voisines, sur la cité et sur l'agglomération parisienne, point de vue qui redéfinirait progressivement l'espace social en offrant à ses bénéficiaires une expérience démocratique complète, ouverte et égalitaire, mais qui saurait en même temps, grâce aux proportions majestueuses et monumentales de l'ensemble, éviter le piège orwellien du phalanstère.

Il y avait eu quelque chose de grandiose dans ce projet, comme dans le projet moderne en général, dans cette architecture dont l'unique fonction avait peut-être été de compléter le monde infini né, presque accidentellement, des innovations picturales de la Renaissance, de remplir le quadrillage mélancolique et fuyant que la perspective avait laissé vide entre la ligne du sol et la ligne d'horizon, quadrillage dont il suffirait de hachurer quelques-unes des cases pour les voir se transformer en cellules actives, action répétée qui donnait à la vie la faculté surnaturelle de s'établir durablement dans les encoches vides et lumineuses du ciel — dans les appartements témoins de la modernité.

La transfiguration urbaine attendue ne s'était pourtant pas produite, ou pas dans le sens voulu. Situé à 15 kilomètres de Paris, le plateau s'était vu délaissé par les transports en commun et il fallait plus d'une heure pour rejoindre Paris. Son planmasse, conçu pour s'ouvrir dans sa partie centrale sur une autoroute fantomatique, avait seulement conservé la cicatrice de ce projet abandonné — trahison qui avait laissé les tours de Clichy-sous-Bois presque à l'état de ruine envahie par les mauvaises herbes.

L'idéal bourgeois de la copropriété s'était logiquement érodé, faute d'horizon économique viable, et les habitants de la cité avaient commencé à ne plus payer les charges d'entretien des immeubles, laissant les ascenseurs se transformer peu à peu en gouffres irréparables et les halls s'assombrir jusqu'à ressembler à des grottes obscures. Tout s'était alors dégradé très vite, faute d'argent, comme ces ksars que j'avais visités autour de Timimoun et qui, construits sur d'anciennes îles, étaient restés seuls et sans secours quand l'eau avait commencé à se retirer du désert, transformant leurs puits asséchés en pièges potentiellement mortels pour les orientalistes.

La ville moderne était morte à Clichy-sous-Bois et il était de mon devoir de la réparer.

J'avais ce genre d'intuition, à Adrar, en buvant en cachette tout l'alcool que je pouvais trouver et qui remplaçait l'eau dans ma gourde métallique d'aventurier missionnaire. J'avais besoin de cela pour survivre à la tombée violente du soir. C'était l'heure où les vendeurs de rue allumaient leurs barbecues rudimentaires, et la ville, pendant quelques minutes, avant de sentir la viande grillée et bienfaisante, prenait une odeur de charbon de bois, une odeur étrange et presque acide, plus proche de celle des hydrocarbures que de celle du feu, une odeur que nous n'étions pas programmés à sentir et qui, contrairement à celle de n'importe quel feu que nous détections dès ses premières fumées, n'était pas immédiate — ce qui la rendait plus profonde et plus inquiétante : ce n'était pas une menace naturelle, mais quelque chose de déjà confusément humain, d'artificiel et de faustien, c'était l'odeur des forges de la révolution industrielle, l'odeur d'un combustible susceptible d'atteindre plusieurs milliers de degrés. C'était aussi l'odeur des soirs d'été à Colombes, quand les voisins faisaient des barbecues et que la nuit tombait, c'était l'odeur de mes mélancolies d'enfance — ce sentiment que le monde, sans changer de forme comme ces morceaux de charbon qui présentaient encore les cernes et les nœuds du bois, était devenu sombre et léger car la vie s'en était retirée.

Lossac m'avait appris les techniques du dessin d'architecture et je retrouvais dans mes croquis aux lignes claires de la ville d'Adrar la désagréable légèreté d'un monde devenu trop fragile pour ma main trop puissante.

Je passais désormais plusieurs heures par jour à dresser les perspectives urbaines d'Adrar, avec un goût marqué pour les plus disgracieuses, pour les longues enfilades de maisons nubiles aux murs en parpaings nus, celles des quartiers pionniers de la ville, mystérieusement occupés par des jeunes couples de diplômés qui semblaient trouver là, grâce à tout un système d'aide, d'incitation fiscale et de clientélisme complexe, un palliatif inconfortable, mais patriotique, à une émigration honteuse vers l'Europe. Je les voyais pourtant — et ces objets constituaient pour mes compétences de dessinateur novice un défi digne d'Uccello — tenter d'accrocher avec leurs paraboles tournées vers le nord les satellites européens.

Je commençais à comprendre la ville sèche d'Adrar et, passé mon étonnement presque compassionnel pour ceux qui avaient décidé de vivre là, dans ces résidences plus désespérantes que des quartiers disciplinaires, j'ai appris à mieux lire le paysage urbain, à voir derrière les murs nus le désert comme une société d'abondance. Les grands marchés d'Adrar étaient pleins de marchandises, les cartouches de Marlboro se négociaient à 3 ou 4 euros, comme les fausses Ray-Ban — j'ai acquis là-bas une paire du modèle Pilote, sans penser au Prince et sans savoir que l'objet symboliserait bientôt la décennie entière. On trouvait également, dans cette cour des Miracles inattendue de la mondialisation, à peu près tous les appareils électroménagers imaginables, comme des grille-pain, des machines à crêpes ou des cafetières Nespresso, mais aussi des tableaux animés de la Grande Mosquée de La Mecque ou des horloges votives. Il y avait aussi, en abondance, des bouteilles de Tsingtao — j'en abusais souvent —, probablement fausses elles aussi et brassées dans un pays d'Afrique noire, mais paradoxalement le Coca-Cola, dont le logo demeurait présent sur les parasols et les réfrigérateurs, était presque introuvable. Le monde se recombinait lentement autour de nouveaux paradigmes dont on ignorait tout, sinon que l'Occident ne serait bientôt plus le seul maître du monde.

Adrar était d'ailleurs une ville riche. Les ouvriers chinois que j'avais croisés en arrivant à l'aéroport de Béchar revenaient du chantier d'une raffinerie géante, située tout près d'ici. Adrar, en apparence isolée, commandait en réalité l'accès aux gigantesques réserves de pétrole et de gaz du Sahara algérien. J'étais dans l'une des villes de la planète qui allait connaître l'un des plus forts taux de croissance de la prochaine décennie et ma mission était d'en contenir le développement anarchique, en opérant les calculs simples qui permettraient aux nouveaux arrivants de profiter au mieux de leur nouvelle vie : quels équipements, pour quels besoins, combien d'écoles, quel diamètre de canalisation pour les égouts, quels matériaux pour les routes, quel pourcentage pour les militaires.

J'allais construire, un demi-siècle après leur âge d'or, l'équivalent d'un grand ensemble. J'allais devenir le petit dieu tutélaire des nouveaux quartiers de la ville. La vie de dizaines de milliers de personnes dépendrait de mes choix initiaux : plan orthogonal ou en étoile, largeur des rues, orientation des maisons, tout procéderait nécessairement des quelques variables que je pouvais fixer de façon arbitraire.

J'avais découvert l'amour dans les rubans de béton surélevés de Cergy ; je mesurais avec une effrayante exactitude les collisions humaines que j'allais à mon tour provoquer, en inventant les instruments susceptibles de modifier les stratégies matrimoniales, qui avaient tant fasciné sociologues et démographes de l'arrière-pays méditerranéen. Je pouvais appliquer à ces champs des forces inédites et des torsions insupportables, je pouvais détruire ce qui avait mis des centaines de générations à apparaître, détruire ce qui avait survécu au retrait de l'eau, à l'arrivée de l'islam, à la colonisation, au parti unique. J'avais en main la ville moderne comme une pâte malléable, comme une substance visqueuse et magnétique que je devais figer sur l'une de ses formes possibles.

J'ai fini par connaître Adrar mieux que Colombes et Cergy, mieux que les parcs de mon enfance artificialisée. Adrar, dans la nuit lubrifiée du désert, roulait sur les microbilles de céramique des étoiles pendant que je rêvais de mes futurs projets d'aménagement. Adrar se confondait sans douleur avec mon cerveau et je tenais la ville en pensée tout entière, je l'aménageais avec la facilité d'un joueur virtuose de *SimCity* qui s'amusait à utiliser les catastrophes naturelles pour reconstruire infiniment sa ville, d'un joueur de *Civilization* partant pour Alpha du Centaure avant même d'avoir atteint le premier stade de l'échelle de Kardashev.

Je retombais, une fois toutes les étoiles conquises, dans le bac à sable d'Adrar, parfaitement concentré et suffisamment alcoolisé encore pour ne ressentir du cosmos, au lieu de sa froideur habituelle, qu'une complicité bienveillante et consolatrice, qu'une sorte de partenariat professionnel que l'ironie discrète de ses constellations ne parvenait pas à troubler véritablement — j'étais trop moderne pour succomber à ces jeux anamorphiques et je regardais plutôt le ciel écrasant d'étoiles comme une ébauche architecturale pas assez symétrique et trop peu fonctionnelle, je regardais le ciel avec un sentiment d'absolue liberté, décidé à corriger sur terre ses défauts innombrables.

Je n'ai jamais été particulièrement religieux, ni précisément athée, à l'exception je crois de ces mois de désert, d'urbanisme et d'orgueil qui m'ont conduit, alors que j'étais allé fêter l'Aïd chez des amis de Lossac, à regarder Dieu comme un rival intéressant, mais imparfait, les yeux fixés sur la gorge d'un agneau après que le sacrificateur lui avait demandé pardon pour son geste fatal — je m'étais alors souvenu de ce que m'avait dit Machelin autrefois, sur les rois thaumaturges et le monopole de la violence légale, et j'avais été soulagé de constater que celle-ci était ici rétrocédée à Dieu. J'aurais alors pu admettre son existence si elle n'avait pas été instantanément démentie par le spectacle que j'avais sous les yeux : celui d'une machine au fonctionnement soudain, déréglé et absurde, les battements du cœur de l'animal, inarrêtables, accélérant le supplice de la bête en l'évidant de tout son sang. J'avais alors compris que même le Créateur aurait été incapable de réparer la plaie de l'animal qui m'était apparue plus large et plus béante que le ciel bleu inexplicable.

La construction de la ville nouvelle d'Adrar rendait nécessaire la création d'une route entre celle-ci et l'aéroport, situé à une dizaine de kilomètres. En effectuant les premiers relevés sur les différents tracés possibles, j'avais découvert que le désert était à cet endroit saturé de vestiges archéologiques, sans doute d'anciens faubourgs d'Adrar retombés en poussière, mais aussi ce qui devait être les ruines de plusieurs mausolées de saints.

J'avais évoqué le problème avec Lossac, qui avait paru un peu préoccupé par la question : les travaux devaient être finis d'ici à quelques mois et il n'était pas envisageable de mener des campagnes de fouilles, ni de détourner une route dont l'unique intérêt était de relier en ligne droite l'extension de la ville à son aéroport. Le culte des saints, malgré sa nature hérétique, était un élément culturel important de l'islam du désert — plus au sud, les mausolées de Tombouctou étaient célèbres. Les superstitions qui s'y attachaient étaient encore très vives, et le fait d'avoir gardé dans mon portefeuille un petit morceau de tissu arraché à l'un d'eux en était comme une confirmation. On risquait, si on les détruisait — et quand bien même ses usagers prioritaires seraient étrangers à tout cela —, de porter le mauvais œil sur la nouvelle route, qui serait, consciemment ou non, délaissée au profit de l'ancienne. Ces questions demandaient, dans cet arrière-pays remarquablement épargné pendant les années noires, la plus grande attention.

Lossac m'a alors demandé un peu de temps. Il avait une idée mais il devait auparavant consulter les notables d'Adrar et quelques-uns de ses contacts à l'étranger.

J'avais un peu oublié tout cela, et mon séjour ici touchait à sa fin. Je devais repartir pour la France, où Lossac avait promis de m'appuyer auprès de ses amis urbanistes. Je pourrais aussi, si la chose me tentait, faire un peu de politique. C'était après tout le projet initial, mais il est vrai que l'excitation qui avait suivi la mort de Machelin était retombée à mesure que la France retrouvait son calme. Lossac avait en tout cas promis de me recommander, le cas échéant, auprès des nombreux amis qu'il avait gardés dans ce qu'il s'obstinait à appeler le RPR. Il pouvait ainsi, sans difficulté, me faire entrer dans les services d'urbanisme d'à peu près n'importe quelle ville des Hauts-de-Seine — c'était là, apparemment, qu'il avait conservé le plus de contacts. Tout m'était en fait à peu près ouvert, et même des fonctions plus directement politiques, comme celle de conseiller en urbanisme dans le cabinet d'un maire. Tout était ouvert, sauf la ceinture rouge et Paris, citadelle socialiste pour l'instant imprenable. Même s'il existait un moyen, m'avait-il précisé, de prendre le pouvoir sur l'urbanisme de la capitale. Il m'avait demandé à cet égard où en était ma thèse sur l'élargissement de Paris. La mort de Machelin l'avait brutalement interrompue, mais j'avais assez de matière pour lui donner ce qu'il appelait *une forme plus politique*, et cela pouvait particulièrement intéresser certaines personnes.

Les travaux de la nouvelle route, entre-temps, avaient commencé, et comme je l'avais craint, celle-ci avançait tout droit sur un mausolée.

Lossac avait réuni à peu près tout ce qu'Adrar comptait de notables, et une foule de plusieurs centaines de personnes s'était elle aussi déplacée.

Nous entourions ainsi le petit édifice en boue séchée et recouvert de chaux. C'était un mausolée très simple, avec son toit-terrasse crénelé et sa petite chambre mortuaire accessible depuis un escalier extérieur.

J'ai remarqué la présence de dignitaires religieux, d'apparence plutôt rigoriste, qui portaient de longues barbes et des djellabas grises, ainsi que de plusieurs ouvriers et leur contremaître, réunis autour d'un petit bulldozer.

J'ai d'abord pensé que les religieux, opposés à la destruction du mausolée, étaient ici pour manifester leur désapprobation — les quelques militaires présents auraient ainsi eu pour fonction d'empêcher la foule, fanatisée, de s'en prendre aux ouvriers. Mais ces derniers, étrangement, ressemblaient beaucoup, avec leurs longues barbes, aux dignitaires religieux, et ils semblaient même plutôt bien s'entendre.

Je me suis alors demandé si les religieux n'étaient pas simplement là pour s'occuper du transfèrement rituel de la dépouille du saint. Aucun d'eux n'est pourtant entré avec nous dans le mausolée. J'y ai accompagné Lossac, très content de lui, mais qui refusait de me dire quoi que ce soit sur la suite des événements. Deux militaires ont arraché le drap et ouvert le tombeau. Ils ont ensuite porté — ou plutôt versé, tant la chose semblait légère et poussiéreuse — la dépouille du saint dans un cercueil neuf, qu'ils ont chargé dans un pick-up, sans que les dignitaires religieux ni la foule autour d'eux ne manifestent aucune réaction.

Le bulldozer s'est mis en action et c'est alors que la foule a commencé à réagir, poussant des cris de joie, encouragée par les prières des religieux. Il a fallu moins d'une minute pour que le mausolée soit entièrement détruit.

« Ce sont des wahhabites, m'a alors expliqué Lossac. Ils sont opposés à toutes les idolâtries. Je les ai fait venir d'Arabie saoudite — vous n'imaginez pas comme la chose a été difficile, j'ai dû faire jouer mes contacts à tous les niveaux, mais comme des Saoudiens financent en partie l'agrandissement de l'aéroport, personne n'a vraiment pu s'opposer à leur présence. Ils ont de plus financé le pèlerinage à La Mecque de tous ceux qui sont venus assister à notre petite cérémonie — pas vous, pas d'inquiétude ! La foule, seulement la foule. Nous sommes très loin d'Alger ici, on peut prendre des libertés amusantes avec l'État laïc. Ils appartiennent à une sorte de confrérie musulmane qui s'est spécialisée dans la lutte internationale contre l'idolâtrie et pour la pureté de l'islam. Du terrorisme planifié, intelligent et pacifiste, si vous voulez. Ils ne vont rien faire sauter, ils ne vont jamais tuer personne, ce sont des missionnaires. Ça a été un plaisir de travailler avec eux. Ils sont très liés, d'ailleurs, à la famille Ben Laden. Pas du côté Oussama, bien sûr, mais de l'autre : une famille tout à fait respectable qui fait dans le bâtiment et les travaux publics. Cela leur a coûté une fortune, mais ils ont tenu, par ailleurs, à venir avec leurs propres outils : le bulldozer leur appartient. C'est presque, mais ce ne serait pas gentil de présenter les choses ainsi, un objet sacré pour eux — une sorte d'idolâtrie résiduelle, si l'on veut. Ces destructions, si choquantes pour nous, sont tout à fait courantes et acceptées en terre d'islam. On a détruit ainsi plusieurs des maisons du Prophète, sa tombe aussi je crois, et sa maison natale, à La Mecque, est en sursis. Cela nous choque, évidemment. C'est nous qui sommes, enfants de Mérimée, de l'UNESCO et de la charte de Venise, païens et idolâtres. L'islam est une religion très spirituelle — certains, dit-on, n'auraient même rien contre la destruction de La Mecque.

« Tenez, d'ailleurs, et je sais tout cela presque de première main, je le tiens d'un vieil ami préfet, un homme que vous allez bientôt rencontrer, qui était à l'époque, comme aujourd'hui d'ailleurs, membre du cabinet du ministre de l'Intérieur : le propre frère de Ben Laden a fait partie de ces religieux fanatiques qui ont pris d'assaut la Grande Mosquée de La Mecque — cela devait être un peu avant votre naissance. C'est le plus étrange des coups d'État, un coup d'État religieux. S'il fallait trouver un événement historique qui supporte la comparaison, je ne verrais que l'enlèvement du pape par Napoléon, afin que celui-ci vienne le sacrer empereur. Mais Napoléon, lui, n'était pas croyant. Nos wahhabites, eux, le sont tout à fait. Ce qui ne les a pas handicapés le moins du monde, ce jour-là, pour attaquer le saint des saints. La fameuse Pierre noire, sur l'un des angles de la Kaaba, a d'ailleurs été profanée, dans l'histoire, à plusieurs reprises, par des croyants fanatiques. Et la Kaaba elle-même n'a peut-être été épargnée qu'en raison de son paradoxe même : c'est un monument vide, la néga-tion, somptueuse, monumentale et idolâtre, de toute idolâtrie. En tout cas, ce jour-là, le politique s'est montré étonnamment faible, et le religieux étonnam-ment fort — l'un tout emprunté par son respect contre nature à des symboles religieux, et l'autre entièrement libre, dégagé de toutes les normes du droit, y compris du droit religieux. L'armée et la police saoudienne ont ainsi dû négocier avec les oulé-mas pour avoir le droit d'entrer avec des armes dans la mosquée. Et il a fallu, *in fine*, l'intervention des Services pour reprendre l'édifice — nos propres ser-vices, les services français, plus tolérables en ces lieux que les services américains, même s'il a fallu qu'ils se convertissent pour avoir le droit d'accéder au site. Cela dit, rien de plus facile ni de plus rapide à faire que de se convertir à l'islam.

« Toujours est-il, et la chose est plutôt piquante, que les vétérans de cet assaut, dont quelques-uns sont maintenant très haut placés dans la hiérarchie militaire, notamment dans l'entourage immédiat du ministre de l'Intérieur, sont techniquement musulmans. »

Je n'allais pas assister à l'achèvement de la route. Cette étrange cérémonie, ni tout à fait religieuse ni tout à fait païenne, aura été l'une des dernières choses que j'aurai vues en Algérie.

J'ai pris dès le lendemain un avion pour Paris, où le préfet, dont Lossac venait de me parler, devait justement me recevoir — Lossac m'avait chargé de lui apporter une mystérieuse valise.

L'homme était devenu l'un des éléments clés de la campagne électorale alors en cours.

LE TRIANGLE D'OR

Le portrait du Prince, immense, dominait le double escalier en marbre du hall, et l'ensemble évoquait plus, entre matériaux précieux et culte de la personnalité — il ne manquait au Prince qu'un fusil ou qu'une double rangée de médailles pour que l'illusion soit parfaite —, l'entrée monumentale d'un palais de Saddam Hussein qu'un QG de campagne. La composition ethnique du quartier renforçait d'ailleurs cette impression qu'on avait ici affaire à une sorte de potentat oriental travaillant à sa réélection plutôt qu'au candidat normal d'une élection libre. Comme le révélaient les affiches du PKK, les noms des restaurants et les devantures des librairies, on était ici, rue d'Enghien, dans le Xe arrondissement de Paris, au cœur de la petite Turquie, le quartier de la diaspora kurde.

Je me suis dit qu'il était impossible de ne pas penser à cela et que l'idée n'avait pas tant dû être d'installer le QG de campagne dans un quartier populaire que d'évoquer, de façon subliminale, ce qu'on appelait *la rue arabe*, entité devenue, depuis les attentats du 11 Septembre et les manifestations de soutien spontanées à Ben Laden qui les avaient suivis, le cauchemar de l'Occident et la banlieue insurrectionnelle du monde civilisé.

La convocation de cet imaginaire jusqu'aux portes du QG du candidat de la droite relevait en tout cas d'un machiavélisme — d'un machelinisme, m'étais-je aussitôt repris — incontestable. Et cela devait fonctionner d'autant plus que ceux qui venaient ici n'avaient, dans leur écrasante majorité, pas l'habitude de ce genre de quartiers, populaires et exotiques, réservés au nord et à l'est de la capitale plutôt qu'au centre et à l'ouest qu'ils fréquentaient d'habitude.

J'avoue m'être laissé prendre aussi au jeu, en passant, avec difficulté et légèrement de profil, entre les deux barrières métalliques tenues par des CRS, pour venir me présenter devant l'immense et apaisant visage de notre condottiere. J'en ai conçu aussitôt un immense soulagement, loin des bruits de la rue et de la violence sécessionniste de la cause kurde, souvenir qui m'a fait un instant entrevoir, derrière le visage du Prince, celui du bourreau souriant d'Halabja, bourreau occidentalisé dont la brillante carrière de génie du mal venait d'ailleurs de trouver une fin définitive, et un peu pathétique, sur une base militaire américaine de la banlieue de Bagdad.

J'étais déjà excité par l'odeur du sang.

Un groupe descendait l'escalier en glissant presque sur les semelles en cuir de leurs chaussures vernies. Ils étaient beaux et maigres, glabres et blancs, leurs cheveux sculptés et leurs costumes ajustés les rendaient aussi lisses, aussi rapides que s'ils avaient porté des combinaisons de commando marine, seules leurs épaules, qui tombaient parfaitement, cassaient leurs silhouettes lascives pour projeter devant eux leurs organes de commandement, mains fines et douces aux ongles nacrés, BlackBerry aux diodes rouges clignotantes, stylos en or, briquets Dupont, cigarettes blanches.

Ils sentaient bon, aussi, et j'ai monté les marches à travers leur présence translucide, heureux d'être ainsi décontaminé des odeurs de la rue.

Le bureau du directeur de campagne, l'ami préfet de Lossac, se trouvait, par un singulier tropisme policier qui rappelait les anciennes fonctions de l'homme comme les mœurs rigoureuses d'un palais oriental, juste en haut de l'escalier, derrière une colonne qui tenait lieu de porte et lui permettait de tout entendre sans jamais être vu. L'ancien chef de la police s'en est amusé un instant, de façon plus menaçante que comique, me priant d'avancer et de lui remettre la valise que je tenais à la main. Il l'a ouverte, sans m'en laisser voir le contenu, mais il a paru satisfait.

Tout semblait provisoire, avec des cartons empilés, des rouleaux d'affiches, des câbles entrecroisés qui convergeaient vers un bureau en verre à pieds de métal, structure sans doute plus pratique que les bureaux dorés et marquetés que le haut fonctionnaire avait dû utiliser jusque-là, pendant la douce vie de cabinet à laquelle il avait renoncé pour les installations précaires d'une campagne présidentielle. Tout signifiait ici qu'on était en guerre, et presque dans la tente d'un aide de camp.

J'ai remarqué pourtant un élément de décor, une

photo soigneusement encadrée et accrochée au mur, qui semblait appartenir, comme un souvenir qu'il transporterait toujours avec lui, à une autre actualité que celle de la prochaine présidentielle. Je connaissais cette photo. Elle avait été publiée, je crois, dans *Paris Match*. C'était à l'été 1995, j'avais quinze ans. Il faisait très beau ce jour-là, c'est ce qu'on voyait immédiatement. La vue était vertigineuse, les toits en zinc des immeubles haussmanniens atteignant, à cet endroit de Paris, leur forme la plus parfaite, un galbe de coquillage retourné dont les côtes s'ouvraient en éventail, à l'aplomb des façades qui tombaient vers la Seine. La place Saint-Michel était entièrement vidée de ses occupants normaux, et semblait par cela même figée, malgré les nombreux véhicules qui l'occupaient en désordre. L'ensemble paraissait pourtant organisé et l'on distinguait rapidement différents corps de métier au travail autour d'un événement invisible, mais qu'on supposait de grande ampleur — la terrasse d'un café avait ainsi été transformée en poste médical avancé. Également figée par la photographie, on distinguait enfin l'eau de la fontaine que crachaient deux chimères ainsi qu'un fin nuage de fumée qui sortait d'une bouche de métro. C'était la fin de journée, les ombres étaient très marquées et les couvertures de survie crépitaient au soleil. Paris venait d'être frappé par un attentat.

Mon interlocuteur a vu mon intérêt pour cette photographie. Il était à l'époque directeur de la police nationale et était présent, place Saint-Michel, au moment où elle avait été prise. Il avait ensuite supervisé, jusqu'aux contreforts du Massif central où Khaled Kelkal avait été abattu par le GIGN devant les caméras d'une télévision locale, la traque des poseurs de bombes. Puis l'enquête se perdait pour toujours dans le labyrinthe rocailleux de l'islamisme radical et de l'antiterrorisme de l'Algérie des années noires. L'ami complotiste de Lossac, celui dont on disait qu'il appartenait aux services de renseignement, m'avait même expliqué que l'Arabie saoudite était le vrai commanditaire de l'attentat, en réaction à l'annonce de la reprise, en ce même été 1995, des essais nucléaires français dans le Pacifique : Mururoa était en effet situé, de l'autre côté de la Terre, exactement à l'aplomb de La Mecque, faisant redouter aux autorités saoudiennes un possible *syndrome chinois*, hypothèse selon laquelle le magma radioactif généré par la bombe se serait enfoncé sous son propre poids jusqu'au noyau de la Terre pour ressortir aux antipodes.

J'ai été en tout cas déçu quand, au lieu de me raconter les dessous de cet attentat et de confirmer ou d'infirmer cette hypothèse délirante, le haut fonctionnaire a déplacé une affiche de campagne pour me montrer une autre image, qui faisait pendant à la première. Il s'agissait cette fois d'une aquarelle, œuvre didactique d'un pompier retraité, qui représentait toujours la place Saint-Michel, mais cette fois vue en coupe, jusqu'à une profondeur telle qu'on atteignait, sous le lit de la Seine, la gare souterraine où était installé le premier poste de secours.

« Voilà où nous devons aller, m'a-t-il dit, voilà où je suis descendu ce jour-là. Ni la photographie ni l'aquarelle ne montrent pourtant le détail de ce que j'ai vu là-bas. Certaines choses ne devraient jamais être vues. Ce que la politique fait aux corps. Je veux pourtant m'en souvenir. Notre mission et notre devoir sacré nous obligent à connaître certaines choses. Ne croyez pas que le pouvoir soit autre chose que cette connaissance. Elle ne vous sera peut-être pas épargnée mais vous aurez toujours le devoir d'en protéger le grand nombre. Il existe des mensonges d'État qui sont des vérités premières. La caverne où vous allez descendre ne projettera sans doute pas autour de vous des images aussi violentes, mais vous serez amené à voir des choses, à en connaître d'autres qui devront rester à jamais secrètes. »

Cela n'était pas, étrangement, une leçon de cynisme. C'était la confession sincère d'un homme, qui croyait en la raison d'État et qui lui avait consacré sa vie. J'ai repensé à la phrase de Machelin sur les enchantements inégalables de la politique en me disant que j'avais en face de moi l'un de ses grands prêtres.

« Bien, avait-il conclu, j'ai lu vos états de service, j'ai pris connaissance de votre rapport sur Paris, je ne mésestime pas celui qui vous recommande. Considérez-vous comme l'un des nôtres. Nous manquions un peu d'intellectuels et de représentants des professions libérales, et nous ne devons pas laisser la politique de la ville à nos adversaires. Vous serez son conseiller architecture. Inutile de le déranger : il est d'accord. »

C'est ainsi que je suis entré, sans l'avoir jamais vu et sur la foi d'une réécriture rapide de ma thèse abandonnée, dans l'équipe de campagne du Prince.

J'avais intégré facilement — un peu trop facilement peut-être, comme si Machelin était toujours vivant et encore à la manœuvre — le noyau dur de l'équipe de campagne, l'avant-garde de la France moderne. J'arrivais du désert et je me retrouvais soudain, en plein cœur de Paris, au milieu de ses plus belles intelligences et de ses cerveaux les plus rapides. J'étais étourdi mais heureux, avide d'apprendre, aussi, à manipuler les codes éblouissants de cette campagne qui devenait, chaque jour un peu plus, la campagne classique de la Cinquième République, le modèle inimitable, la politique redevenue un art.

La campagne allait ainsi être métaphysique. C'est comme cela, en mettant les enjeux à ce niveau, que nous avions remporté la bataille sur l'intelligentsia de gauche, qui ne nous avait pas vus venir, sur l'intelligentsia de gauche habituée à poser seule les termes du débat pour formuler ensuite les réponses les plus justes, et qui ne nous attendait pas à ce niveau d'intensité idéologique. La politique, après une longue éclipse de plus d'un demi-siècle, était de retour en France. Il existait une droite, enfin, comme vision du monde et non plus comme simple façon de rassurer les bourgeois, terrorisés par l'existence d'une gauche qu'ils sentaient, instinctivement, supérieure à eux sur le plan intellectuel. La gauche n'avait plus le monopole du cerveau.

Tout avait tourné autour de l'idée que le Prince incarnait le triomphe de l'Europe des valeurs — on comprenait implicitement que celles-ci étaient chrétiennes. Le Prince avait réouvert l'accès, particulièrement stratégique pour la France, petit finistère épuisé de l'Eurasie, aux richesses historiques presque illimitées d'un arrière-pays depuis trop longtemps oublié : la chrétienté était encore intacte et nous étions debout sur les épaules de la plus orgueilleuse des civilisations du monde. On devait à Nivelle, l'amie de Machelin, la générale en chef, l'idée de cette fresque magistrale, ainsi que la responsabilité de son exécution fidèle par tous les partisans du Prince. C'était elle qui avait orchestré les éléments de langage qui nous avaient permis de triompher. C'était à elle aussi qu'on devait le retournement des derniers réfractaires, ceux qui voyaient Bonaparte percer sous le Prince, ceux qui craignaient pour les libertés publiques, qui jugeaient l'homme dangereux, incontrôlable, et qui avaient été jusqu'à évoquer un risque de guerre civile ou de dictature.

C'était le jeu, leur avait-elle patiemment expliqué, le Prince faisait de la politique comme on faisait la guerre, et c'était d'ailleurs pour cela qu'il était aimé et respecté. Bien sûr, il franchissait toutes les lignes jaunes ; peut-être même, oui, ne faisait-il que dresser les Français les uns contre les autres, mais il fallait voir cela de façon tactique, prendre plaisir au jeu, en comprendre la nature jouissive et transgressive : le Prince, grande surprise, nouveauté radicale, était de droite, il avait les défauts de ses qualités, il aimait la politique d'un amour passionnel, plus encore que le pouvoir ; il était aussi incroyablement chanceux et le spectacle méritait qu'on y prenne part, c'était un moment rare et unique dans la vie d'un pays qu'une campagne réussie à ce point et que la victoire possible d'un homme à ce point exceptionnel. Oui, le Prince était de droite. La droite sûre d'elle-même, décomplexée, intelligente et un peu vicieuse — reconnaissant l'homme pour ce qu'il était : un simple pécheur.

La presse avait plusieurs fois rapporté des mots d'une extrême violence que le Prince aurait prononcés vis-à-vis de tel ou tel de ses adversaires : il avait ainsi parlé de pendre un Premier ministre à un croc de boucher, il avait dit, après qu'un centriste honni avait refusé d'entrer dans une coalition électorale, qu'il y aurait bientôt du sang sur les murs. J'avais entendu bien pire et j'avais adoré cela. C'était une joie intense, libératrice, de servir un homme qui pouvait se permettre ce genre de choses, un homme qui avait atteint un statut tel dans l'opinion qu'on tolérait depuis longtemps qu'il puisse s'affranchir des normes habituelles de la courtoisie — qu'il s'affranchisse en fait de toutes les normes du droit naturel. Je me souvenais d'un cours d'histoire, au lycée, sur l'absolutisme, que notre professeur avait commencé en nous expliquant que le roi demeurait soumis aux normes de la bienséance et aux lois chrétiennes : il ne pouvait pas tuer par caprice ni se tenir jamais mal. Le Prince, lui, le pouvait. Il y aurait dans son règne futur quelque chose d'absolument transgressif.

Nous aimions pour cela la façon dont il s'exprimait, sans respecter ni la grammaire ni la pénible majesté de la langue française — dans un pays où le souverain était le protecteur d'une institution chargée de légiférer sur la langue, la chose était particulièrement délicieuse. Ancien avocat, il avait gardé l'habitude de faire un usage presque exclusivement polémique de la langue française, qu'il utilisait, le doigt pointé sur son interlocuteur, presque comme une arme de guerre, une arme dont le violent recul se propageait à ses épaules, beaucoup trop mobiles.

Nous avions assisté à des dizaines de meetings juste pour cela, pour le frisson de la scène, pour leur énergie physique et leurs outrances verbales dignes des meilleurs concerts de hip-hop — et ceux que j'avais ratés, je les avais souvent rattrapés en vidéo. Nous avions religieusement suivi chacune de ses interventions télévisées dans un bureau de la rue d'Enghien, et j'y avais pris plus de plaisir qu'avec n'importe quel livre, n'importe quelle chanson, j'avais été sans cesse ébloui par le plaisir de la langue, par l'inventivité verbale hasardeuse et brutale du candidat déchaîné.

La candidate socialiste s'était, elle aussi, aventurée sur le terrain de la langue. Elle était ainsi venue jusqu'à la Grande Muraille en tunique blanche pour vanter la *bravitude* du peuple chinois. On s'en était amusé. Mais cela n'avait pas la splendeur sombre des approximations du Prince, cela ne concernait que la surface de la langue, que son vocabulaire — la candidate avait péché par excès et non par défaut, et la polémique de pure forme qui avait suivi ses justifications — l'évocation ironique du décalage horaire et de la grandiose plasticité de la langue — avait surtout témoigné d'un goût français un peu pénible pour les *perles du bac*, pour les approximations syntaxiques de ses comiques préférés, pour les bons mots des jeunes enfants.

L'inventivité verbale du Prince était à l'opposé. Elle concernait la grammaire elle-même plutôt que le vocabulaire : la clé de voûte du vivre-ensemble, les profondeurs secrètes du pacte républicain, le lieu célinien du grand dérèglement, le chaos des heures sombres. Le Prince ne parlait pas un français de convention, ni un français de fantaisie, mais un français de combat. Il parlait aux instincts du peuple, mis en perpétuelle situation de juré populaire d'un procès d'assises devenu grand comme un pays entier. Il répétait à voix douce les noms de ses intervieweurs, il abusait des pronoms personnels qui le mettaient en scène, avec ambivalence, en tant que victime et en tant qu'accusateur. C'était la seule structure qu'il respectait au fond, l'essence judiciarisée de la langue. Tout le reste, fautes d'accords, conjugaisons hasardeuses, oublis du sujet ou du temps, était subordonné à cette fonction unique : mettre le monde en accusation, s'excuser de sa bonne volonté, feindre une naïveté la plus absolue — c'était un effondrement de la langue sur elle-même. L'intervieweur, confronté là à un défi insurmontable, renonçait à chaque fois, et le téléspectateur, comme hypnotisé, oubliait la question désobligeante :

« Parce que vous croyez que parce que — excusez-moi du peu madame Chazal, ou bien alors c'est pas qu'on s'est pas compris, c'est que j'ai dû me tromper alors — que parce qu'un journaliste, ou supposé tel, a raconté à untel ou untel une histoire proprement stupéfiante, et qui, soit dit au passage on sait plus trop si elle me concerne vraiment, ou bien ma cousine, son voisin de palier et quand on y est pourquoi pas vous madame Chazal, puisque apparemment il faudrait qu'on soit tous coupables de quelque chose dans ce pays, à commencer par réussir, et vous avez bien réussi madame Chazal, alors je me demande... Non bien sûr je plaisante, mais c'est quand même un monde, que dans ce pays, plus on essaie d'être irréprochable, plus on a de reproches, et c'est tous les jours, et c'est sans l'ombre d'un soupçon. Et vous pensez que cette fois je vais laisser passer ? Vous croyez vraiment que je peux me permettre de laisser dire ça ? Eh bien je vais peut-être vous surprendre mais oui, parce que moi, je peux pas à chaque fois saisir tous les tribunaux de France, qui sont bien occupés croyez-moi, un peu trop occupés à mon goût, même, quand ils libèrent des délinquants, pour que je porte plainte. De toute façon moi mon seul tribunal c'est l'action, c'est là où je serai demain, et je crois que ça vaut mieux, d'ailleurs, vous verrez demain ça sera oublié, les Français ils ne sont pas dupes, ils oublient pas ce qu'on me fait subir, des fois, je vous dis, c'est pas toujours drôle. Mais laissons ça là, si vous voulez bien. Parce qu'à force d'expliquer l'inexplicable, car au fond je ne sais même pas de quoi on parle et j'aimerais si ça vous ennuie pas qu'on soit sérieux cinq minutes, on va finir par ennuyer tout le monde avec nos petites histoires, et croyez-moi, les Français méritent mieux que cela. »

Nous sentions, oui, en écoutant ces fabuleux monologues, de nature à terroriser toutes les salles des profs, tous les énarques et tous les secrétaires de rédaction de France, que le Prince avait en lui la capacité de modifier les structures du pays, qu'il était en cela plus moderne que Rimbaud. Il nous semblait que le Prince, incorrect, instable, mais divinement doué, était capable de se saisir à nouveau des dés d'une histoire épuisée, de s'en saisir et de les jeter une nouvelle fois, loin en avant — et peut-être jusqu'aux bords du monde.

Car il était possible que la France, telle que nous la connaissions, pacifique et décente, ne survive pas à l'activisme du Prince, à ses expérimentations permanentes, à son machelinisme. La mise en scène avait été superbe. Notre candidat avait ainsi déclaré qu'il croyait au mal et à la prédestination. Il avait évoqué le fait qu'on puisse être maudit, pédophile ou violent dès l'école maternelle. Le choc avait été monstrueux. Personne n'avait jamais osé dire ça, à ce niveau de responsabilité, au moins depuis l'Ancien Régime.

Le Prince avait aussi réduit la question de l'immigration à une scène primitive, à un cauchemar éveillé qu'il avait réellement vécu. La scène nous avait été rapportée en détail par Villandry, un jour pluvieux de mars dans le café où nous nous étions réfugiés et qui faisait l'angle avec la rue d'Hauteville et la rue d'Enghien. Villandry gérait les relations du Prince avec la presse depuis plusieurs années.

C'était, de nous tous, celui qui le connaissait le mieux. Il avait contribué à la fabrication de sa légende, quand il fallait que le ministre soit chaque soir au *20 Heures* avec des nouvelles annonces, des résultats spectaculaires ou des faits divers inédits à commenter — la politique du chiffre appliquée à lui-même. Il avait tapé fort, de son propre aveu; ces années passées à l'Intérieur ressemblaient dans son souvenir à une longue bavure policière, à un interminable *snuff movie*. Son cynisme élégant et mélancolique nous ravissait, comme il parvenait toujours, au bout d'un moment, à nous mettre mal à l'aise — et c'était bien ce qui s'était produit ce jour-là, dans des proportions cependant inédites. Et comme à chaque fois aucun de nous ne saurait pour finir à quel point ce qu'il avait dit s'écartait de la vérité.

Nous étions là tous les cinq, la brillante avant-garde, les meilleurs soldats du Prince, l'équipe de campagne resserrée que j'avais miraculeusement réussi à intégrer, moi, l'idéaliste, l'intellectuel, le retardataire, mais que mon aventure algérienne dotait d'un singulier prestige, d'un prestige *impérial* — Machelin m'avait dit avant mon départ que l'unique fonction de l'Algérie, conquise juste avant les Trois Glorieuses, avait été de fournir aux adolescents de la Restauration, à la génération de 1830, un substitut oriental au rêve napoléonien. J'avais gardé de mon séjour algérien un teint hâlé et certains gestes précieux, comme celui de saisir les choses avec seulement trois doigts, ou une certaine façon de nouer mon chèche. J'aurais aussi un jour, mais l'anecdote était apocryphe, ramené la main contre ma poitrine après avoir serré la main du Prince — Villandry avait quoi qu'il en soit pris l'habitude de me surnommer *L'Arabe*.

Il y avait là, outre Villandry et moi, Berthier, le conseiller diplomatique du Prince, Berthier plus musclé que jamais sous sa chemise trempée, Berthier, le corps rêvé du Prince comme Nivelle était son cerveau idéal, et qui ressemblait ce jour-là, encore plus que d'habitude, à un agent secret.

Il y avait aussi le plus frêle et plus timide Garnier-Rivoire, qui ressemblait un peu au Prince, mais en plus grand, en plus délié, avec une histoire familiale apaisée et un parcours scolaire irréprochable — le Prince sans l'ambition enfantine de conquérir le monde. Énarque, il habitait à Neuilly depuis toujours et on supposait qu'il hériterait de la ville aux prochaines municipales.

Graslin était là également. Beaucoup moins policé que lui, beaucoup plus provincial — il avait d'ailleurs gardé un léger accent marseillais. Conseiller numérique du Prince, il avait monté, dès son école de commerce, une start-up qu'il avait revendue presque un million d'euros. C'était le plus riche d'entre nous et le mieux habillé. Le seul qui se permette, aussi, de le tutoyer. Il incarnait à la perfection ce que nous prétendions être, les conquérants de la République, les mercenaires du Prince, le prototype d'un homme que les intellectuels de gauche aimaient mépriser, car il était au fond trop accompli pour leurs catégories ontologiques dépassées — ils pressentaient seulement le caractère dévastateur de ce qu'ils appelaient l'*individu libéral*, sans en reconnaître la scandaleuse nouveauté, sans apercevoir, derrière sa figure blême, l'apparition, rare et précieuse, d'un type anthropologique inédit, d'un homme d'un nouveau genre, dont la volonté de puissance, l'orgueil et le narcissisme illimité, tous les trois hérités de l'ère moderne, se mêlaient à des qualités plus classiques et jusque-là presque entièrement oubliées : la soumission à la force, l'acceptation presque masochiste des lois les plus dures, comme celles du marché, le goût confus, mais au fond très sûr, pour tout ce qui le contraignait et le soumettait sans rémission possible — sur un spectre assez large qui comprenait la plupart des addictions connues, du sexe à la drogue, du jeu au travail, et qu'il avait appris, dès l'école de commerce, à accepter comme inéluctables. Graslin incarnait à la perfection cette hybridation réussie entre les pouvoirs dionysiaques de la fête et l'ivresse mécanisée des feuilles de calcul, et je l'admirais naturellement beaucoup — nous l'admirions tous, et il était unanimement considéré comme le plus élégant et le plus fanatique des conseillers du Prince.

Villandry était son exact opposé. Issu d'une vieille famille aristocratique, il était, face à cet alcool blanc, un vin ancien et presque madérisé qui cherchait, dans ses échanges humains, moins le pouvoir ou la suprématie qu'un équilibre subtil, théâtral et onctueux. Certain, sans doute, de sa supériorité absolue, dernier héritage vivant des privilèges de sa classe, il semblait prendre plaisir à nier absolument qu'il existe des différences entre les hommes, et il leur accordait à tous autant d'attention. Il avait ainsi sympathisé avec tous les restaurateurs de la rue d'Enghien, et il prenait un évident plaisir à nous conseiller un plat ou à nous informer de la situation difficile d'un cuisinier dont on n'apercevait, à travers la fenêtre du passe-plat, que les bras infatigables — sa femme était kurde et son beau-père tentait en vain de quitter l'Irak. Même Berthier, qui se vantait de parler arabe, comme si la chose était en soi une provocation, était dépassé — mais Villandry lui avait fait promettre de trouver une solution.

L'agitation permanente de Villandry nous réjouissait tous, comme elle réjouissait les journalistes à qui il distribuait petites phrases et potins sexuels insortables. Elle dissimulait aussi une profonde lassitude, un étrange ennui : le monde qui s'ouvrait devant nous ne serait pas le sien. Il était trop désintéressé pour être libéral et semblait être là seulement car ses qualités l'y avaient conduit, et peut-être aussi parce que cela serait un joli tour à une histoire de France qui s'était montrée jadis cruelle avec ses ancêtres.

Le café où nous étions tous les cinq, en ce jour de mars, s'appelait Le Duc d'Enghien et Villandry avait commencé par citer, *in extenso*, un passage de Chateaubriand qui déplorait le meurtre de celui-ci par Bonaparte : « Cette mort, dans le premier moment, glaça d'effroi tous les cœurs ; on appréhenda le revenir du règne de Robespierre. Paris crut revoir un de ces jours qu'on ne voit qu'une fois, le jour de l'exécution de Louis XVI. »

Il avait alors commencé son récit. Le Prince avait été prévenu une nuit qu'un incendie exceptionnel venait de se produire dans un squat du XIIIe arrondissement. Poussé par un pressentiment étrange, il s'était habillé et s'était fait conduire sur place, où Villandry l'avait retrouvé. Le feu était éteint. Les pompiers se reposaient sur le trottoir et il était allé comme à son habitude féliciter les hommes en uniforme. Le premier ne l'avait même pas vu, le deuxième lui avait tendu sans réfléchir une main noircie qu'il avait serrée avec réticence. Il avait essayé de lui parler mais le pompier avait semblé ne rien entendre. Il avait mis ses yeux rouges sur le compte de la fumée. Le troisième l'avait pris dans ses bras et avait fondu en larmes. Par-dessus son épaule, le Prince avait vu quatre corps d'enfants calcinés. Un pompier était venu en déposer un cinquième, un bébé, léger comme une carcasse de poulet. L'unique réaction du Prince avait alors été la peur, la peur immédiate face à la vie enlevée, à la mort inévitable et à la violence absurde du néant. La mère du nourrisson avait survécu. Elle avait voulu serrer une dernière fois son enfant dans ses bras. Le pompier, pour l'en empêcher, lui avait expliqué qu'elle risquait de le casser. Le Prince avait enregistré cette information, ce degré supplémentaire dans l'horreur. Il était pour une fois resté silencieux.

Il s'était repris dans la voiture et avait déclaré à Villandry qu'il s'agissait d'un drame de l'immigration illégale, et exclusivement de cela. C'était l'élément de langage qu'il faudrait imposer. Ces enfants n'étaient pas morts par hasard, mais parce que la France, en laissant croire aux migrants qu'elle pouvait les accueillir, avait fait preuve de négligence coupable. La France, en réalité, ne pouvait garantir leur droit fondamental à la sécurité. Ils ne trouvaient là que l'avarice hideuse des marchands de sommeil — souvent leurs propres compatriotes — qui avaient comme ici, cyniquement, condamné les issues de secours avec des planches inflammables pour mettre plus de lits. Lutter contre l'immigration illégale par humanité : ce serait l'un des coups de génie du Prince, qui raconterait inlassablement et en détail cette nuit d'horreur initiatique, n'omettant qu'un seul détail : il avait ce soir-là craint pour sa vie et avait conclu un étrange pacte avec la mort — ou directement avec le diable, avait finalement affirmé Villandry, faisant de la mère de l'enfant une sorcière africaine qui lui aurait volé son âme.

Le Prince était ainsi un personnage de fiction, avec ce que cela comportait de clichés littéraires et de scènes obligées. Les Français allaient bientôt assister à l'une d'elles, quand ils comprendraient que le Prince, au moment où il accédait à la magistrature suprême, avait simultanément échoué à retenir la femme qu'il aimait, déconvenue presque racinienne qui avait prêté à son élection le déroulé implacable d'un argument tragique exceptionnel. Nous avions participé ce soir-là, avec le Prince ou à travers lui, à la révélation de quelque chose d'immense, de glacial et d'inhumain. Il était agréable que le Prince souffre, non que cela le rende plus humain, mais plus princier encore. Il traversait une épreuve solitaire, un dilemme grandiose : tout avoir et tout perdre en même temps, la chose nous émouvait, je crois, non par compassion mais par amour des paradoxes, comme on avait aimé découvrir, grâce aux confessions de son médecin, que Mitterrand avait appris son cancer non à la fin de son second mandat, comme on l'avait cru jusque-là, mais au début du premier :

cruauté sublime et merveilleux argument de théâtre.

Le Prince, comme tous les présidents avant lui, était un personnage de fiction né de l'interprétation passionnée que faisait le peuple de la Constitution que, selon le mythe républicain, il s'était donnée à lui-même pour déchiffrer ses intentions profondes à des dates régulières.

Le Prince était depuis longtemps déjà le meilleur acteur politique de sa génération, le plus inattendu, le plus divertissant — le plus facile à caricaturer aussi. On s'était habitués à lui et même ceux qui gardaient le vague souvenir de s'être moqués jadis de la créature blême apparue sur la scène politique nationale en 1993 avec la deuxième cohabitation avaient finalement commencé à lui trouver le charme irrésistible d'un homme providentiel, et il paraissait évident, au soir du 6 mai 2007, pour ses proches comme pour les 11 millions d'électeurs du premier tour, pour ces 19 millions d'électeurs du second comme pour tous les Français fascinés, que le Prince serait à la hauteur du rôle.

Nous avions gagné une élection présidentielle. Une élection présidentielle — nous aimions la splendeur de cette expression. Nous étions au moment où un peu de magie était réinjectée dans les institutions, au seuil d'un nouveau règne — nouveaux règnes qui sont comme des éclats de révolution et des moments de guerre civile. La prise de pouvoir, même en démocratie, était quelque chose de violent, et il y avait ce soir-là comme un soupçon de coup d'État quand on avait vu de vieux amis du Prince se voir refuser l'accès au Fouquet's. Ce serait cinq ans de pouvoir sans partage, sauf pour nous, ceux qui allaient l'exercer — et nous nous le partagions déjà.

Après avoir tourné dans tous les sens et salué les amis, les futurs ministres, les futurs secrétaires d'État et les équipes de leurs futurs cabinets — tous ceux qui seraient pendant les mois à venir nos subordonnés directs —, nous nous sommes retrouvés tous les cinq à la même table, Villandry, Graslin, Berthier, Garnier-Rivoire et moi, les cinq héros de la campagne, comme nous avait appelés Nivelle, tous les cinq épuisés et heureux, des verres d'alcool fort à la main et des cigares que nous laissions ostensiblement se consumer dans des cendriers en cristal.

Nous avions trente ans à peine et on ne voyait que nous, l'entourage immédiat du Prince, plus forts, plus exposés et plus puissants que des ministres. On ne verrait que nous ces prochains mois, dans les médias, les dîners, les cabinets et les salons. Nos cerveaux étaient les plus rapides et quelques phrases à peine suffiraient à convaincre les derniers réfractaires de notre éclatant triomphe — victoire intellectuelle totale, conversion quasi instantanée au modèle anglo-saxon et libéral ainsi qu'à la révolution conservatrice. La grâce à l'état pur, un pays entier sous le charme, le ralliement par dizaines des intellectuels, le grand frisson chez les artistes, l'union sacrée tout près d'être atteinte. Nous avions fait plier l'histoire et elle nous appartenait pour cinq années entières.

Recruté en janvier — le dernier venu de sa garde rapprochée —, je n'avais connu que cela, l'envolée euphorique qui avait suivi les premiers sondages qui l'avaient placé, un peu avant Noël, devant la candidate socialiste, l'excitation presque sexuelle des derniers jours, la fécondation imminente de la France par le seul homme capable de la faire survivre un millénaire de plus. Nous étions, dans la serre du Fouquet's, les témoins privilégiés du processus de mutation terminale. L'animal politique était le parasite absolu, le super-prédateur, le sommet de l'arbre évolutionniste, une créature prête à tout, adaptée à tout, pur mouvement, charme naturel et sélection instantanée de la meilleure trajectoire, du seul chemin possible.

La scène se passait sur les Champs-Élysées, au Fouquet's, à la pointe occidentale du triangle d'or, l'enclave luxueuse que formaient les trois rues les plus chères de Paris. Le Prince venait d'être élu et nous avait invités à fêter sa victoire, qui serait celle de l'argent, du travail et des entrepreneurs, qui serait celle de la rupture avec la France ancienne. La scène est connue, archétypale et caricaturée mille fois : monde de l'argent, showbiz et politique spectacle, la nouvelle France était venue au complet, jamais on n'avait vu de victoire si triomphale, si obscène et si franche. On fêtait ce soir-là la fin définitive des idéologies et la mort cérébrale de la gauche, le grand mélange des genres, la droite telle qu'en elle-même, enfin décomplexée, celle de l'argent roi, des médias étourdis, du patronat heureux : un berlusconisme à la française, un Versailles du mauvais goût — ne manquaient que les putes, le caviar et les yachts pour le cliché entier de l'arrivisme triomphant.

Et le yacht est venu, justement, dès le lendemain, celui d'un ami milliardaire qui l'avait mis à sa disposition pour les quelques jours séparant la victoire de l'investiture. On avait évoqué jusque-là, fin logique d'une campagne fondée sur les valeurs, une retraite spirituelle dans un monastère. J'avais même été consulté, et j'avais suggéré, en vain, l'abbaye du Thoronet ou le couvent de La Tourette, le chef-d'œuvre tardif du Corbusier. La publication des photos du Prince en Ray-Ban sur le pont du yacht produirait alors sur l'opinion un effet désastreux et on parlerait bientôt de *la malédiction du Fouquet's*.

Les conditions de sa défaite, cinq ans plus tard, étaient déjà solidement posées au soir du 6 mai. Mais pas un instant cette nuit-là nous n'avons pensé à sa réélection. Nous étions trop pressés pour regarder si loin. Nous n'avions jamais été aussi libres et rien ne pouvait nous atteindre. Le président, aussitôt après son arrivée, s'est assis un instant avec nous. Lui, nous cinq et personne d'autre. Le premier cercle. Même les plus proches amis n'ont pas osé s'approcher. Chacun de nous aussi infranchissable qu'un garde du corps, nous tous ensemble plus forts qu'une armée. Le cœur de la campagne. Le moteur de la victoire. Le dernier rempart, le noyau dur. Il nous a remerciés, chacun d'entre nous, puis il a eu ces mots surprenants :

« Vous êtes les meilleurs, la meilleure équipe, les meilleurs cerveaux. Si je vous enlevais ce soir à Paris pour aller n'importe où et que nous montions ensemble notre boîte, nous serions tous milliardaires avant deux ou trois ans. Mais je ne peux pas leur faire ça, à eux, qui sont venus ici, et qui comptent sur moi pour redresser la France. On va devoir attendre un peu. Mais ne m'oubliez pas, hein, quand vous partirez faire fortune. »

En route pour le Fouquet's, je m'étais attardé un peu plus tôt dans la foule des anonymes de la Concorde, où j'avais assisté à une scène étrange. Au moment où la place lui appartenait entière, alors que ses troupes étaient venues de tout Paris pour célébrer publiquement la victoire de la modernité, de l'espérance, de la jeunesse retrouvée de la France, le Prince avait fait monter sur scène une vedette oubliée de la chanson, une vedette dont on ne savait plus si elle était vivante ou morte — ou si la carrière internationale qu'on lui prêtait pour expliquer sa disparition complète n'était pas pire que la mort. Elle avait alors entonné d'une voix glaciale une chanson inconnue, et ses cheveux noirs étincelants — elle était plus associée, au fond, chez ceux qui se souvenaient d'elle, au nom d'une coupe de cheveux qu'à une chanson particulière — avaient presque autant brillé que le pyramidion doré de l'obélisque. J'avais vu la foule tenter de reprendre en vain les paroles de cette chanson angoissante qui voyait son interprète réclamer des milliers et des milliers de colombes — la chose évoquait plus un rituel de sorcellerie qu'un chant d'espoir, et la foule avait été rassurée qu'aucun lancer de colombes n'ait été prévu. La cérémonie présentait quelque chose d'immensément funeste et il n'y avait peut-être plus que le Prince qui puisse alors en comprendre la signification profonde. Il était là dans son élément, dans l'élément initiatique et cruel du showbiz, du showbiz comme horizon métaphysique de la droite, du showbiz comme vision tragique d'un univers pascalien où les gloires du monde se détachaient, atrocement, du néant primitif, où l'or éblouissant du succès, à l'instant de son triomphe, semblait n'exister que pour appeler sur lui la revanche d'un univers mortellement blessé par son apparition.

Son buste avait été dévoilé, un peu plus tôt, par l'envol d'un drapeau en images de synthèse dans la cour virtuelle du palais de l'Élysée et son portrait officiel serait bientôt accroché dans toutes les mairies de France — un portrait qu'il commanderait au photographe attitré des stars de la télé, celles qui figuraient en couverture des magazines qu'on trouvait aux caisses de tous les supermarchés, et qui le verrait sourire pour l'éternité derrière la vitre de cette enclave du temps qu'on confondrait un jour avec sa présidence et dont il deviendrait peu à peu le seul résident et l'unique bénéficiaire des propriétés résurrectrices.

Le Prince, au soir de son élection, savait tout cela — il avait rejoint le monde imputrescible et glacé du spectacle, il avait embrassé la mort et lui avait laissé son image.

Le *bling-bling*, expression censée résumer la nature ostentatoire et indécente du nouveau régime, régime ami des riches et ennemi des pauvres, m'apparaît rétrospectivement, de façon peut-être plus cruelle encore que chez ses détracteurs les plus fanatiques, comme l'expression ultime du projet politique de la droite, comme la mise en scène la plus aboutie de cette vision pessimiste de l'Univers qui caractérise les métaphysiques de droite. Le bling-bling du nouveau règne portait en lui le souvenir d'une vision définitive de Baudelaire, qui invalidait par avance toute la dialectique de Marx, vision qu'il avait paradoxalement réservée à sa critique du chef-d'œuvre des romans de gauche, à sa critique, étonnamment positive, en tout cas mesurée et lucide, des *Misérables* d'Hugo : « Il y a quelque chose de si absolument étrange dans cette tache noire que fait la pauvreté sur le soleil de la richesse, ou, si l'on veut, dans cette tache splendide de la richesse sur les immenses ténèbres de la misère, qu'il faudrait qu'un poète, qu'un philosophe, qu'un littérateur fût bien parfaitement monstrueux pour ne pas s'en trouver parfois ému et intrigué jusqu'à l'angoisse. »

J'avais entendu Nivelle déplorer plusieurs fois, pendant la campagne, que le Prince n'ait aucune colonne vertébrale idéologique, voire, un jour où elle était particulièrement en colère contre lui, qu'il n'avait pas d'âme — condamnation absolue pour la catholique qu'elle était, mais qu'en femme de bonne volonté et en technicienne de la politique elle avait entrepris de lever en mettant à sa disposition un cabinet qui suppléait aux fonctions normales de celle-ci.

Le cabinet était toute la psychologie du Prince et Nivelle, qui avait été désignée pour le diriger, l'avait composé avec soin. Ce n'était pas un cabinet de technocrates, mais quelque chose de vivant, d'organique, d'instinctif également — si le Prince devait être structuré, il ne fallait pas que cela soit au détriment de son génie, audacieux et brutal.

Les fonctions supérieures étaient distribuées dans les bureaux qui encadraient celui du Prince : la raison était demeurée le domaine de Nivelle ; la déraison passionnelle celui de Rouvert, un ancien pupille de la nation, irascible et inspiré, qui avait écrit les meilleurs discours de la campagne et qui continuerait, avec le titre mystérieux de conseiller spécial, à manifester, de façon plus ou moins utile, sa dépendance affective à l'État républicain ; la paranoïa, la méfiance et le goût des intrigues allant enfin au secrétaire général de l'Élysée, le préfet glacial qui m'avait recruté. Garnier-Rivoire, toujours impeccable, avait été nommé porte-parole de la présidence, d'une présidence rassurante, bien élevée et issue de l'Ouest parisien.

Les autres fonctions, moins nobles, mobilisaient une cinquantaine de conseillers. Une hiérarchie subtile plaçait les conseillers à la présidence, titre qu'avait obtenu Berthier mais que Graslin avait échoué à conquérir, au-dessus des conseillers du cabinet, titre qu'il partageait avec Villandry et une vingtaine d'ambitieux qui n'avaient pourtant jamais eu l'audace de tutoyer le Prince. Il surclassait cependant les conseillers techniques, plus nombreux, et en général éloignés dans une annexe du palais.

Nommé conseiller technique aux grands projets d'aménagement, j'étais l'un de ceux-là — ce titre étrange avait été préféré à celui, plus habituel mais trop restrictif, de conseiller technique à l'architecture, à l'urbanisme et à l'aménagement du territoire. J'étais relativement bas dans la hiérarchie du cabinet, mais il était entendu que c'était un leurre, car le Prince, à qui on avait résumé mon rapport sur l'agrandissement de Paris, me réservait une place privilégiée — j'avais ainsi été gardé au palais, à sa disposition immédiate. Le président voulait à ses côtés un philosophe, pas un

213

technicien, quelqu'un d'audacieux et de libre, pas un juriste ni un technocrate. Il voulait que je l'aide à dessiner quelque chose qui porterait son empreinte et qui marquerait sa place dans l'histoire de France. Je devais être, m'avait répété Nivelle, l'architecte de l'une des réformes clés du quinquennat. Laquelle, personne ne me l'avait dit, mais je me considérais déjà en concurrence directe avec Berthier, qui portait l'autre grand chantier du quinquennat, la constitution, sur le modèle de l'Union européenne, d'une Union de la Méditerranée.

Sympathisants ou adversaires, la France avait trouvé dans la figure du Prince un point de repère et un sujet de discussion infini. Toutes les personnes que je rencontrais, absolument toutes, me demandaient comment le Prince était et quelle était son âme — le pouvoir était l'expérience anthropologique ultime, le moment rare où une conscience isolée se trouvait à les intéresser toutes et presque à les réunir. La psychologie du Prince était quelque chose de public et de presque partagé — la démocratie d'opinion avait fait des pensées du peuple sur le Prince des éléments distribués de sa conscience de soi. On me prêtait, cependant, un feed-back supérieur, des capacités d'analyse inégalées et une influence profonde. Plusieurs fois, j'ai même entendu prononcer cette expression désuète : j'aurais *l'oreille du Prince*.

Je devais moins parler à l'oreille du Prince, m'avait cependant expliqué Nivelle, qu'être directement cet organe mystérieux de son oreille interne qui lui permettait de s'orienter et de trouver son équilibre — équilibre qui tenait à l'invention d'une

214

réforme inédite, d'un projet exaltant capable de le faire tenir dans la même direction pendant toute la durée de son mandat. Je devais être son ministre occulte de l'espace.

Venu en tant qu'urbaniste, et sans savoir encore ce que le Prince avait compris de ce métier, sinon, je crois, quelque chose de grandiose qui avait trait à l'éternité, à la grandeur et à la dignité de l'homme, mais aussi à son orgueil, à la dévoration de l'espace, à son destin d'espèce industrielle, je devais jouer, dans le cerveau recomposé qui gouvernait la France, l'équivalent du sens spatial, la zone chargée d'intégrer les stimuli pour leur donner la forme d'un objet tridimensionnel et habitable — a priori, la forme d'une ville. Ma lettre de mission n'était pas plus explicite. Nivelle, en me la remettant, m'avait dit sensiblement la même chose que Lossac : vous, les urbanistes, vous parlez directement à Dieu. Elle avait ajouté : à vous de trouver quelque chose à lui dire.

Rien n'était plus beau sur terre qu'un ministère parisien. La République s'était toujours montrée prodigue avec les hôtels particuliers que lui avait légués l'Ancien Régime, ces petits palais qui avaient été les derniers chefs-d'œuvre de l'architecture classique, et la principale contribution de Paris à l'histoire de l'architecture. Leur ameublement était d'ailleurs encore fourni par une survivance du régime disparu, le Mobilier national, qui offrait à leurs conquérants une vie de palace par procuration, un luxe gratuit, illimité et disponible, la simulation parfaite d'une vie princière et aristocratique — le goût français, après le triomphe définitif de

Versailles, s'était imposé comme la norme internationale du luxe et les palais de la République en étaient demeurés les conservatoires rigoureux. Les palais de la République formaient, vus de l'étranger ou à travers les yeux de ceux qui les visitaient pendant les Journées du patrimoine — version apaisée de la nuit du 4 août — un style cohérent, un style *République*, style qui tenait aussi à la fausse gêne qu'affectaient de montrer ses bénéficiaires, du plus petit des secrétaires d'État au président lui-même, quand on s'émerveillait d'un tel luxe.

La vie politique du Prince, qui avait toujours vécu à crédit sur la grandeur nationale, s'était ainsi située dans les standards les plus élevés du luxe international. Il avait fait de la politique comme il avait feuilleté plus jeune les dernières pages des hebdomadaires, traditionnellement consacrées à des annonces immobilières de prestige, et il venait de signer un bail de cinq ans renouvelable pour un très bel hôtel particulier situé au cœur du VIIIe arrondissement, tout près du triangle d'or, un bel hôtel Régence aux lignes claires et aux fenêtres hautes qui avait grossi avec l'Empire comme un récif de corail, jusqu'à occuper, avec l'avènement de la Cinquième République, qui l'avait rendu incontournable, toute la parcelle sur laquelle il avait été bâti, à l'exception de son prestigieux parc et de sa télégénique cour d'honneur. Il possédait des commodités vertigineuses : une salle de cinéma, un vestiaire mécanisé permettant d'organiser des réceptions de plusieurs milliers de personnes, un abri antiatomique. Il disposait également de deux entrées, l'une qui donnait sur la luxueuse rue du Faubourg-Saint-Honoré,

l'autre, plus bucolique et plus discrète, qui débouchait au milieu des jardins des Champs-Élysées.
L'Élysée était, enfin, la meilleure table de France et
sa cave, miraculeuse, recelait les plus vieux millé-
simes d'un millier de grands crus.

Mais le Prince ne buvait pas d'alcool et s'était
senti, à peine élu, étranger aux séductions du lieu :
certain d'accéder là, avec l'exercice de la fonction
présidentielle, à un vertige unique, à l'accomplissement existentiel ultime, le Prince succombait déjà,
je crois, à une claustrophobie imprévue — le sommet de l'État se présentait à lui, de l'intérieur, non
comme un pic à conquérir mais comme un piège
pyramidal à l'intérieur duquel il s'était retrouvé
coincé. L'espace, simplement, lui manquait et je
devais l'aider à retrouver de l'air.

Le Prince m'avait consulté à ce sujet avant
même sa prise de fonction, alors qu'il constituait
son cabinet dans le petit hôtel particulier de la rue
Saint-Dominique que la République avait mis à sa
disposition. C'était la première fois qu'il m'avait
adressé directement la parole et j'avais été un peu
déçu par sa demande. Mes compétences urbanistiques n'avaient pas été spécialement sollicitées et
cela avait été comme un premier contact avec son
nouveau notaire, comme une visite à l'agence
immobilière devant laquelle il passait tous les jours
et où il se serait enfin décidé à entrer — scène qui
avait fait l'objet de centaines de reportages de télé-
réalités, et je voyais à peu près comment on devait
la jouer : discrétion et professionnalisme, beaucoup
d'écoute et pas trop d'initiative. Il m'avait précisé
ses goûts, ce qu'il cherchait, ce qu'il ne daignerait

même pas visiter. Son budget était illimité mais les contraintes de sécurité étaient assez lourdes. Il rêvait d'autre chose, d'une autre dimension, d'une forme nouvelle. Il n'en pouvait plus de ce type de bâtiments tout juste bons à accueillir des secrétariats d'État ou des ambassades exotiques. Je devais lui remettre une liste de lieux compatibles avec ses nouvelles fonctions, et si je n'en trouvais pas, lui fournir une liste d'architectes susceptibles de lui en bâtir un nouveau. Cette requête particulière, qui avait valeur de recrutement, avait marqué mon entrée officielle dans le cabinet du Prince.

La prééminence de l'Élysée, moins bien situé que le palais Bourbon, moins imposant que le palais du Luxembourg, au parc moins profond et moins romantique que celui de l'hôtel Matignon, manquait, il est vrai, un peu d'évidence, c'était une prééminence construite plutôt que naturelle, et qui devait faire l'objet d'une sorte de calcul esthétique, un peu à la manière dont, pour établir le primat de Notre-Dame sur les autres cathédrales de France — celle-ci n'étant ni la plus haute, ni la plus grande, ni la plus ancienne d'entre elles —, on devait calculer la moyenne de leurs qualités respectives pour la voir finalement triompher. Le pouvoir, en France, était demeuré trop absolutiste pour se satisfaire de cette solution architecturale harmonieuse mais vexatoire.

J'ai découvert, en effectuant mes premières recherches, que le général de Gaulle avait envisagé de déménager la présidence de la République dans l'École militaire, face au Champ-de-Mars et à la tour Eiffel, là même où il avait théorisé, jeune officier instructeur, la notion stratégique de *prestige*, tandis que Mitterrand s'était projeté un temps aux Invalides, avant de renoncer à son tour, sans doute pour ne pas mettre la presse sur la piste d'un problème médical.

La politique, avant que ma rencontre avec Machelin ne l'ait fait basculer dans le champ des choses familières, était restée pour moi quelque chose d'abstrait et d'inutile, quelque chose d'essentiellement décoratif. J'avais répété, peu après avoir appris qu'il était le plus long de la langue française, le mot *anticonstitutionnellement* plus de mille fois, en notant chacune de ses occurrences sur mon cahier d'école ; j'y avais gagné un certain prestige, mais le mot n'y avait pas survécu. Il a ressuscité quand un conseiller juridique que j'avais consulté m'a fait savoir que le Prince ne pouvait, à moins d'agir anticonstitutionnellement, s'échapper de sa capitale.

Ma requête allait faire l'objet d'une fuite qui avait failli prendre les proportions d'un scandale quand elle avait été relayée par la presse : le Prince était prêt à s'enfuir de Paris.

J'avais lancé un ballon d'essai qui m'avait explosé au visage — l'expression était de Villandry. Je n'ai cependant pas été renvoyé. Mais le conseiller que j'avais consulté — le responsable de la fuite et qu'un éventuel déménagement de la présidence avait, je crois, sincèrement offusqué — a été prié de partir dans l'heure. La nouvelle nous avait terrifiés.

J'ai pour ma part été reçu par le secrétaire général de l'Élysée, l'ancien préfet qui m'avait recruté rue d'Enghien, et qui me terrifiait paradoxalement, par son calme, beaucoup plus que le Prince, dont l'agitation perpétuelle donnait à ses interlocuteurs l'agréable impression qu'il les ignorait complètement, et qu'il n'était pas sur cette terre pour juger de leur âme — cela me semblait au fond une manière plus civilisée de faire de la politique que de présenter, comme ici, une onctuosité inquisitrice permanente.

Il m'a fait personnellement savoir, ce matin-là, dans son bureau doré qui donnait sur la belle pelouse du parc, que le Prince renonçait au signe le plus théâtral d'un changement d'ère politique et que, comme tous ses prédécesseurs, il resterait à l'Élysée. Je devais rédiger un communiqué de démenti dans ce sens : le Prince n'avait nulle intention de fuir sa capitale. C'était la première fois que j'entendais dire que le candidat de la rupture préférait faire preuve de conservatisme ; j'étais un peu déçu, mais trop heureux, dans l'instant, d'être maintenu à mon poste pour le déplorer vraiment.

C'était en tout cas la première fois que nous sentions que l'énergie incroyable de la campagne était en train de retomber. Après avoir rendu coup pour coup et imaginé des stratégies sublimes, après avoir accéléré jusqu'à permettre au Prince d'atteindre sa vitesse de libération, nous étions soudain obligés de ralentir et de rouler à des vitesses bien inférieures à nos capacités réelles.

Nous étions l'État, le cœur de la machine, le carburant et ses additifs secrets, mais nous allions devoir passer les cinq années suivantes dans un moteur qui n'avait pas été conçu pour nous, qui avait été conçu avant nous, et bien avant 1958, bien avant la Constitution de la Cinquième République, un moteur qui datait presque de la naissance de la

France, et qui devait nous survivre. Et nous verrions bien, notamment dans la haute administration, par nature conservatrice, avec laquelle nous devrions quotidiennement traiter et que j'avais irritée dès ma première initiative, qu'on nous surveillait étroitement et que l'histoire en train de se faire subissait le contrôle méprisant de l'histoire déjà faite.

J'avais découvert, en investissant les lieux pour la première fois, le caractère presque troglodyte de l'Élysée, tout renfoncé d'aménagements, de pièces ajoutées, de demi-niveaux et de portes secrètes — qui pouvaient déboucher aussi bien sur des tuyaux d'incendie enroulés que sur des armoires informatiques clignotantes, sur des nouvelles galeries étroites et blanches percées de chaque côté d'une rangée de bureaux que sur une pièce dorée et officielle du palais primitif.

J'avais choisi, dans l'aile ouest, au-dessus d'une cour secondaire qui servait de parking, un bureau relativement petit mais qui présentait, avec ses murs capitonnés en cuir rouge, le charme d'un vieux salon.

Des huissiers silencieux, dont les gants blancs dissimulaient, m'avait expliqué Villandry avec un sérieux irréfutable, des maladies de peau héréditaires, se chargeaient d'apporter au Prince — comme ils avaient apporté jadis des lettres de la marquise de Pompadour, l'ancienne propriétaire des lieux, à son amant Louis XV, ou le papier sur lequel Napoléon avait signé ici même, en 1815, sa seconde abdication — les notes que je lui adressais et qui étaient toutes lues par Nivelle, plus patiente et plus méticuleuse que lui, Nivelle qui devait tout savoir de ce qu'il savait pour anticiper les options qu'il pourrait prendre et pour sélectionner celle qu'elle appuierait discrètement. Il y avait dans cet exercice du pouvoir une part d'imprévu, presque de surnaturel, qui tenait à la versatilité du Prince, à son sens du mouvement, de la surprise, de la décision imprévisible, et parfois irrationnelle, qualités qui en avaient fait le meilleur homme politique de son temps, et dont on pouvait maintenant craindre qu'elles ne nuisent au calme fonctionnement de la République. Mais Nivelle avait accepté, en prenant la direction du cabinet, cette fiction fantastique qui voulait que le Prince, infaillible, ne puisse prendre que des décisions bonnes. Pure volonté, il ne lui appartenait pourtant pas de juger des choses avec intelligence — c'était le rôle du cabinet, des notes que nous rédigions, que Nivelle corrigeait, que nous renvoyions en tremblant et qui finissaient, parfois, par inspirer au Prince, malgré la pusillanimité de notre vision, malgré notre méconnaissance absolue de l'art de la politique, malgré notre finitude et notre interchangeabilité, une rapide signature sur un parapheur.

La feuille, ainsi transsubstantiée, était ensuite reprise dans le *Journal officiel* et de là commençait sa carrière dans le monde, souvent obscure, quand elle portait sur la nomination d'un homme ou sur la modification d'une norme technique, parfois grandiose, quand elle avait l'impudence de survoler les hommes pour devenir une loi destinée à régenter leurs actes.

La signature du Prince était, dans l'enceinte de l'Élysée, une chose presque magique. C'était le produit final de notre travail, le fruit précieux de nos cerveaux d'élite, la fleur de Coleridge de nos nuits d'insomnie.

J'avais longtemps pris le droit pour le produit final de l'industrie politique, j'avais trop sérieusement cru que ses lignes de code nous serviraient un jour de dernier langage, et qu'il se confondrait, dans une République idéale, avec le contenu même de nos cerveaux. Ce monde trop parfait m'était apparu en terminale, avec la découverte de Platon. Il ne m'était pas agréable, et ni les raffinements que lui avait apportés Machelin ni la maquette grandeur nature que m'avait permis de réaliser Lossac — la sèche Adrar comme une mise à plat de la cité primitive, comme une projection clairsemée, mais métaphysiquement correcte, des idéaux de la cité antique — n'étaient parvenus à lui rendre la vie : j'étais mal à l'aise avec la politique, avec ses idéaux pompeux et ses cités trop froides. Je n'aimais pas au fond le métier d'urbaniste.

Il existe, malgré les fulgurances transdisciplinaires du Corbusier, designer, architecte et urbaniste, une hiérarchie évidente qui place l'architecte d'intérieur au-dessous de l'architecte et qui subordonne celui-ci à l'urbaniste. Le niveau supérieur serait alors occupé par ce que les philosophes nomment de façon grandiloquente *le politique* : la ville envisagée en tant que *cité*, en tant que lieu d'exercice d'une citoyenneté exemplaire et glaciale. J'avais eu en réalité à Adrar moins le sentiment de parler directement à Dieu que de pourvoir au bon aménagement de ce palais philosophique à ciel ouvert — d'exercer là le métier un peu ingrat d'architecte d'extérieur.

Je n'aimais pas *le* politique, le politique immense et pur comme une gelée blanche, la longue toge qui cachait presque entièrement les hommes mais sur laquelle leurs têtes roulaient librement comme des billes sur un espace blême et isomorphe. Mais j'avais découvert, pendant la campagne, un monde plus tourmenté et plus amusant que ce paysage endormi des fins dernières et des nobles principes — j'avais découvert, au contact du Prince, les plaisirs de *la* politique, de la politique dite *politicienne*, de la politique indomptable, de celle qui, livrée aux hommes, les empêchait toujours d'atteindre l'idéal. J'avais découvert, dans ce pouvoir qui corrompt, dans ce pouvoir réflexe et sans autres visées objectives que la victoire aux prochaines élections, dans ce pouvoir désidéalisé et égoïste qui mettait toute l'énergie du désespoir à essayer seulement de se sauver lui-même, une forme de grâce.

Une maxime politique prétendait résumer le tragique de la chose : les qualités qui permettaient d'obtenir le pouvoir étaient exactement opposées à celles qui garantissaient son bon exercice. Il aurait ainsi existé deux politiques, la bonne et la mauvaise, *la* politique, au féminin, comme une maudissure mortelle au paradis des idées, et *le* politique, au masculin — pronom qui se déclinait sous la forme d'un partitif et qui amenait à parler *du* politique, comme s'il y avait là un réservoir de conduites et d'idées, le répertoire des formes pures du droit, entités facilement convocables et garantes ici-bas du bon fonctionnement des institutions souveraines : la cité de Dieu était presque laissée en concession aux hommes pour les habituer, progressivement, à leur seconde vie de citoyens du ciel. Pour des raisons complexes et qui dataient sans doute de la Révolution, les deux conceptions recouvraient à peu près en France le clivage gauche-droite : la gauche était du côté du politique quand la droite était politicienne — la gauche exigeait des citoyens quand la droite se contentait des hommes.

Le Prince était de droite et ses défauts innombrables formaient tous ensemble l'un des plus grands moments politiques qu'avait connus la France. L'énergie du Prince, son plaisir du jeu, son goût des conquêtes, son insolence à être nous apparaissaient alors comme l'unique source de joie. Le Prince était à lui seul tout le réenchantement du monde.

En pénétrant la première fois dans le palais de l'Élysée, dans ce palais plein comme un coquillage et creusé de galeries comme un château de sable, j'avais eu l'impression d'entrer dans la folie d'un génie de l'art brut, dans l'antre d'un artiste autodidacte — ce que le Prince, malgré Machelin, malgré Nivelle, était largement resté, comme s'il ne pouvait pas en être autrement, comme si la Constitution de la Cinquième République, inspirée par la folie d'un homme qui croyait en la Providence et par celle d'un pays qui voulait croire qu'il était encore un royaume, n'était pas autre chose pour ceux qui en comprenaient intuitivement les enchantements : un chef-d'œuvre d'architecture naïve.

J'ai traversé l'état de grâce de façon presque exta-
tique, dans un état de disponibilité intellectuelle
totale. Mon bureau était assez calme pour que
j'entende battre mon cœur, et il y a eu des après-
midi silencieux, au mois d'août, pendant lesquels
j'ai réussi à me concentrer plusieurs heures sur une
question technique ou sur la meilleure formulation
possible d'une proposition en écoutant le bruit du
sang qui circulait dans mon cerveau. Je me laissais
lentement glisser dans un demi-sommeil jusqu'à
l'instant des rêves contrôlés, les parages du sommeil agissant comme une drogue aux effets étonnamment précis.

Je voyais alors Paris scintiller faiblement dans des
abysses trop lourds et, lentement, je remontais jusqu'à moi la ville phosphorescente qui oscillait au
loin, comme vue par le hublot d'un avion pendant
un décollage nocturne. Je sentais confusément que
les mégalopoles seraient le dernier monde, sa dernière résolution, le dernier pixel clignotant de la
vie sur terre. Il y avait dans ces rêveries un sentiment
de danger, un balancement, comme le dernier

ajustement de la courbure d'une aile avant le décollage — les lumières étaient alors provisoirement éteintes, ou plutôt concentrées sur le sol dans une ligne unique qui indiquait la position des issues de secours. Les villes n'étaient peut-être plus que cette ligne, vitale et dérisoire, le dernier chemin avant les toboggans un peu grotesques du rêve spatial. Le processus avait été initié il y a des millénaires de cela, dans la lointaine Mésopotamie, par l'empilement timide de petites briques de terre humide, mélangée à un peu de paille et aux empreintes de mains inconscientes d'un peuple agricole un peu mieux organisé que les autres, mais il avait atteint, ici, avec la révolution industrielle, ses seuils critiques.

L'homme était devenu une espèce et toucher à la ville valait modification de l'espèce.

Je me suis juré de ne pas réitérer mes erreurs dirigistes d'Adrar et de laisser la ville croître librement. J'avais vu, là-bas, beaucoup de villages abandonnés au sommet des promontoires rocheux sur lesquels on les avait construits. Une étymologie trompeuse en faisait les témoins des heures glorieuses de l'Algérie — Algérie, *Al-Djazair*, les îles —, étymologie qui voulait que le Sahara algérien ait été, au temps de sa splendeur, une seconde Méditerranée, un immense lac transparent d'eau douce sur les rives morcelées duquel s'était établie une civilisation lacustre dont l'Antiquité aurait fait ses mythiques Atlantes — des Atlantes qui n'auraient pas été engloutis, mais qui auraient vu l'océan disparaître.

La décrue, ici aussi, avait peut-être commencé. L'Île-de-France partageait en tout cas avec l'Algérie cette étymologie océanique trompeuse, et l'idée de décrue était omniprésente. Le Prince s'était ainsi fait élire sur l'idée de rupture, au fond simple reformulation, en plus positif et en plus volontaire, de l'idée de déclin, de reflux historique — idée obsédante, générale et souveraine depuis au moins une génération. Je voyais Paris, resserré loin du monde, en périphérie du grand bassin rhénan et de l'Angleterre insolente, Paris replié derrière son immense arrière-pays céréalier et autour duquel des villes médiévales fantômes, toutes identiques, se répétaient en cercle comme une aberration optique. J'avais reporté sur une carte les contours de ce mirage circulaire, j'avais dressé la liste de ces villes restées prisonnières à la périphérie du ménisque d'eau qui avait fait depuis longtemps de Paris, exagérément grossi, l'unique oasis d'un immense désert.

Je devais expier mes erreurs d'Adrar, l'île au milieu des sables dont j'avais fait un lieu plus désertique encore, dont j'avais aboli tous les génies vernaculaires et expurgé tous les dieux domestiques pour enfermer ses habitants derrière les vides sanitaires des murs en parpaings de leurs maisons financées par l'argent du pétrole. Je devais réinventer Paris et j'avais la certitude qu'il me fallait pour cela repartir de son site, pour le laisser retrouver sa forme naturelle.

Cette idée qu'il fallait partir de la géographie, et même atteindre son niveau primitif, celui de la géographie physique, était aussi un souvenir de ma thèse inachevée — idée que j'avais reformulée dans mon rapport sur l'avenir de Paris en inventant la notion confuse et floue de Grand Paris, notion que je reliais immédiatement alors non à un projet précis mais à l'existence, majestueuse, du Bassin parisien : Paris devait être grand car son site l'était — presque un tiers de la France, une des plus grandes régions naturelles d'Europe, une mer intérieure entièrement vide, à l'exception des structures encore émergées de la capitale d'un royaume englouti.

Paris avait été longtemps l'hologramme lumineux de son sous-sol, une ville diffractée par ses couches géologiques profondes et comme une image de ville flottant au-dessus de son site naturel. Le Bassin parisien avait levé partout comme une pâte blanche, on avait vu remonter du sous-sol des palais voûtés et des églises de plus en plus hautes — la ville avait été comme une lentille taillée dans le plus clair des calcaires souterrains, un calcaire évidé en rosaces jusqu'aux limites de sa résistance physique, un calcaire devenu presque transparent et plus léger que l'air, en quelques points choisis où on l'avait laissé monter jusqu'au ciel sous la forme mousseuse et effervescente des cathédrales gothiques.

Mais Paris s'éteignait peu à peu, comme si on avait posé un cache sur la merveilleuse optique de son site naturel, sur cet enchâssement de couches calcaires lumineuses soigneusement posées sur le caoutchouc des marnes grises et des argiles mouillées qu'on avait intercalées entre elles, et qui évoquait la structure, souple et profonde, de l'objectif d'un appareil photo.

J'avais calculé que l'agglomération parisienne, ce que les géographes appelaient l'unité urbaine de Paris, et qui correspondait à peu près à la tache lumineuse qu'on voyait du ciel quand on survolait la métropole, aurait permis, si on avait appliqué partout, jusqu'à l'extrême pointe de chacune des branches de cette constellation terrestre, la même densité qu'intra-muros, de concentrer là toute la population française, le reste du territoire pouvant, dans cette hypothèse d'un exode rural massif, demeurer parfaitement vide. J'ai poussé l'expérience de pensée jusqu'à son terme, prenant le terme d'Île-de-France au premier degré et imaginant le confinement de toute la population métropolitaine derrière la voie rapide de la Francilienne, le troisième périphérique parisien, conçue pour relier entre elles les villes nouvelles, villes qui seraient devenues soudain les postes avancés de la civilisation avant le territoire ensauvagé de la plus grande réserve biologique d'Europe.

D'une certaine manière la chose représentait un idéal urbanistique, la forme Paris demeurant absolument intacte, ses immeubles de sept étages aux façades étroites et aux toits en zinc se voyant même généralisés aux quatre cents communes de l'agglomération, ainsi qu'un idéal écologique, en tout cas une forme de réponse à la crise de l'anthropocène qui, entraînant la disparition d'un département de terres arables tous les sept ans, menaçait peu à peu notre indépendance alimentaire, et questionnait même, à long terme, notre survie sur cette planète.

Juste avant que Paris ne devienne la première des villes modernes, juste avant que Paris ne devienne le lieu de l'invention de la modernité — processus que la Révolution française et la mort du roi avaient comme certifié —, il y avait eu un court instant de suspension, de regard rétrospectif, une brève cérémonie des adieux à l'ancien monde, comme si on avait anticipé le caractère inéluctable du phénomène urbain et l'artificialisation définitive de notre séjour terrestre. Cela avait été le temps des jardins anglais, dont les hasards factices menaient à des fabriques aux âges indéchiffrables, comme si la nature s'était mise à sécréter sa propre réfutation, à planifier sa disparition, à céder la place au cauchemar organisé d'une occupation humaine infinie, éternelle et globale — configuration aussi mentalement désagréable qu'un paradoxe temporel et qui semblait placer les hommes en position de bêtes traquées dans un piège sans issue, un piège dont ils auraient été les instigateurs et les proies. Le monde se refermait doucement sur lui-même, comme les jardins d'une cité spatiale construite à l'intérieur d'un tore, et c'était la ville, la ville de pierre et de métal, qui s'était mise alors à apparaître comme un sous-bois très sombre, comme une forêt de signes, une forêt frappée d'une malédiction qui entraînait sa dévolution progressive vers le stade indistinct de la forêt primaire.

L'Île-de-France était ainsi devenue un grand jardin paradoxal. On était ici dans l'espace mental de Baudelaire, le fils d'un peintre de paysages galants resté toute sa vie prisonnier des rues étroites de Paris comme s'il y avait, autour de lui, une frontière infranchissable. Tout me ramenait à cette structure close, répétitive, à l'idée que Paris était retenu prisonnier de quelque chose, quelque chose qui avait trait à l'idée de modernité — idée peut-être plus dangereuse que libératrice.

Je m'étais fait la remarque au printemps, en visitant le château de Sceaux pour voir s'il était envisageable d'y loger le Prince. Construit par Colbert, il avait été l'une des victimes de la Bande noire de la Révolution, et sa reconstruction présentait peu d'intérêt historique, mais le parc était d'une majesté rare : l'art français des jardins à son meilleur, qui donnait l'impression immédiate qu'on régnait sur le monde.

Il existait ici, autour de Paris et dans toute l'Île-de-France, un charme, un charme délicat et empoisonné, qui tenait peut-être autant aux conditions historiques particulières de Paris, ancienne capitale du monde, ville révolutionnaire et capitale obsessive de toutes les avant-gardes, qu'à son site géographique. Quelque chose retenait la ville d'exister vraiment et de se livrer tout entière au temps, quelque chose de l'ordre d'un équilibre si absolu qu'il conférait à l'enchantement, au mortifère enchantement d'avoir atteint par inadvertance un état proche de la perfection, un classicisme géographique extrême : Paris avait intégralement conquis son site naturel et on sentait, dans certains paysages franciliens, la paresse mortelle d'avoir à en sortir.

Le nouveau château avait été reconverti, avec un peu d'exagération, en musée de l'Île-de-France. Représentée sur des petits tableaux de genre, c'était une Île-de-France étrange, oubliée et immobilisée dans son état primitif, juste avant la transition de phase de la révolution industrielle et de l'exode rural — Paris était encore la cité nautique des anciens Parisii, tout entière rassemblée près de son fleuve. La ville n'atteignait même pas Montmartre et n'avait pas commencé à escalader son plateau périphérique. Les tableaux portaient des noms de villes de la petite couronne avant leur annexion, des noms de quartiers sensibles avant leur peuplement. Un char à bœufs escaladait péniblement les coteaux de Meudon et on apercevait au loin le site de Boulogne encore vide de toute occupation humaine. Des enfants jouaient, à Arcueil, dans les ruines de l'ancien aqueduc, des moulins témoignaient de l'existence de collines aujourd'hui voilées par le tissu urbain. Même s'il ne restait presque rien, aujourd'hui, de cette magie des lieux — quelques forêts sur des hauteurs sableuses incultivables, des parcs classés, des coteaux restés inconstructibles —, je savais pourtant, il suffisait de monter suffisamment haut, sur la tour Eiffel ou sur la tour Montparnasse, pour s'en apercevoir — le tracé flou d'une structure géologique apparaissait au loin, comme un liseré végétal, comme la crête confuse d'un cratère d'impact —, que le site était bien là, intact et préservé.

À la collection de tableaux répondait dans des vitrines une collection de porcelaines peintes. Celles-ci, qui représentaient souvent les mêmes paysages que les tableaux, avaient été fabriquées dans les nombreuses manufactures qui, après celle de Sèvres, s'étaient développées dans toute l'Île-de-France un peu avant la Révolution. Cela avait été, avec ses anses fragiles et sa matière presque transparente, la préhistoire luxueuse de l'industrie francilienne, d'abord simple loisir aristocratique, puis véritable industrie répartie dans une vingtaine de fabriques produisant jusqu'à mille pièces par jour et commençant à inonder l'Europe. On pouvait y voir une forme d'apothéose de la civilisation européenne, ses premiers pas dans ce qui allait l'occuper durant les deux prochains siècles, sa découverte passionnée de l'industrie, de ses températures infernales et de ses cycles productifs de plus en plus inhumains, avec au loin, déjà, la mondialisation des échanges et la course globale à l'innovation — les manufactures d'Europe venaient tout juste d'égaler celles de la Chine, qui finiraient un jour par reprendre leur leadership.

J'ai alors réalisé, dans le petit salon d'exposition du premier étage, que l'histoire de l'Europe était concentrée là : toute l'Europe industrielle était en germe dans la chimie malléable de la porcelaine francilienne ; toutes les formes étaient déjà acquises, des bords tranchants des hélices aux ailettes effilées des moteurs thermiques, de la légèreté des choses électroniques aux anamorphoses illimitées des matières plastiques. Tout était là mais demeurait assujetti à la forme de la main — et tout pouvait être brisé en quelques secondes pour revenir à la douceur d'un âge pastoral.

J'étais pourtant persuadé que Paris n'avait pas encore exprimé toutes les possibilités presque magiques de sa géologie — le réservoir de rêves et d'images sur lequel la ville avait été construite. Je me souvenais de la découverte, toute récente, d'une salle de cinéma clandestine sous la colline de Chaillot, objet qui semblait condenser toute l'essence mystérieuse de Paris. J'ai imaginé ainsi l'extension subite et arachnéenne du réseau primitif des catacombes à la ville entière pour réaliser que la chose s'était en réalité déjà produite, il y a un siècle, avec le percement du métropolitain. Je me suis alors mis à rêver d'une extension de ces galeries à la métropole entière : la brusque suppression d'une couche géologique et son remplacement instantané, à une échelle encore jamais vue, par une couche logistique. Je passais mes après-midi à rêver de cette figure impossible, de son décollement du sol et de sa dépose immédiate sur les roulements à billes d'une modernité encore jamais atteinte et dont j'aurais été l'inventeur — l'homme qui aurait soulevé Paris du sol pour le reposer, identique, sur un sol meilleur, qui l'aurait guillotiné si vite qu'il en serait resté vivant.

Conseiller technique, je ne disposais ni d'un chauffeur, ni d'un garde du corps, comme Villandry ou Graslin, ni d'un appartement de fonction comme Nivelle, mais mon salaire, très confortable, et mon nouveau statut social me donnaient accès à un monde raffiné et électif, celui des bars d'hôtel, des grands restaurants et des costumes sur mesure — les membres du cabinet du Prince devaient être les hommes les mieux habillés de Paris.

L'Élysée a bientôt représenté la pointe orientale de mon triangle d'or. Je négligeais délibérément Paris, n'en voyant que ce que pouvaient en apercevoir les riches étrangers qui descendaient dans ses palaces — et que je considérais désormais comme les seuls Parisiens authentiques.

Je n'avais nullement perdu mes préoccupations d'urbaniste — je les avais seulement concentrées dans un périmètre local que j'envisageais, après mes monographies mentales sur le Bassin parisien, comme un échantillon parfait, au sens presque d'un échantillon minéralogique, de l'essence de Paris : c'était ici que la roche était le plus pure, qu'elle avait le plus travaillé jusqu'à atteindre son grain le plus fin, c'était ici que l'épaisseur de civilisation portée par la couche sédimentaire avait atteint son niveau de référence — traditionnellement marqué en géologie par l'apposition d'un clou d'or. On était ici, juste avant la glaciation haussmannienne, au cœur de ce qu'avait été Paris quand il était la capitale du monde, la roche était encore un peu molle, un peu mouillée et un peu fausse, comme dans les paysages de Fragonard où on la voyait parfois se soulever comme un drap pour accueillir les amours d'un couple de bergers. Paris atteignait ici sa plus grande délicatesse, le moelleux brioché du doux XVIIIe siècle, son âge nubile et velouté, celui du raffinement extrême d'une civilisation sur le point de s'éteindre.

Aucun autre palais présidentiel au monde, pour la plupart confinés dans les quartiers sécurisés des ambassades, ne possédait un environnement si étrange, si charmant et si anachronique. Des boutiques vendaient encore tout autour, et presque exclusivement, des produits de luxe, qu'on avait longtemps appelés, comme si c'était là les émanations naturelles de la ville, des *articles de Paris* : sacs, foulards, bijoux, chaussures, chapeaux et éventails, tous les produits en fait de cette industrie archaïque de la peau, de la soie, de l'or et des plumes, univers qui appartenait autant au monde préindustriel de Balzac et de Baudelaire qu'à la préhistoire de la mondialisation, quand celle-ci était encore cantonnée aux matières précieuses et aux produits exotiques — un univers d'un raffinement presque entièrement perdu, mais préservé ici, dans ces boutiques minuscules qui faisaient de Paris la capitale mondiale du luxe et l'entresol du monde moderne.

Les vitrines des boutiques de lingerie ou des parfumeries ne mettaient aucune distance entre le corps dénudé des femmes et le corps caché des hommes politiques qui passaient devant elles dans leurs voitures aux vitres teintées. Des librairies anciennes, des passementeries et des galeries d'art complétaient le décor suranné de la rue, l'anachronisme semblant devoir être, alors que Paris tenait désespérément à son statut de première ville touristique mondiale, sa ressource financière principale, en tout cas la seule industrie qu'il entendait durablement préserver, l'unique élément vaguement contemporain de ce décor se résumant d'ailleurs à la présence, dans la vitrine d'un couturier célèbre et un peu passé de mode, de la maquette d'une tour futuriste qu'il désespérait de bâtir un jour — la chose ressemblait à tous ces prototypes vieillis de cités sous-marines ou flottantes censées résoudre, quand on se déciderait enfin à les construire, la crise écologique et le problème des mégalopoles.

Le luxe était en fait le seul secteur, avec le tourisme, qui puisse synchroniser ses cycles économiques, marqués par des renouvellements de gamme constants et la défense d'un savoir-faire intemporel, à ce type de paysages urbains associant grande profondeur historique et modernité discrète des infrastructures. Paris était la capitale mondiale du luxe, Paris appartenait presque entièrement au secteur du luxe et celui-ci avait logiquement pris à sa charge son destin urbanistique, de l'entretien des façades de l'avenue Montaigne à la construction, sur les Champs-Élysées, de boutiques amirales qui en étaient devenues les attractions principales, en passant par la reconversion de la rive gauche — véritablement sauvée par lui du déclin économique provoqué par la lente érosion du rayonnement intellectuel de Paris, déclin dont le remplacement imminent de la librairie La Hune par une boutique de luxe marquerait la fin.

Les abords immédiats de mon bureau me fournissaient ainsi toutes les connaissances et les rêveries dont j'avais besoin pour réfléchir au destin de Paris. La rue du Faubourg-Saint-Honoré avait d'ailleurs été pendant longtemps, avant le percement de la rue de Rivoli et la vogue des balades champêtres sur la future plus belle avenue du monde, l'un des axes principaux de Paris. C'était par elle qu'on menait les condamnés à mort à la guillotine — c'était là que Louis XVI avait fait ses adieux à la vieille capitale. C'était là aussi que le jeune Bonaparte avait arrêté, sur les marches de l'église Saint-Roch, la dernière insurrection royaliste de la Révolution, en inventant pour l'occasion, m'avait raconté Machelin, un mode de gouvernance, mélange de raison d'État et d'humanisme, appelé à triompher partout après lui : « C'est une fausse humanité de commencer à ne tirer qu'à poudre ; au lieu d'épargner le sang cela ne sert qu'à en faire gaspiller inutilement une plus grande quantité. »

Si je ne pouvais remonter le Faubourg qu'à pied, en raison du trop grand nombre de sens interdits qu'on lui avait appliqués pour que les automobilistes lui préfèrent l'ascension des Champs-Élysées, je le descendais chaque matin à toute vitesse, ne commençant à ralentir qu'une fois la place Beauvau passée, pour m'arrêter doucement devant l'Élysée, où un garde reconnaissait le macaron tricolore qui décorait, comme en pleine période d'euphorie révolutionnaire, le pare-brise de mon scooter. J'avais fait le choix, très raisonnable, d'un Piaggio MP3, scooter d'une conception nouvelle dont le train avant comportait deux roues, ce qui lui conférait une tenue de route exceptionnelle qui, je l'avais pressenti au moment de l'achat, me sauverait probablement la vie quand j'aurais trop bu le soir et qu'il aurait plu le matin. J'étais moderne, élégant et rapide, souple et agile au milieu des voitures, notamment des véhicules officiels auxquels je n'avais pas eu droit et que je dépassais, triomphal, avant de les retrouver, amicaux et vaincus, dans la cour de l'Élysée, mon costume souvent plus intact que celui de leurs occupants.

J'avais aussi profité de mon assurance nouvelle pour acheter un appartement à l'endroit où j'avais, depuis mon enfance, le plus fantasmé d'habiter : la tour France, construite à Puteaux, juste devant la Seine et un peu à l'écart de la Défense, était la deuxième plus haute tour d'habitation d'Europe, après la tour Défense 2000, légèrement moins bien située.

En venant vivre ici, j'avais manifesté ma soumission lucide au projet moderne, j'étais devenu l'individu libéral parfait : j'étais le dernier des modernes, l'un des derniers habitants, à l'ouest de la métropole, d'une tour déjà un peu vieillie, comme le pays dont elle avait été, à l'instant de sa construction, le plus périlleux fétiche.

Villandry habitait rue Princesse, l'une des rues les plus étroites du VIe arrondissement — rue dont le seul avantage était de me retenir facilement, quand je redescendais ivre de chez lui et qu'il me fallait avancer, titubant, jusqu'à mon scooter garé au pied de Saint-Sulpice. L'église, qui venait de faire l'objet d'une grande restauration, était dorée, de cette couleur chaude due aux lampes à sodium qui faisaient de Paris, depuis l'époque des Guides Verts et des ravalements du ministre Malraux, la plus belle ville du monde — couleur qui menaçait pourtant de disparaître, comme avaient disparu les phares jaunes des voitures, à cause du perfectionnement des diodes électroluminescentes, désormais capables d'imiter la lumière blanche du soleil. J'avais ainsi trouvé le Louvre un peu blême en tournant sur les quais — ce serait peut-être l'objet d'une prochaine note.

Graslin habitait tout près, rive droite, rue de l'Arbre-Sec, au cœur du Ier arrondissement, là où les rues arrondies gardaient le souvenir d'un très ancien état de la ville. Son appartement, bizarrement agencé, courait sous les toits de trois immeubles distincts. On y accédait, après être passé par une porte basse et un couloir étroit, par un petit ascenseur privé qui menait directement au salon.

Il avait fait fortune, au début des années 2000, en commercialisant des sonneries de téléphones portables ; dix ans plus tôt, il aurait certainement vendu des pin's parlants, dix ans plus tard, des applications iPhone. Mais il avait revendu sa société un peu avant le triomphe de l'iPod et il était devenu, presque en dilettante, une sorte d'intellectuel de l'Internet, de prophète éclairé des nouvelles technologies, et c'est comme lobbyiste, plutôt que comme industriel, qu'il avait été amené à rencontrer le Prince et à entrer dans son équipe de campagne.

Sa théorie préférée portait sur le décentrement du monde, sur l'abandon du point de vue unique et ses conséquences sur un pouvoir politique bien trop pyramidal — rien de spectaculaire, sur le plan intellectuel, mais nous l'écoutions toujours avec attention, car il était l'un des relais principaux, en France, de cette industrie qui prétendait, comme aucune autre avant elle, changer le monde et procéder à la plus grande réforme anthropologique qu'on ait vue depuis la Renaissance — une sorte d'antimachiavélisme. Il répétait ainsi sans cesse que le slogan de Google était « Don't be evil », que les *business angels* étaient moins guidés par la rentabilité de leurs investissements que par la façon dont les startup qu'ils soutenaient allaient faire du monde un endroit meilleur. Il parlait de gouvernance algorithmique et de *big data*, il suivait la campagne du sénateur Obama sur les réseaux sociaux et tenait Steve Jobs, qu'il avait rencontré une fois, pour supérieur à Vinci.

C'est lui qui m'a présenté, le lendemain de sa sortie officielle, le premier iPhone. Je suis sorti l'essayer sur mon balcon avant de rentrer pour regarder les photos que j'avais prises en pinçant l'écran. C'était la première fois que je faisais ce geste, qui sous-tendait l'idée d'une complète domination du monde, de sa réduction merveilleuse à un objet plus petit que la main. J'ai passé presque une heure à zoomer et à dézoomer, isolant une péniche, un métro qui passait sur le pont de Neuilly, ou un avion dans le ciel — rejoignant ainsi, sans m'en rendre compte, l'état de transe que l'invention de la photographie et le règne de la vitesse avaient dû provoquer chez les peintres de la seconde moitié du XIXe siècle. Par-delà les incohérences tactiles de ma procédure d'échantillonnage, par-delà les anamorphoses que je lui faisais subir et qui pouvaient transformer n'importe quel bâtiment en gratte-ciel et n'importe quel gratte-ciel en pixel insignifiant, la ville me laissait accéder à ses structures profondes, au processus même qui lui avait donné naissance — un mélange intuitif et difficilement calculable d'ordre et de hasard.

J'allais passer les deux années suivantes, dès que j'aurais fait à mon tour l'acquisition d'un iPhone et à chaque fois que j'aurais bu, à prendre un nombre incalculable de photos de Paris.

J'étais tombé un soir, une série de photos l'atteste en tout cas, sur un vieux Chinois qui transformait des fruits en sculptures cauchemardesques — la chose avait dû particulièrement me fasciner puisqu'on pouvait suivre en détail l'opération par laquelle il avait minutieusement transformé une pastèque en étoile de la mort. Cette obsession bizarre pour la pulpe des nuits parisiennes se retrouvait dans d'autres interminables séries de photos, qui représentaient des épiceries de nuit, avec leurs étals obliques et bien rangés remplis de citrons, de grappes de raisin en plastique, de bananes trop mûres et éclairées comme des tableaux de Manet. Je trouvais là, quand je devais quitter Paris à pied, trop ivre pour rentrer à scooter, les petites bouteilles de vodka et le Red Bull bienveillant qui m'aidaient à traverser la nuit.

J'ai aussi retrouvé des dizaines de photos de réfrigérateurs rétroéclairés à portes transparentes et on y aperçoit parfois le reflet vide de mon visage glabre, quelquefois accompagné de celui, apaisé et barbu, d'un épicier salafiste de Neuilly avec qui j'avais fini par sympathiser un peu — je plaisantais sur le fait qu'il n'ait pas le droit de me vendre de l'alcool, que de toute façon je buvais trop, qu'il faudrait que j'arrête, et il me répondait avec cette formule qui n'évoquait plus depuis longtemps, dans la France laïque, que les labyrinthes fatalistes du destin mais qui retrouvait dans sa bouche une signification quiétiste et bienveillante : « Inch'Allah. »

Le Prince avait apprécié l'une de mes notes, un comparatif à peu près exhaustif des atouts et des handicaps de Paris par rapport aux autres capitales du monde. J'avais alors été convoqué pour ce qui serait mon premier rendez-vous avec lui depuis sa prise de fonction.

Il allait être plus charmant, plus drôle et plus charismatique que tout ce que j'avais pu imaginer. Sa voix, douce et presque basse comme si notre entretien devait avoir lieu sur le ton de la confidence, a amené un climat d'intimité imprévu et j'ai ressenti le besoin instinctif de me confier à lui — c'est ainsi que je me suis mis à lui parler de ma mère, morte depuis maintenant dix ans, qui aurait été très fière de me voir dans cette situation. Je crois que cela l'a ému sincèrement, même s'il a trouvé pour me l'exprimer une formule plutôt malheureuse :

« Elle est sans doute mieux là où elle est car au moins elle peut vous voir. »

Il m'a fait asseoir et, sans me laisser parler ni même me dire qu'il l'avait lue, a commencé à reprendre les principaux points de ma note, qu'il entrecoupait de considérations personnelles. Il ne faisait aucun doute, à l'entendre, qu'il en était l'inspirateur et que j'avais seulement mis ses intuitions en ordre. C'était, selon les règles implicites de la vie de cabinet, la forme la plus haute de la reconnaissance.

« Vous savez je ne bois pas d'alcool, je n'en ai jamais bu, j'ai goûté, un peu, mais je n'ai pas aimé ça, pas du tout, ni les effets ni le goût. Ne pas boire d'alcool, c'est presque une maladie grave, en France, le pays du vin, des spiritueux et du Ricard — pensez que Pasqua a commencé sa carrière en vendant du pastis. C'est quelque chose, hein, comme première expérience professionnelle, de vendre du pastis, je ne dis pas ça pour critiquer, c'est une façon comme une autre de comprendre les Français, et peut-être pas la pire. C'est quelqu'un à qui je dois beaucoup Pasqua, c'est quelqu'un pour qui j'ai beaucoup d'estime et d'ailleurs, je le tiens pour une figure intellectuelle de tout premier plan, ça a toujours été un modèle, toujours, je suis un peu son héritier d'une certaine façon, j'ai pas honte. Honte de quoi, je vous le demande, hein. Ah, parce qu'il est de droite, on n'aurait pas le droit de le considérer comme un grand homme d'État ? Mais je vous le dis, c'est notre Mendès France, notre Rocard à nous, c'est le type un peu au second plan mais que tout le monde respecte, c'est une figure spirituelle de première grandeur. "Terroriser les terroristes" : celle-là il fallait l'inventer, et d'ailleurs j'en ai encore des frissons. C'est quelque chose, Pasqua. Les Hauts-de-Seine, la Défense, le département le plus riche de France, c'est pas rien ça. Ah, c'est moins chic que la Seine-

246

Saint-Denis, ça fait un peu scandale, tous ces riches, ces belles maisons, et ces petits villages si charmants qu'on se croirait à la montagne, en Italie, à la campagne, un peu partout mais pas à 10 kilomètres de Paris, et qui on voit, si on pousse la porte ? Johnny Hallyday, Christian Clavier, Didier Barbelivien, excusez-moi du peu. Neuilly, Vaucresson, Marnes-la-Coquette, c'est pas la Seine-Saint-Denis, c'est même plutôt le contraire, c'est bien dans les Hauts-de-Seine, et je sais tout ce que ce département doit à celui qui l'a dirigé pendant si longtemps. Mais voilà, le génie politique de Pasqua, c'est celui d'un vendeur de spiritueux. Moi j'ai dû faire sans. Je n'ai pas cette complicité avec les Français. Je suis suspect. Je suis le parti de l'étranger. La Mitteleuropa, pour pas dire plus. Le "néoconservateur américain à passeport français". Je l'ai pas oubliée, celle-là. Je vais vous dire, je suis un fils d'immigré, moi, j'ai pas de réseau et en plus, je ne bois pas d'alcool : ça fait beaucoup pour un seul homme. C'est quelque chose, hein, la convivialité de l'alcool ici. Parfois je me dis que je suis mieux avec l'émir du Qatar, qui est d'ailleurs devenu un ami, qu'avec un membre de ma majorité qui représente je ne sais pas laquelle de nos régions viticoles. Le vrai réseau, en France, c'est la convivialité de l'alcool, c'est Mitterrand, ses amis vignerons, ses tournées dans le Morvan avec ce type dont j'oublie le nom, alcoolique au dernier degré, et qui a fini par se faire exploser le crâne dans le bureau que vous occupez. »

J'ai dû m'empêcher de l'interrompre, face à cette révélation qui faisait soudain basculer le palais entier dans un cauchemar gothique. Je connaissais l'histoire, j'avais vu un documentaire : un vieil ami du président, coureur, chasseur et aristocrate qui avait eu la main sur deux domaines immenses, les services secrets et les chasses présidentielles. Il avait lentement sombré dans la disgrâce et sa présence, dans le palais désert de la fin de règne, avait été de plus en plus fantomatique, jusqu'au coup de feu final qui avait brutalement rétabli son incarnation normale. Il avait alors fallu évacuer le corps, et surtout nettoyer, patiemment, les morceaux de crâne et de cervelle répandus partout sur les murs matelassés. On aurait pu sans doute, avec du luminol, faire apparaître les taches de sang et transformer mon bureau en grotte fluorescente remplie de scènes de chasse et d'animaux totems.

« Vous ne pouvez pas savoir, avait continué le Prince, ce que j'ai pu détester Chirac, Chirac et la Corona, Chirac au Salon de l'agriculture, Chirac à la descente inégalée mais obligé quand même de prendre un peu de poudre pour tenir, Chirac à la foire en Corrèze — et là-bas ils boivent des choses que je ne peux même pas imaginer, même la couleur est pas normale —, Chirac et la cave de l'Hôtel de Ville, de l'alcool tout le temps, Chirac sympa avec tout le monde. J'ai cru que j'y arriverais jamais, tellement il était meilleur que moi dans toutes ces choses, tellement il faisait le Français comme personne. J'avais l'air de rien à côté, de rien. C'est pour ça que je suis devenu balladurien, ça valorisait plus ceux qui avaient, comme moi, des têtes de banquiers sur le point de vous mettre en interdit bancaire — j'avoue, j'étais pas à mon meilleur à l'époque. Mais Chirac, pourtant, c'était pas grand-chose. Du vide. La gueule de bois permanente de ses électeurs, les lendemains de fête difficiles. Vous pensez que ça a tenu comment Paris pendant aussi longtemps ? Ça a tenu de l'extérieur, c'est nous qui l'avons fait tenir. Ce sont les Hauts-de-Seine qui ont fait tout le boulot, tout le boulot pendant trente ans, qui ont tenu comme une main la tête morte de Paris, le crâne vide du Paris de Chirac, qui l'ont secoué dans tous les sens pour savoir s'il était vivant ou s'il était mort. C'est nous qui avons construit la Défense, le Manhattan dont Paris ne voulait pas, et Park Avenue, le boulevard du Château à Neuilly, c'est moi qui l'ai sauvée contre l'idée hallucinante de la péréquation — vingt pour cent de logements sociaux dans toutes les villes de France, elle est belle l'ambition de la gauche ! Ça gêne quelqu'un peut-être qu'à Neuilly les gens vivent un peu mieux qu'ailleurs ? Il fallait faire quoi, construire des HLM dans les parcs des hôtels particuliers ? Il a bien fallu organiser la résistance et payer des amendes, mais ça valait mieux, hein, que de laisser l'agglomération parisienne devenir une grande masse informe et tiède, tout le monde pareil, rien qui dépasse, circulez y a rien à voir. Moi je suis pas pour qu'on aide pas les pauvres, ça n'a jamais été le sens de ma politique car je crois trop à l'ascenseur social et au mérite, mais on n'a jamais vu une société puissante sans inégalités non plus, ça donne aux deux camps l'envie de se battre, les riches ne veulent pas perdre leur place et les pauvres veulent les en chasser, c'est la révolution permanente et au final c'est tout le monde qui en profite. Je vais vous surprendre mais parfois je me dis que l'opposition, très forte, idéologique même, entre le 92 et le 93, entre les Hauts-de-Seine et la Seine-Saint-Denis, c'est un peu comme la guerre froide, ça n'a pas eu que du mauvais. Le fait que Paris soit coincé entre le département le plus riche de France et le département le plus pauvre a sauvé son dynamisme. Heureusement qu'on a été là en tout cas, nous les villes de la petite couronne, sinon Paris serait sorti de la carte, ce serait même pas devenu Rome ou Vienne mais Romorantin-sur-Seine. On a quasiment fait tout le boulot. Toute l'énergie de Paris lui est venue des entreprises multinationales de l'ouest et des villes multiculturelles de l'est, parce qu'il faut bien, j'ai pas honte de le dire, qu'il y en ait qui fassent des mômes et qui se lèvent tôt pour faire tourner tout ça. Eux, heureusement qu'ils sont là des fois. Ça fait dix ans, ça fait trente ans qu'on a abandonné Paris aux Parisiens et c'est le désastre que l'on sait. Paris est devenu une ville de gauche, avec ses nouveaux ghettos, écologiste ici, homosexuel là-bas, ghetto bobo à la Bastille ou même ghetto de droite, si l'on veut, avec ces arrondissements de l'ouest qu'on va visiter le dimanche en famille homoparentale pour se moquer des mères de famille à serre-tête. Et de la Gay Pride à la Techno Parade, de Paris Plages à la Fête de la musique, vous pouvez me citer une réalisation du nouveau maire de Paris qui soit pas une fête ? Il vaut pas mieux que Chirac, lui, en fait si, peut-être, il coûte moins cher au contribuable en alcool. Mais la voie rapide Georges-Pompidou, ce n'est pas rien quand même, réussir à faire passer une autoroute au cœur de Paris sans rien dénaturer de son site. La transformer en plage, avec du sable et des parasols, c'est profondément honteux, quand on y pense. On a pas fait cinq mille ans d'histoire pour en arriver là. Bonbons, caramels, esquimaux, et tant qu'on y est, coquillages et crustacés. Ça tourne plus très rond chez les intellos de gauche. Excusez-moi mais moi je trouve que faire comme si la vie n'était pas un peu tragique, un peu destinée à mal finir, quand même, moi je trouve que c'est là le vrai tragique du monde d'aujourd'hui. Ça peut pas être tous les jours la fête, on est pas en 68. Ils sont en train de transformer une ancienne morgue, dans le XIXe arrondissement, en centre d'art contemporain, comme on a transformé il y a vingt ans des abattoirs en musée des Sciences. Moi je vous le demande, qu'est-ce que c'est l'étape d'après ? On va transformer mon bureau en crèche et l'abri Jupiter en école maternelle ? On va interdire les voitures sur les Champs-Élysées ? On va transformer le Louvre en boîte de nuit ? Allons, faut être un peu sérieux quand même. C'est quand même bizarre que les Parisiens votent à gauche, et même à l'extrême gauche. C'est pas des ouvriers les Parisiens. C'est pas la ceinture rouge. Il paraît même qu'aux prochaines municipales il y aura peut-être un maire écologiste dans je sais plus quel arrondissement du centre, un arrondissement où bien sûr il y a pas un seul espace vert, et même pas la place pour en faire un. Il va faire quoi, un jardin sur les murs et du vin bio dans la cour de la mairie ? Tiens, d'ailleurs, il faudrait les supprimer ces arrondissements du centre qui sont ridiculement petits. Il faudrait même supprimer Paris tant qu'on y est et faire comme le Grand Londres une ville de taille mondiale qui arrêterait un peu de faire n'importe quoi et de voter n'importe comment. Il va falloir me réformer tout ça. Vous avez carte blanche. Je veux que Paris redevienne une ville. Une ville avec des vrais monuments et des transports modernes. Ça fait combien de temps qu'il ne se passe plus rien à Paris ? Qu'est-ce qui s'est passé depuis la tour Eiffel ? Pas grand-chose, je crois, à part le périphérique. Il est plus que temps qu'on intervienne. »

Alors le Prince s'est tu et m'a fixé un instant. C'était tout ce qu'il avait à me dire. Nivelle m'avait prévenu : son comportement pouvait paraître erratique. Ses ordres étaient souvent d'une extraordinaire absence de précision. Il m'est encore impossible d'affirmer aujourd'hui s'il s'agissait là d'une technique de gouvernement ou d'une forme de désinvolture. Mon impression, même si j'ai ensuite appris à corriger mon point de vue, accréditerait plutôt la première thèse : je suis sorti du bureau dans un état d'immense excitation intellectuelle, prêt à faire face au plus grand des défis urbanistiques.

Le Prince m'avait demandé d'offrir à son peuple une nouvelle capitale.

Les intuitions urbanistiques du Prince allaient se révéler particulièrement inspirantes, en réalité presque programmatiques. J'avais épinglé au mur de mon bureau, l'après-midi même, une carte postale qui représentait Napoléon III et Haussmann, tous les deux figés sur l'instant où l'empereur remettait au préfet le décret d'annexion des communes limitrophes — l'acte de naissance du Paris moderne.

Cela s'était passé il y a presque cent cinquante ans et le nouveau Paris de 1860 était devenu le vieux Paris de 2007, le Paris inchangé jusque dans sa forme de cerveau — cerveau trop petit d'un primate devenu trop agile, d'une créature qui se serait progressivement déliée en escaladant les contreforts de la niche écologique où elle s'était d'abord épanouie, mais qui se serait finalement retrouvée gênée, dans son évolution ultérieure, par l'adaptation trop parfaite de ses organes à cet environnement primitif.

La ville de Baudelaire avait changé moins vite que la forme du cœur de ses habitants, la ville moderne était devenue le conservatoire inutile de son passé grandiose. Je devais retrouver les promesses électriques de la révolution industrielle, le moment où la ville, en pleine dissection d'elle-même, était le cœur à ciel ouvert du monde. J'ai alors eu l'idée de me rendre à Londres, la métropole rivale, pour prendre un peu de distance, comme on passe en laboratoire à la vision binoculaire pour mieux percevoir la structure de l'objet observé — la métropole du XXIe siècle.

Le tunnel sous la Manche avait joué un rôle important dans la stratégie présidentielle du Prince. Il avait promis, jadis, de fermer le camp de Sangatte, à l'extrémité continentale du tunnel — le lieu où s'entassaient les migrants qui tentaient de rejoindre l'Angleterre. La fermeture avait bien eu lieu, mais l'anomalie logistique s'était reformée, presque naturellement, pour donner naissance à la jungle de Calais, nouveau sujet d'inquiétude qui exigeait encore une fois du Prince une attitude ferme mais humaniste : les ennemis étaient moins les migrants que les passeurs, le sujet était moins l'immigration clandestine que la traite des êtres humains, moins la situation actuelle que le risque d'un appel d'air.

En réalité, à l'exception de troubles modérés à l'ordre public et de quelques Eurostar retardés, le phénomène n'aurait pas dû mobiliser à ce point un gouvernement de droite, ni même faire l'objet d'une promesse de campagne : les migrants n'étant que de passage, leur afflux continuel modifiait peu les statistiques de l'immigration illégale et restait sans effet sur celles de la délinquance, qu'on supposait, plus ou moins explicitement, corrélées aux premières. Mais le scandale était d'une autre nature : au soulagement coupable de voir ces migrants partir se mêlait de plus en plus l'orgueil blessé de les voir ainsi préférer l'Angleterre à la France — l'Angleterre pluvieuse et guerrière de Tony Blair à la France opposée à la guerre en Irak, fière de son système de santé et à la douceur incomparable.

L'aventure peu exaltante du creuset républicain français ennuyait assez légitimement les migrants les plus ambitieux. Si certains pouvaient trouver à la limite, dans le modèle social français, des compensations financières qui pouvaient justifier un abandon tactique de leurs traditions les moins républicaines, la France, jugée trop contraignante, demeurait toujours un second choix — même les salafistes, parmi les plus radicaux et les moins conciliants des étrangers qu'accueillait l'Europe, étaient forcés en France de faire quelques compromis, notamment vestimentaires, tandis qu'ils disposaient à Londres d'une mosquée influente, celle de Finsbury Park, et presque d'un pays dans le pays, le très médiatique et rigoriste Londonistan, devenu un élément du folklore britannique, comme Sealand, la principauté éphémère qu'un citoyen anglais avait créée sur un bunker off shore de l'embouchure de la Tamise — ou comme, d'une certaine manière, la monarchie elle-même.

Les attentats de l'été 2005 allaient cependant entraîner la fin de ce privilège d'extraterritorialité qui avait jusque-là laissé les Français perplexes — comme en fait à peu près toutes les manifestations de l'authentique libéralisme anglo-saxon, et plus généralement tous les phénomènes qui laissaient entendre qu'il pouvait exister une société civile non régulée par l'État jacobin. À cet égard, les meilleurs spécialistes français des questions de sécurité avaient plutôt bien accueilli les attentats. Ils avaient même paru rendre Paris — ville épargnée depuis maintenant dix ans et tout occupée, depuis le 11 Septembre, à refuser les théories anglo-saxonnes du choc des civilisations — un peu plus sûr.

Il y avait en réalité, vu de Paris, un sentiment plus inavouable : l'idée que les attentats venaient venger l'humiliation survenue la veille quand le CIO avait attribué l'organisation des jeux Olympiques de 2012 à Londres plutôt qu'à Paris — les attentats, dans un monde de plus en plus globalisé et concurrentiel, étaient une forme d'élection eux aussi. Al-Qaida venait de confirmer ce que l'on pressentait, quatre ans après les attentats de New York et un an après ceux de Madrid — l'outsider, la ville que personne n'avait vu venir, la capitale en plein boom immobilier, la métropole aux villes nouvelles innombrables, et qui venait même de s'offrir un deuxième aéroport : Paris ne comptait plus parmi les grandes capitales du monde.

Paris s'était en tout cas retrouvé, c'était l'un des effets collatéraux les plus inattendus du tunnel, dans l'aire d'attractivité de Londres, dans son bassin d'emploi et dans sa grande banlieue. La City était devenue le Londonistan des cadres supérieurs, une terre d'exil idéale aux mœurs commerciales rigoureuses mais aux lois libérales, et la chose commençait à devenir problématique.

L'attractivité de Londres était une insulte permanente au rayonnement de Paris. Les flux migratoires étaient si défavorables que Londres était même devenue, selon les médias anglais, la sixième ville de France — cela avait été une révélation spectaculaire, même si les médias français s'étaient empressés de nuancer cela : les quelque 200 000 ou 300 000 Français de Londres plaçaient la ville au sixième rang des villes françaises, entre Nice et Nantes, uniquement si l'on s'en tenait aux villes elles-mêmes, en excluant communautés d'agglomération et métropoles — tour de passe-passe il est vrai facilité par le fait que Londres, le Grand Londres, contrairement à Paris, était à la fois une ville et une métropole. Londres retombait alors, une fois la correction faite, entre Perpignan et Amiens. Il s'agissait cependant d'une population particulièrement stratégique : des jeunes diplômés, des cadres dynamiques, des entrepreneurs audacieux — les vecteurs de la croissance future.

Et les choses seraient bientôt aggravées par l'arrivée imminente de l'Eurostar jusqu'à la gare victorienne, centrale et étincelante de St. Pancras, quand Paris s'était modestement contenté de rénover le terminal banlieue de la gare du Nord. Londres, dès leur sortie du train, leur apparaîtrait dans toute sa splendeur impériale, dans ce mélange subtil d'ancien et de neuf qui faisait le charme de la vieille Europe, mais qui n'était plus tenu en France que dans les palais de la République où, légèrement patiné, il se rattachait à une histoire monarchique grandiose mais défunte, quand il témoignait ici des richesses accumulées au temps de la marine à voile : Paris était plein d'ors inutiles et de vanité irrépressible quand Londres s'en tenait au cuivre, moins précieux mais aussi plus utile.

J'ai senti aussitôt, dès mes premiers instants à Londres, une fierté inattaquée, un orgueil intact, un instinct de capitale du monde. Cela s'exprimait dans la forme même de son plan, étonnamment modeste par rapport à celui de Paris et qui fonctionnait beaucoup plus sur la surprise que sur la perspective, les bâtiments les plus remarquables pouvant surgir au dernier moment, sans la vanité d'une longue mise en scène — la ville n'en apparaissait que plus dense et plus sûre d'elle-même.

L'orgueil de Londres s'était successivement matérialisé, au hasard de ma déambulation, dans un croiseur rescapé de la Seconde Guerre mondiale amarré au milieu de la Tamise, dans le bunker où Churchill était résolu à se battre jusqu'à la mort en cas d'invasion nazie, et qu'on avait laissé se recouvrir de lierre, comme si la chose devait être la seule ruine romantique d'une ville qui n'en comptait aucune, dans les tours immenses et spontanées de la City. Cette insolence métropolitaine s'était aussi incarnée, de façon peut-être encore plus spectaculaire, pour quelqu'un habitué comme moi à l'ambiance de couvre-feu républicain de Paris, dans le port de tête des sikhs en turban ou dans l'assurance imprévue des femmes voilées que je croisais.

C'était la fierté d'une ville qui avait vaincu Napoléon et Hitler, la fierté d'une capitale impériale, d'une ville restée la capitale d'un monde qui parlait sa langue et qui avait adopté ses normes commerciales. Londres était à l'origine de la plus importante révolution qu'on ait vue depuis l'avènement des grands monothéismes, une révolution si radicale qu'on commençait même à douter, maintenant qu'elle s'était étendue à la terre entière, de la capacité du globe à la retenir — mais sans qu'on puisse pour autant s'empêcher de l'aimer du fond du cœur pour les merveilles qu'elle prodiguait autour de nous, comme pour la douceur qu'elle avait donnée à nos vies.

La révolution industrielle anglaise avait ridiculisé la Révolution française et son concept, capricieux et futile, de révolution politique.

Londres avait été la capitale de l'ère Thatcher comme New York avait été celle de l'ère Reagan, Londres et New York avaient été les deux capitales de ce qui resterait peut-être comme les plus belles années du monde, années qui avaient vu le libéralisme s'imposer partout comme le rêve éveillé d'une espèce au sommet de son intelligence sociale, qui avaient vu les deux gouvernements complices de la plus vieille démocratie du monde et d'une monarchie millénaire accepter de se dissoudre eux-mêmes dans le marché triomphant et dans ses promesses vérifiables de paix perpétuelle et de progrès infini, pour ce qui resterait peut-être l'unique révolution non violente de l'histoire.

L'Angleterre semblait même n'exister que pour démentir les postulats politiques du continent : démocratique et inégalitaire, libérale et traditionaliste, restée monarchique mais travaillant déjà au remplacement de l'État moderne, État moderne qui, une fois cette nouvelle mue politique achevée, resterait sans doute en place, plus pour son habileté à manier des symboles qui sans lui tomberaient dans l'obsolescence que pour ses véritables fonctions supports, depuis longtemps déléguées au secteur privé — chose qui n'en finissait pas d'effrayer et de faire rire les Français, qui aimaient déplorer l'état lamentable du système ferroviaire, privatisé, du Royaume-Uni, sans se rendre compte que c'était leur système politique dans sa totalité qui faisait l'objet ici de plaisanteries inquiètes.

Au fond, l'Angleterre était restée une monarchie pour mieux rappeler à ses gouvernants successifs leur rôle essentiellement décoratif, quand la France, républicaine, demeurait monarchique par fatalité, prisonnière d'un pouvoir aussi pesant qu'une couche géologique — couche géologique dont Londres faisait des briques légères quand Paris jugeait plus digne de lui d'aller puiser en profondeur des pierres somptueuses, rares et ouvragées.

Pendant les jours rapides et cruels qui avaient conduit, en juin 1940, à la capitulation de la France, les deux capitales s'étaient livrées à une courte interprétation urbanistique de la dialectique du maître et de l'esclave : Londres avait accepté l'idée du Blitz et de sa destruction possible, quand les élites parisiennes, réfugiées à Bordeaux et terrorisées à l'idée que Paris soit détruit, avaient précipité la vieille capitale de la France dans l'enfer froid d'une paix muséale. Dès lors Paris était devenu une capitale zombie, une ville de garnison où les troupes allemandes viendraient en villégiature pour se délasser du front de l'Est, quand les élites françaises se reposeraient, dans une ville d'eaux des contreforts du Massif central, de l'écrasante responsabilité d'avoir eu, un jour, à gouverner la France. Logiquement, au soir du 18 juin, le général de Gaulle avait fait de Londres sa capitale, la capitale de la France libre — et Paris ne s'en était jamais remis.

Londres avait brûlé et avait été rebâtie, Londres avait été bombardée et s'était reconstruite, Londres avait perdu la plupart de ses infrastructures portuaires et avait transformé ses docks en promenades piétonnes et en quartier d'affaires. Londres, comme toutes les villes du monde — à l'exception notable de Paris —, participait aussi, avec enthousiasme, au potlatch urbanistique global qui consistait à construire des bâtiments iconiques, si possible élevés, ou présentant des prouesses structurales. Mais Londres était entrée dans le jeu à un rythme trop élevé pour que la chose se résume à une opération publicitaire : on construisait ici, depuis dix ou vingt ans, tellement de tours qu'on ne les comptait plus ; c'était des icônes périssables, sans cesse dépassées, comme à l'âge d'or de Manhattan, des tours comme des meubles, qui pouvaient passer de mode et qu'on aimait seulement neuves, des tours qui se savaient mortelles, comme les icônes sacrificielles d'une modernité atteinte, jouée sans effort, et presque avec désinvolture.

Paris avait toujours voulu régner sur le monde quand Londres avait seulement voulu commercer avec lui, l'exciter plutôt que l'impressionner.

La raison demeurait à Londres un outil, là où Paris en avait fait un défi adressé à l'univers.

Paris s'était toujours pensé comme fin, comme équilibre, comme destinée du monde. Londres s'était plutôt vue comme une brèche ouverte du globe, un estuaire destiné à lancer sans fin ses vaisseaux à la conquête de toutes les mers et de tous les océans, sans s'attendre absolument à ce qu'ils reviennent tous mais en établissant, depuis les bureaux de la Lloyd's, les probabilités empiriques de ces aventures commerciales — la Lloyd's qui ressemblait, avec ses bureaux hyperactifs répartis autour de son gigantesque atrium que traversaient des escalators lumineux, autant à une version intensifiée de Wall Street, qu'à l'intérieur d'un navire de commerce, ou qu'à une vue en écorché du commerce mondial.

Londres était la ville libérale parfaite et la droite française était tétanisée par elle.

Londres n'était pas la capitale d'un pays mais celle d'un empire. Londres n'était pas, comme Paris, victime de la mondialisation, elle en était l'inventrice et la principale bénéficiaire. «Un particulier s'enrichit à employer une multitude d'ouvriers ; il s'appauvrit à entretenir une multitude de domestiques », avait écrit Adam Smith ; Londres s'était généreusement engagée à fournir cette dispendieuse domesticité à tous les milliardaires du monde.

Lakshmi Mittal était l'un d'eux. L'homme était le plus mauvais souvenir de l'histoire récente du capitalisme français, celui qui venait, un an plus tôt, de conquérir le métallurgiste Arcelor, l'un des fleurons du CAC 40. Il était indien et la réussite de son OPA hostile avait marqué l'avènement irréversible des pays émergents sur la scène économique mondiale, comme elle avait traumatisé la France.

À la suite de l'attribution des jeux Olympiques de 2012 à Londres — les remerciements du monde, pays émergents en tête, pour services rendus —, et son maire ayant manifesté le désir de voir l'édification d'un monument pérenne, qui resterait le symbole de l'événement, on avait décidé de construire une nouvelle tour dans le futur village olympique, une tour absolument gratuite, une tour érigée pour l'amour de l'art et dont les plans seraient confiés à un artiste d'origine indienne, quand l'acier nécessaire à sa construction serait offert par le groupe Mittal. La chose prendrait la forme enroulée et infinie d'un ruban de Möbius dressé comme un crotale rouge à travers le ciel de Londres. C'était le parti pris exactement inverse d'une autre tour venue elle aussi couronner une capitale à l'apogée de sa puissance, la tour Eiffel, tour cette fois destinée à servir de point culminant et d'asymptote infranchissable à une ville dont la construction s'était symboliquement achevée quand ses quatre piliers s'étaient rejoints, à 300 mètres du sol.

La tour Eiffel était restée plantée là, au bord de la Seine, à la façon irréversible d'un harpon dans la peau grasse d'une baleine, et avait marqué le rattachement définitif de Paris à un temps révolu, à une Belle Époque idéalisée et défunte — quand l'ère victorienne sans cesse actualisée par le clinquant steampunk de la capitale anglaise semblait devoir durer toujours comme un âge universel du monde.

Je passais désormais mes journées et mes nuits avec Villandry et Graslin, qui m'avaient initié au monde des bars d'hôtel et à l'art raffiné du clubbing. Parfois Garnier-Rivoire, le porte-parole de la présidence, se joignait à nous, mais jamais très longtemps, les libertés que nous prenions avec tel ou tel personnage important du cabinet le mettant mal à l'aise. Berthier, le conseiller diplomatique, venait aussi, mais c'était cette fois ses rapports supposés avec les services secrets qui nous empêchaient de nous sentir complètement libres. Nivelle, enfin, venait quelquefois ; la chose était rare, mais elle nous accompagnait alors jusqu'à la fin de la nuit.

C'est à cette époque, entre deux conquêtes rapides, dans cette ambiance de camaraderie virile, que je suis tombé amoureux d'elle — de la secrète et réservée Nivelle, de la catholique et mariée Nivelle, de l'inaccessible et sacrée Nivelle.

Elle nous appelait les Trois Droites, d'après la typologie de René Rémond, l'intellectuel officiel de la Cinquième République, dont la mort, survenue juste avant le premier tour, avait symboliquement laissé le Prince libre de réinventer la droite à sa convenance. Graslin le libéral était Orléans, le munificent Villandry était Légitime, quand j'étais, moi, l'élève de Machelin, Bonaparte. Mais elle disait aussi, et je crois que la formule venait de lui, que nos différences importaient peu car, intrinsèquement rebelle, la droite n'existait pas.

Nous n'existions pas mais nous étions les plus brillants, les plus rapides et les mieux informés. Nos connaissances cumulées auraient permis, si on nous avait téléportés sur une planète hostile, d'y construire, de mémoire, la civilisation parfaite, techniquement au niveau de la Terre, intellectuellement très loin au-dessus et politiquement en conformité parfaite avec la République de Platon — le communisme en moins. La France, notre cible du moment, ne résisterait en tout cas pas longtemps à nos expériences de terraformation. Nous étions orgueilleux, nous avions le devoir de l'être, pour faire plier le cabinet d'un ministre jaloux, pour dicter à un média ami son feuilleton politique de la semaine, pour obtenir, d'un militaire de passage, notre dose mensuelle de secret-défense, qui nous permettait d'établir des paris sur un possible passage, avant l'automne, du plan Vigipirate de rouge à écarlate. Mais nous savions que l'avion présidentiel, où nous avions parfois le privilège de monter, était une cible plus tentante qu'un banal RER. Nous étions aussi exposés aux menaces de mort, aux tireurs fous, à l'anthrax postal et — mais de cela nous ne parlions jamais — à la possibilité plusieurs fois certifiée par l'histoire d'une révolution.

Nous quittions en général l'Élysée très tard, après

avoir mangé dans l'un ou l'autre de nos bureaux et commencé à boire, soit des bouteilles qu'on était parvenus à sortir des caves grâce à des complicités dans les cuisines, soit de la vodka que je gardais dans mon frigo.

Souvent, l'un de nous devait rester travailler toute la nuit, comme au temps des dissertations en retard, et nous le laissions alors, heureux et soulagés à l'idée que l'un des plus brillants cerveaux de la nation planifie son avenir sur du papier à en-tête pendant que nous prenions un repos mérité.

Nous glissions déjà sur les trottoirs brillants de la Ville lumière, de la ville pluvieuse et dédoublée avec la certitude d'être ivres dans l'heure, d'être ivres et de parler avec des inconnues aux yeux profonds comme ceux des espionnes, de parler de politique, les mains moites de peur d'en dire trop, de trahir l'un des secrets du Prince et de déclencher une guerre pour un instant d'amour. Paris était beau alors comme une ville conquise, une ville prosternée sous les pas légers de ses nouveaux maîtres, une ville souple comme le ruban d'un trottoir roulant qui pouvait nous conduire, dociles, n'importe où mieux qu'un chauffeur ou qu'une escorte. La ville possédait ces soirs-là, sous nos semelles de cuir habituées à claquer sur les parquets sonores du palais, une douceur bienveillante, comme si ces trottoirs, malgré l'automne qui commençait déjà, avaient fondu pendant le jour pour nous restituer le soir leur odeur d'humus pétrolifère et leur tension caoutchouteuse.

Nous marchions en ligne sur ces trottoirs qu'un homme en armes nous avait laissés prendre à la sortie du palais, trottoirs si étroits que l'un de nous

— c'était souvent le léger Villandry avec ses costumes si cintrés qu'il ressemblait à un oiseau — devait marcher dans la rue, insouciant, au milieu des voitures, sans jamais cesser d'appartenir à la troupe serrée que nous formions. La traversée des Champs donnait presque toujours lieu à la même scène, Villandry disparaissant soudain pour réapparaître de l'autre côté d'un flux de voitures en apparence infranchissable. Nous nous interrogions alors sur le caractère surnaturel de la chose, et il en jouait à merveille, nous saluant comme un magicien ou nous désignant un jour le double fond d'un cabanon du jardin des Champs-Élysées comme l'entrée d'un souterrain possible — à l'entendre, tout communiquait, l'Élysée, Beauvau, l'Assemblée nationale, Matignon et le Sénat, et il attirait notre attention sur les épaules du Prince, parfois un peu poussiéreuses. Il semblait aussi maîtriser l'hypnose, quand nous marchions ensemble, que la ville se relevait sur les côtés, nous prenant dans sa main et nous faisant descendre avec elle de plus en plus loin, à des profondeurs qui n'avaient jamais vu la lumière du jour, et que nous l'écoutions nous raconter ses dernières aventures sexuelles avec tel ou tel membre du cabinet, histoire déjà entendue mille fois mais sans cesse embellie et à la chute toujours retravaillée, chute qui parvenait encore à nous choquer par la mention d'un détail dégoûtant ou sordide inédit qui tombait à chaque fois devant l'entrée de l'établissement où il avait réservé une table.

C'est ainsi que nous avons découvert un soir le club qui allait devenir le lieu privilégié de nos années princières, le QG secret de la France. Installé dans l'ancien parking souterrain d'un hôtel, il était situé plus de trois niveaux en dessous de la rue et on y descendait par un ancien monte-charge recouvert de miroirs sur ses six faces. La chose, infinie, associée au trouble gravitaire de l'accélération, était déjà en soi une ivresse suffisante : nous avions décroché de Paris, du Palais et du monde pour entrer dans l'alcool, l'alcool servi sur les glaçons les plus purs et les plus grands qu'il y ait jamais eu, l'alcool à la viscosité si belle qu'il échappait à la physique des choses et qu'il parvenait à remonter de nos verres à nos bouches en édictant seul les lois de son mouvement.

Nous avions perdu, dans le grand ascenseur, toutes nos barres d'antenne et nous savions que tant que nous resterions ici les diodes de nos BlackBerry, programmés en surface pour réagir immédiatement quand une lumière rouge signalait l'arrivée d'un message, resteraient toujours vertes. Nous étions désormais sans repères et sans ordres.

Nous étions pourtant au cœur de ce qui allait rester dans l'imaginaire collectif le marqueur idéologique le plus fort de ce début de mandat : au cœur du bling-bling, dans un monde entièrement passé à la feuille d'or. Des murs en bois à la table du bar, tout était doré, nos mains et nos visages étaient dorés, et même les alcools blancs le devenaient après que le barman y avait laissé tomber un fin copeau d'or pur. Le Triangle d'or aurait pu être une maison troglodyte directement creusée dans les sous-sols de la banque de France et il était doux de sentir que le cœur du monde était un endroit aussi précieux.

J'avais toujours pris soin, avant de descendre, d'avoir avec moi un préservatif, un seul, dans son étui doré. J'entrais dans le domaine des chasses présidentielles, prêt à déchirer la chose pour libérer l'anneau d'or tendre recouvert d'huile brillante. J'ai ainsi passé des heures à regarder les reflets du Triangle d'or dans les pupilles dilatées des filles que je voulais séduire et qui défilaient si nombreuses entre le bar où je les abordais et les toilettes où nous faisions l'amour que j'ai oublié leurs visages et leurs noms — ne me restent que les paillettes entrevues dans leurs yeux et le souvenir de leurs hanches légères que je tenais entre mes mains conquérantes comme si j'avais tenu là les bords dangereux du monde.

Je me souviens aussi, dans leurs cous, de leurs parfums amers au goût de fruits à peine mûrs ; je devais rapidement descendre et m'agenouiller sous elles pour me l'enlever de la bouche, tandis qu'elles se débarrassaient de leurs petits sacs à main, dont les chaînes dorées à gros maillons résonnaient sur la faïence des toilettes. Elles avaient, légères et interchangeables, rarement plus de vingt ans, elles étudiaient les sciences politiques et jouaient à se pencher, avec leurs tailles gracieuses et leurs os apparents, au-dessus du grand puits du pouvoir. Accoudés au bar, attendant nonchalamment notre tour, nous regardions ceux d'entre nous qu'elles entraînaient avec elles et qui tombaient avec l'indifférence décapitée d'une hydre — notre corps composite se recomposerait tout seul, notre corps composite, le corps d'emprunt du Prince, le cabinet entier, souple et invulnérable.

Je n'avais jamais aimé les blondes. J'aimais les cheveux noirs, les yeux sombres et la fatalité sensuelle des amours trop rapides. J'aimais les cheveux noirs car je ne voulais rien voir et suivre leurs parfums comme des traces d'animaux dans une forêt humide, je voulais renverser leurs têtes en arrière et mordre leurs cous, je voulais être au cœur d'une nuit sans étoiles, je voulais être aveugle et perdre avec elles tout contact avec le monde, je voulais retrouver des instincts primitifs.

J'étais un prédateur. Je méritais d'en être un, j'étais au service du Prince et presque prince moi-même.

Malgré ce fétichisme pour les cheveux noirs, les yeux et les cheveux clairs de Nivelle, quand elle descendait avec nous, me troublaient beaucoup plus, comme son catholicisme rare, jamais mentionné mais toujours présent dans son sourire presque aussi doux que celui de la Joconde. Il n'y avait pas de fatalité pour Nivelle. Ce n'était pas une âme perdue, un corps à conquérir. Je voyais tout autre chose, dans ses yeux, que le passage furtif de la mort.

Je voyais la vie, la vie toute simple et presque mièvre, la vie en Dieu et la possibilité de l'amour. Je voyais dans ses yeux l'unique royaume qui me manquait et le seul que je voulais conquérir.

J'avais en regardant ses yeux la pensée réflexe de ses grands ovules clairs.

Dans la nuit avancée du Triangle d'or, j'avais osé évoquer avec Nivelle mes instincts de conquête, j'avais osé parler de mon désir insatiable à cette calme chrétienne — mais j'avais eu trop peur, au dernier moment, de lui avouer que j'étais amoureux d'elle.

Elle m'avait alors longuement parlé du Prince comme d'un amour déçu ; elle m'avait aussi raconté comment elle était redevenue chrétienne et j'allais faire preuve, ce soir-là, d'une audace inhabituelle en la regardant dans les yeux et en lui touchant presque la main. Elle venait de citer Madame de Staël en riant cruellement : « J'avais vu des hommes très dignes de respect, j'avais vu aussi des hommes féroces : il n'y avait rien dans l'impression que Bonaparte produisit sur moi, qui pût me rappeler ni les uns ni les autres. Son caractère ne pouvait être défini par les mots dont nous avons coutume de nous servir ; il n'était ni bon, ni violent, ni doux, ni cruel. Un tel être, n'ayant point de pareil, ne pouvait ni ressentir, ni faire éprouver aucune sympathie : c'était plus ou moins qu'un homme. »

Le Prince évidemment n'atteindrait jamais cette ataraxie paradoxale de l'homme d'État le plus fantastique de l'histoire, et c'était cela, je crois, qui l'avait le plus blessée. Bonaparte avait tué le rôle. Il avait été le premier et le dernier des modernes ; le seul moderne, la créature *sui generis*, l'homme incréé et la fatalité individuelle.

Nivelle m'a raconté ce soir-là qu'elle était redevenue catholique en comprenant ce qu'il y avait eu de christique dans cette trajectoire. Il avait fallu, pour faire exister cette âme, en sacrifier plusieurs millions d'autres, les mettre dans la balance et constater qu'aucune d'elles ne valait celle-ci, et que toutes ensemble elles n'en étaient encore qu'une approximation grossière —Napoléon n'avait pas été le bourreau de ces âmes, il en avait été l'élu. Plus profondément, et comme cela avait été souvent remarqué, Napoléon avait été le Christ des modernes, la perfection faite homme et le modèle inimitable — elle s'était au passage moquée de Machelin, « le Christ raté de la modernité française ». L'homme moderne trouvait dans Napoléon l'exemple unique d'une émancipation complète. L'énigme de la liberté, qui avait, depuis les premières interrogations sur la grâce et la prédestination de Luther, constitué le paysage intellectuel de la modernité, était enfin résolue : il aurait existé, au moins une fois, un homme nécessairement libre. L'ère moderne n'aurait duré que quelques secondes, comme une idée dans le cerveau de Bonaparte, celle d'un accord miraculeux entre les circonstances historiques et la psychologie, entre le monde extérieur et le monde intérieur — une concordance si parfaite qu'elle n'avait, dans l'histoire, presque aucune chance de se réaliser, à moins que l'histoire ne soit uniquement destinée à la rendre possible. Inversant alors la théorie hégélienne du grand homme destiné à servir l'histoire et à tomber, une fois sa tâche accomplie, comme une cartouche vide, Nivelle envisageait plutôt l'histoire comme le coup de feu lui-même, destiné à faire exister, pour un instant unique de grâce, un homme entier et véritable. Nivelle a évoqué aussi le principe anthropique qui voulait que les lois du monde soient compatibles avec l'existence d'observateurs humains capables de les décrire. Cette réflexivité de la matière sur elle-même atteignait pour Nivelle, avec le grand homme, un stade supérieur et communiquait directement avec le grand mystère chrétien de l'incarnation : le grand homme était devenu les lois du monde elles-mêmes, les lois du monde en lui étaient devenues vivantes.

Et le Prince, malgré tout, gardait en lui quelque chose de cette promesse. Il n'avait jamais respecté les institutions, jamais accepté d'autre loi que la sienne. Il avait été depuis dix ans la seule chose vraiment vivante, vivante au sens d'incontrôlable, de spontané, d'irréfléchi, de la vie politique française. Il avait été, à travers les intrigues, les calculs et les complots, d'une simplicité étonnante, d'une simplicité organique. Il avait été le seul homme politique de son temps qui n'ait jamais cessé d'être lui-même et qui l'ait été aussi simplement. Sa brutalité même devait être mise à son crédit, comme une forme supérieure d'élégance, une dénonciation par le fait de l'hypocrisie de ses contemporains. Il avait été le premier homme politique de la Cinquième République à reconnaître publiquement qu'il était ambitieux, sans aussitôt chercher à atténuer le faux scandale d'une telle révélation par une profession de foi altruiste. Le Prince n'était pas ambitieux pour les autres, mais pour lui-même. Il n'était pas un petit entrepreneur de la grâce, dont la seule ambition aurait été de faire fructifier les ambitions des autres, il était la grâce elle-même, l'ambition qui, justement parce qu'elle était pure, les valait toutes, les transcendait toutes, les entraînait toutes avec elle vers la quête du pouvoir et l'élection d'un homme.

Machelin m'avait fait part jadis d'une théorie assez semblable, qui voulait que le plus pur et le plus beau produit du génie athénien, Alcibiade, ait pu, sans en être en rien diminué, sans en souffrir aucune condamnation morale, trahir Athènes pour rejoindre Sparte, poursuivant inlassablement sa seule patrie : son ambition incorruptible. C'était pour Machelin l'une des plus belles et des plus inlassables énigmes de la philosophie politique, qui voulait que l'essence d'un homme, son intégrité, dans ce qu'elle avait de moins collectif et de plus égoïste, de moins moral et de plus physique — car Alcibiade avait trahi pour échapper à la mort —, soit le suprême bien du politique.

Il était évident que Nivelle était amoureuse de cette idée du Prince. Et plus je l'écoutais plus je tombais amoureux d'elle. Nous avions finalement rejoint le fumoir, un cube de verre suspendu et accessible seulement par une échelle métallique. Nous étions alors ses seuls occupants — et les seuls occupants de l'histoire humaine avec quelques grands hommes. Le Prince était tout proche, et Alcibiade, tout petit dans le lointain, parvenait encore à le défier de sa beauté surnaturelle. Tout était transparent, les pays, les empires et les âmes. Nivelle s'est laissé prendre la main — une main étrangement froide, molle et sulpicienne — sans s'arrêter de parler, les yeux fixés sur un point du vide qui devait être occupé par le Christ invisible.

Il y avait dans la correspondance de Bonaparte, avait-elle repris, une fraîcheur de ton étonnante, une absence de vanité presque totale, une franchise désarmante : il ne se vantait jamais que de ce qu'il avait fait, reconnaissant toujours, même dans ses plus belles victoires, la part du hasard et ne s'attribuant aucune des légendes exagérées des hommes providentiels — il n'avait jamais cru qu'en lui et jamais en la Providence. De tous ses contemporains, il était le seul qui peut-être n'ait jamais eu à exagérer ni ses passions, ni ses succès, ni son rôle dans l'histoire, le seul qui n'ait jamais eu qu'à être pour impressionner les hommes, et qui s'y soit toujours tenu, dans le pays le plus vaniteux et le plus hypocrite qui ait jamais été, sans fausse modestie et avec un orgueil préservé. Il était un corps simple dans un monde où les machineries humaines, après un siècle de conversation ininterrompue, avaient atteint un niveau de complexité tel qu'il avait fallu couper des milliers de têtes pour rétablir un semblant d'ordre et de simplicité. Il était la seule tête, rationnelle et calme, qui pouvait convenir à la France, une tête blanche et pâle comme un médicament — Nivelle m'avait alors fait remarquer la pâleur identique du Prince, et sa simplicité désarmante. Elle m'avait ainsi parlé des textos qu'il envoyait à ses plus proches collaborateurs, des textos de la plus extrême franchise, parfois même grossiers et assassins. L'idée, très napoléonienne, qu'il était entouré d'incapables et qu'il devait tout faire par lui-même revenait souvent. Mais le Prince avait aussi des mots très tendres pour ses interlocuteurs, et semblait s'adresser à eux sans aucun calcul, juste sous l'impulsion du moment.

Le secret était là, pour Nivelle. Bonaparte et le Prince étaient tous deux des sentimentaux, et si l'un avait tout appris de Rousseau et l'autre de Barbelivien — il avait cité un jour dans une émission, les larmes aux yeux, une chanson d'amour où des lapins allaient à l'école par des chemins perdus —, ils manifestaient tous deux les mêmes élans spontanés et presque animaux du cœur. Ils avaient tous les deux connu des amours inconditionnelles pour des épouses volages, tous les deux avaient juré de tout abandonner et s'il le fallait de mourir pour elles, tous les deux avaient traversé pourtant le désamour intacts, comme si la douleur les avait simplement parcourus, immense et absolue, mais sans pouvoir s'établir longtemps dans leurs âmes mobiles et entraînées toujours à la conquête du monde — comme s'ils avaient eu simplement la sensibilité des arbres pour le vent.

Nivelle m'avait alors appris que Bonaparte, au Caire, avait manifesté le désir soudain de se convertir à l'islam. Et si les historiens tendaient en général à démontrer qu'il ne l'avait finalement pas fait, ils ne réduisaient pas non plus la chose à un calcul politique : il aurait été alors parfaitement sincère et aurait été prêt à reprendre, après avoir renversé l'Empire ottoman et oublié l'Europe, l'œuvre militaire du Prophète.

Bien sûr, Bonaparte surclassait le Prince. Il était plus froid que lui, il avait appris à regarder les hommes de l'extérieur, sans les aimer ni les haïr, il était au fond devenu le vent glacé qui soufflait à travers les branches de l'histoire, quand le Prince, modestement, tentait de les agiter une à une — mais il est vrai que le premier avait bénéficié d'une Révolution en tout point merveilleuse, quand le second n'avait eu à sa disposition qu'une émeute fragile et quelques jours à peine d'un timide état d'urgence.

Il y avait pourtant eu, pendant les années d'ascension du Prince, le sentiment confus, dans l'opinion, qu'un coup d'État se préparait, ou que, devenu président, il serait fatal aux institutions. On craignait, oui, confusément, et ce jusque dans son camp, une sorte de 18 brumaire.

J'allais découvrir ce soir à quel point tout cela était illusoire.

J'avais ainsi pensé jusqu'à maintenant que l'imprévisibilité du Prince, à défaut de faire l'objet d'une stratégie raisonnée, pouvait malgré tout constituer un atout politique majeur. Je découvrais qu'elle était surtout pathologique et que le Prince était souvent de l'avis de son dernier visiteur. C'était une faille majeure dans l'organisation de l'État. Les décisions ne se prenaient ni en Conseil des ministres, ni avec son cabinet, mais à la tombée de la nuit, à l'heure où le Prince fumait dans son bureau des cigares avec des gens que nous ne voyions jamais, des grands patrons, des éditorialistes, des mercenaires envoyés en mission commandée. Et le Prince, ivre de pouvoir dans la fumée tourbillonnante, se laissait alors dicter presque toute sa politique. Il joue tous les soirs à Bonaparte, il joue à l'homme d'État de génie au milieu de ses généraux éblouis, ne se rendant plus compte, lui, l'animal politique le plus affûté qu'elle ait pourtant jamais connu, que ce sont eux qui le manipulent désormais.

Elle aurait pu le sauver si elle avait pu empêcher, aussi, qu'un ancien conseiller de Mitterrand ne lui présente, à l'automne, celle qui allait devenir sa troisième femme et qui le mettrait pour toujours à l'abri des tentations de la réalité. Elle était riche et célèbre, elle avait couché avec les hommes les plus puissants du monde et il y avait peu de stars, hommes ou femmes, avec qui il n'était pas possible de lui prêter une aventure. Elle avait été surtout, avec Claudia Schiffer, Naomi Campbell et Cindy Crawford, l'un des super-tops des années 1990, et toute une génération, la mienne, avait grandi à l'ombre de son grand nu dépliant. C'était, pour le Prince, après les réseaux corses de sa première femme et les réseaux médiatiques de la deuxième, l'accomplissement ultime, un morceau pur et incandescent de la voûte du star-system. Son arrivée à Londres, il y avait quelques jours de cela, dans une tenue Dior pastel et sur des ballerines fines destinées à ne pas paraître trop grande par rapport à lui, avait eu le charme des contes de fées, un conte de fées dont soudain le Prince, un peu bossu, un peu difforme, aurait été la princesse exaucée.

Il était trop tard désormais pour Nivelle et pour tous ceux qui croyaient au Prince : il avait quitté le monde. Après le désastre du premier été, l'été du bling-bling et des Ray-Ban Pilote, on pouvait à présent craindre un été de jet-setter — le nouveau riche ne pourrait s'empêcher de jouer à l'oligarque. Sa nouvelle épouse possédait une grande villa au cap Nègre, les photos volées de ses prochaines vacances seraient dévastatrices.

Nivelle avait pourtant tout essayé, entre son divorce et cette rencontre fatale, pour présidentialiser le Prince et réveiller en lui, avant que sa trop jolie Joséphine ne l'endorme, ses instincts bonapartistes. Il y avait eu, entre eux, à ce moment, quelque chose d'un amour platonique. Abandonné par sa femme, il dormait seul à l'Élysée. Nivelle avait pris l'habitude de le rejoindre, un peu avant minuit. Allongés tous les deux sur le chaste couvre-lit de la chambre présidentielle, ils avaient regardé ainsi, sur sa suggestion à elle, les trois premières saisons de la série *24 heures chrono*. Je ne crois pas qu'ils se soient jamais pris la main mais leurs cœurs avaient battu, pendant trois fois 24 heures, au même rythme que celui de Jack Bauer, l'homme qui avait vécu, pendant ces trois premières journées, plus d'événements que nous n'en vivrions jamais, Jack Bauer, le petit héros trapu de l'Amérique de l'après-11 Septembre, l'homme obligé de prendre, à la place des politiques lointains et des citoyens ignorants, les décisions urgentes et amorales nécessaires à la survie du monde libre. C'était lui, seulement lui, que Nivelle avait voulu que le Prince rencontre, lui plutôt que le noble et ennuyeux président Palmer, lui, l'homme devenu pur pouvoir, pure action, pur attribut de son Sig Sauer mat, lui, l'homme dont la psychologie avait éclaté et qui n'était plus qu'événement, décompte du temps, survol léger du monde, ivresse balistique et létale — l'homme délivré de tout par la raison d'État. En écoutant Nivelle parler de cet homme qu'ils avaient aimé ensemble, je comprenais peu à peu le pari désespéré qu'avait représenté le Prince pour elle, la dernière chance de croire à l'existence miraculeuse d'un homme moderne et libre, la dernière chance de la modernité elle-même de prouver qu'elle existait bien et qu'il pouvait exister, dans l'ennuyeuse histoire de la physique, des hommes encore capables d'incarner une liberté absolue et d'ouvrir autour d'eux la mer des hommes et des choses comme des héros bibliques. Nivelle était bien plus moderne que chrétienne, ou bien les deux termes étaient liés — la modernité comme hérésie chrétienne dont Nivelle était soudain, devant moi, dans le grand cube de verre du Triangle d'or, l'allégorie inquiète.

Tout cela est loin maintenant, mais je nous revois, Nivelle et moi, elle n'osant encore s'avouer complètement déçue, et moi, amoureux d'elle, tentant de la consoler en lui caressant la main et voyant tout autour de nous, par-delà la boîte en verre où nous nous étions réfugiés, le monde opérer une rotation silencieuse, pour revenir, comme dans un récit de conversion, à sa place initiale sans avoir changé en rien, sinon qu'il venait de confesser par là sa nature légère et spirituelle — j'avais alors tenu un peu plus fort ma vodka transparente et serré, de l'autre main, la main blanche et glacée de Nivelle — main qui a disparu soudain, me laissant seul et triste au cœur d'une révélation ratée.

Les gens ont peur de quitter les autoroutes en banlieue parisienne.

J'avais rendez-vous à Rueil, invité par le groupe Taulpin à l'inauguration de la trémie nord du tunnel de l'A86, le second périphérique de Paris, dont cet ouvrage d'art, qui relierait Vélizy et Versailles à ma boucle natale, marquerait la clôture définitive après quarante ans de travaux. Le tunnel de la Défense étant exceptionnellement fermé, j'avais dû contourner l'archipel moderniste, et je m'étais perdu dans ce paysage que je croyais familier. La chose avait pourtant bien commencé, l'itinéraire fléché préconisant de prendre la voie circulaire qui permettait de contourner la dalle et qui passait au pied des tours en verre. Le paysage avait la fluidité surréelle du décor d'un vieux jeu vidéo où les seules saccades auraient été provoquées par le remplacement continuel des tours par d'autres tours dans un monde au rendu parfait et à la cinématique impeccable. Mais il m'avait fallu très vite quitter cet état proche de l'hypnose et m'éloigner de la cité de cristal pour m'engager dans Nanterre.

Le trajet m'avait alors paru devoir durer une éternité, une éternité de motifs chaotiques, d'immeubles trop petits, de rues étroites et de sens uniques arbitraires. L'urbanisme parisien s'était brisé ici, sans autre raison apparente que l'éloignement des quartiers centraux, la ville s'était ensablée, sans idéal ni vision, ne laissant émerger d'elle-même que des formes disparates, asymétriques ou inachevées. Les rares bâtiments qui respectaient encore les gabarits haussmanniens, de plus en plus isolés, acquéraient là des propriétés spectrales — la ville, malgré leurs débords encourageants et crénelés, n'avait pas pris ici. Tout était resté étalé, cassé et approximatif, aux alentours immédiats de l'exacte Défense.

Le paysage évoquait une sorte d'apocalypse accidentelle et prolongée, quelque chose d'inexplicablement malsain, moins un cauchemar, en réalité, qu'un rêve répétitif dont l'horreur tiendrait à son absence de fin identifiable — la ville était dorénavant perdue et le monde moderne commençait à basculer dans un néant aléatoire.

Je suivais sans réfléchir les panneaux jaunes de la déviation, abandonnant toute tentative de compréhension plus globale. Prises individuellement, les choses faisaient encore sens, obéissaient encore à des impulsions raisonnables, comme ces pavillons qu'on avait clairement agrandis pour améliorer la vie d'une famille ou ces panneaux publicitaires dont l'afficheur, qui portait le nom un peu désuet d'Avenir, avait dû calculer l'emplacement et la vitesse de rafraîchissement avec soin, en l'indexant peut-être sur le rythme des feux, lui-même obscurément relié, via un réseau de capteurs souterrains, à des données en temps réel sur le trafic routier — capteurs que la fermeture du tunnel de la Défense devait mettre dans un état d'affolement relatif. Mais passé ces interactions invisibles, le paysage semblait mort et pétrifié, il n'exprimait rien, aucune signification, aucun témoignage du souffle, désormais épuisé, de l'esprit humain sur le monde.

Le paysage dépassait en tout cas les capacités de traitement du cerveau humain et rendait toutes les théories urbanistiques inopérantes, confuses et parcellaires ; il justifiait aussi le remplacement programmé des cartes par les GPS, qui substituaient à leur transparence intuitive le banal séquençage d'un itinéraire sécurisé.

Il aurait fallu entièrement réhabiliter cet îlot insalubre grand comme une ville de banlieue. Ou le détruire. J'ai alors reconnu, sur ma gauche, la pyramide tronquée de l'hôtel de ville de Nanterre, théâtre, cinq ans plus tôt, d'une tuerie effroyable, commise par un ancien militant écologiste qui s'était peut-être autant radicalisé au contact de ce paysage détruit que de la pyramide municipale qui prétendait l'ordonnancer encore. J'ai essayé de me souvenir de son nom et de son visage, mais celui qui m'est apparu à la place — son sosie presque parfait, en fait —, lui aussi révolté par la dévolution du monde, lui aussi fasciné pourtant par les figures maléfiques de ces grands précurseurs de l'homme moderne qu'avaient été Érostrate et Néron, lui aussi élevé dans une ville marquée par la figure architecturale un peu trop providentielle de la pyramide, avait été Mohammed Atta, l'enfant de Gizeh, le chef des commandos terroristes du 11 Septembre.

Et je me suis souvenu alors, dans la ville irrémissible, d'un détail de sa biographie dont la signification m'avait jusque-là échappé : il avait entrepris, parallèlement à son engagement dans l'islamisme radical, des études d'urbanisme très poussées à Hambourg. La chose avait en tout cas représenté pour lui beaucoup plus qu'une couverture et semblait l'avoir réellement passionné. Il était difficile d'imaginer qu'il allait commettre le plus grand acte de vandalisme qu'on ait jamais vu, quoiqu'on parvienne à discerner, dans ce que les médias avaient diffusé de son travail et de ses opinions urbanistiques, un rejet constant des tours, qu'il accusait notamment d'avoir dénaturé la société de son pays natal.

Je me rappelais que France Culture, fière de ne pas céder au chaos général, avait alors consacré son émission d'architecture hebdomadaire à Minoru Yamasaki, l'architecte du World Trade Center, dont un intervenant — j'apprendrais quelques mois plus tard que c'était Machelin lui-même — avait expliqué qu'il avait déjà été victime, vingt ans plus tôt, d'un acte de vandalisme insensé, avec l'implosion du grand ensemble qu'il avait construit à St. Louis, et qui était selon lui la première attaque planifiée contre l'architecture moderne.

Il ne restait plus rien des idéaux antiques d'une République parfaite, des idéaux chrétiens de la cité de Dieu et du grand projet moderne de l'émancipation des hommes. Les villes n'étaient plus que des structures vides destinées à implorer, en tentant de fonctionner toujours mieux et avec le plus d'intensité possible, le ciel que leur construction avait laissé vide.

Je n'avais pas vu de panneau déviation depuis longtemps quand j'ai soudain fini par reconnaître les lieux ; j'avais quitté Nanterre sans m'en apercevoir et j'avais basculé de l'autre côté de la Défense, pour me retrouver à quelques rues du lieu où j'avais grandi.

J'avais encore les clés. J'ai garé mon scooter devant la maison que j'avais mise en vente pour acheter mon appartement panoramique. Vide, avec ses escaliers à pic et ses trois niveaux, elle m'a paru minuscule — comme si mon enfance retrouvait soudain sa véritable échelle, une échelle décevante. Je tenais à peine debout dans ma chambre en soupente et je commençais à comprendre les difficultés de l'agence.

J'avais chargé une société de tout vider et, n'ayant pas eu le courage de faire un tri, de tout stocker dans un entrepôt Shurgard à Nanterre. La chose avait d'ailleurs été, comme une validation des théories de Robert Venturi sur les constructions auto-référentielles du postmodernisme, l'un des seuls bâtiments que j'avais reconnu dans ma désagréable odyssée périurbaine : comme la boutique de canard en forme de canard repérée par l'architecte à Long Island, un phare rouge et blanc flanquait l'entrepôt sécurisé.

Les déménageurs avaient étrangement laissé dans un coin une caisse en bois, remplie d'électronique ancienne. Il y avait là ma Super Nintendo et le radio-réveil dont les diodes rouges avaient veillé sur mon adolescence, ainsi que mon walkman autoreverse Aiwa et une télécommande dont les boutons en caoutchouc, innombrables et en rangées parallèles, avaient repris la liberté relative de la sève de l'hévéa, sève dont ils avaient aussi retrouvé le caractère poisseux — c'était celle du magnétoscope familial, dont j'avais oublié la marque, probablement japonaise, et qui avait été l'objet technique que j'avais le mieux maîtrisé de ma courte existence.

L'ensemble dégageait une odeur de vieux plastique, de renfermé, quelque chose d'indéfinissable aussi, qu'on sentait dans les greniers tapissés de laine de verre ou quand on s'approchait trop près des écrans à tube cathodique, quelque chose comme l'odeur électronique du temps, celle de l'électricité statique, une odeur qu'on ressentait, sans savoir en réalité s'il s'agissait d'une odeur ou d'une sensation plus profonde, d'une alarme invisible qui signalait un danger possible, comme la crainte de la foudre aux temps primitifs de la savane arborescente.

J'ai retrouvé parmi ces objets une cassette rouge que j'avais écoutée presque chaque soir, quand j'avais quatorze ou quinze ans, en allant fumer en cachette dans les rues de Colombes. Elle était arrivée dans ma vie de façon étrange, à l'occasion d'un petit héritage du côté de ma mère, quand le décès de l'un de ses oncles, un prêtre breton et mélomane, avait mis à ma disposition un matériel religieux — crucifix, missels et chants grégoriens — dont j'avais dû être le seul, parmi mes cousins, à percevoir l'intérêt. C'était là cependant la moins pieuse de toutes ces cassettes, une compilation des

meilleurs moments des grandes symphonies du
XIXᵉ siècle : la symphonie *Héroïque*, la symphonie
Inachevée et la symphonie *Jupiter*, *Le Vaisseau fan-*
tôme et *Zarathoustra*. La sélection était particulièrement bien faite pour un non-spécialiste : toutes
parvenaient, dès leurs premières notes et sur mon
cerveau peu habitué à un tel niveau de sublime, à
déclencher des épiphanies en cascade. L'adolescent
de banlieue que j'étais devenait soudain le sujet de
la loi morale, le voisin des abîmes, le messager des
dieux.

J'avais cru devenir alors, avec la réaction d'orgueil
qui saisit souvent les enfants intellectuellement pré-
coces quand ils attendent une puberté tardive, plus
vieux que tout ce que je connaissais du monde et
plus âgé que tous les adultes de mon entourage —
j'avais cru que je pourrais faire, plus que l'économie
d'une crise d'adolescence, terme détestable, l'économie d'une vie entière pour atteindre immédiatement
au stade mélancolique et glorieux de la sagesse.

Je me souviens très précisément du lieu de cette
révélation, c'était devant le grand cyprès de la maison voisine, dont les branches inextricables semblaient redoubler le mystère de son existence — il
existait en tant qu'arbre, ainsi que comme faisceau
de causes mélangées, et chacune de ses branches
paraissait aussi nécessaire à son existence que ses
racines invisibles —, et j'avais formé, devant cette
vision complète de la fatalité de l'univers, l'idée
nietzschéenne de *surdéterminisme*, la plus héroïque
des façons que j'avais trouvée de justifier le spectacle du monde en continuant à me passer d'un
créateur.

Notre maison, étroite et haute, était en meulière, cette pierre tourmentée caractéristique des premiers âges du monde pavillonnaire, et qui, née de la dissolution putride des organismes microscopiques qui l'avaient précédemment habitée, était comme la dégénérescence du calcaire parisien. Nous habitions ici, dans l'épaisseur de la ville, dans son écorce rugueuse comme les murs antibruit des autoroutes périphériques, et quelque chose nous interdisait d'accéder aux façades douces et claires de l'intramuros.

Mes parents aimaient faire valoir le caractère patrimonial de notre maison, construite par un architecte Art déco plutôt réputé et qui arborait sur chacune de ses faces un médaillon émaillé représentant une saison. Mais aucun ravalement, aucun nettoyeur à haute pression n'avait jamais pu en extraire la suie poisseuse vissée depuis un siècle à ses pierres poreuses et sombres. Elle demeurait ainsi une butte témoin de l'âge du charbon, un édifice lié au monde industriel, à jamais salie par sa position périphérique et condamnée à flotter à la surface de la ville, comme une pierre ponce incapable d'y être tout à fait plongée. Nous ne serions jamais repris par la capitale au nom si simple et si beau, par la capitale si proche et si lointaine, et nous resterions pour toujours captifs du méandre d'aval.

J'avais souvent eu cette vision, facilitée par le cannabis et la musique classique, de ma ville natale comme d'une ville maudite. La chose était bien sûr exagérée, et devait beaucoup aux noirceurs du romantisme allemand. Mais j'ai retrouvé facilement ce jour-là, en réécoutant la vieille cassette, ce

sentiment confus d'exil. Ces symphonies constituaient la bande originale de la révolution industrielle, de ce moment d'arrachement à la terre qui
m'apparaissait soudain dans toute son unité : l'exode rural et le développement du système ferroviaire, l'extraction acharnée du charbon et sa trans-
formation en acier, tout cela formant un seul
mouvement, une seule boucle mélodique, une seule
victoire dont les trophées trop lourds avaient été
déposés hâtivement au pied des villes triomphantes.
Les banlieues avaient été les champs de bataille
décisifs de la modernité et elle en avait conservé ce
caractère décharné, cet aspect convulsif — la vieille
ligne de front ne s'était plus jamais refermée.

La vie sur Terre n'appartenait plus aux hommes.
Plus aucune loi ne parvenait à rendre compte du
phénomène. On avait basculé, depuis que l'homme
avait rejoint les villes — et c'était maintenant plus
de la moitié de l'humanité qui vivait dans ces zones
confuses, dans la banlieue de l'idéal, dans les bras
mécaniques de cette machine de plus en plus autonome —, au-delà de tous les arts divinatoires
connus, de toutes les théories prédictives, dans un
monde qui avait survécu à la faillite de tous les
instruments rationnels qu'on avait pourtant crus
nécessaires à notre survie, mais qui continuait,
étrangement, à grossir de plus en plus et à concentrer toute la vie de l'univers.

Un mal inconnu avait pris possession de la Terre,
la Terre qui vue de l'espace diffusait par taches une
lumière jaune inquiétante qui lui promettait comme
un destin d'étoile.

Je suis reparti vers les tours de la Défense, point de repère facile. Mais je me suis, étrangement, perdu une nouvelle fois. J'ai fini par arriver, après en avoir longé la façade régulière en croyant pouvoir rejoindre les abords de l'esplanade, devant l'entrée d'un cimetière. Il avait été jeté là un peu précipitamment, pour pallier la saturation de l'ancien cimetière de Neuilly, dans l'axe de la voie triomphale, censée structurer l'urbanisme parisien jusqu'à la fin des temps, et brutalement interrompue, après quelques kilomètres, par les cadavres en décomposition des Neuilléens titulaires d'une concession à perpétuité.

Cette impéritie des urbanistes qui m'avaient précédé était irritante ; je devais tenter de corriger cette erreur grossière pour rétablir, au moins symboliquement, l'urbanisme dans ses droits jusqu'au prochain méandre. On pourrait remplacer ce malencontreux cimetière par une cité des morts verticale — plusieurs villes du monde en étudiaient le concept —, située, pourquoi pas, sur l'esplanade elle-même. La chose aurait eu valeur d'exemple, les six grands cimetières extra-muros de Paris, presque entièrement dépourvus de charme, occupant à peu près la surface du Central Park qui manquait à Paris : c'était un gâchis considérable.

Cela a constitué le point de départ de la longue note que j'ai commencé à rédiger le soir même sur l'avenir de Paris : j'avais identifié, après cette première rupture, plusieurs autres endroits où la ville menaçait de casser, comme dans ces représentations en trois dimensions d'une pièce mécanique qui révélaient, en rouge, les zones soumises à de trop fortes tensions et susceptibles de rompre. J'avais, à l'inverse, identifié des vides mystérieux qui pouvaient faire l'objet de grands programmes d'urbanisme. C'était une façon de mettre définitivement fin à l'utopie des villes nouvelles, destinées au départ à préserver un anneau de verdure entre elles et Paris. Mais la réserve naturelle avait depuis longtemps disparu pour laisser place aux rectangles colorés des magasins géants et aux constructions basses des entrepôts logistiques — des bâtiments architecturalement si neutres que nous refusions encore d'admettre qu'ils étaient les seuls vrais monuments de notre époque indécise : les grands témoins de la mondialisation des échanges, de la désindustrialisation de la France et d'une idée de la fin de l'histoire en réalité plus heureuse que tragique. Il ne devrait plus y avoir de vieux Paris ni de villes nouvelles, de banlieues difficiles ou de glacis pavillonnaire, mais un seul espace, une seule métropole, la métropole du Grand Paris. Je rêvais de réconcilier Paris et sa banlieue, d'abolir les vaines distinctions entre intra-muros, petite et grande couronne. J'avais ainsi imaginé de lever la vieille malédiction des enceintes et du périphérique, à travers un vaste programme de réhabilitation des portes de Paris, lieux restés jusque-là délaissés et qu'on devrait apprendre à considérer comme les places du Grand Paris plutôt que comme les portes du Paris historique. Je voulais aussi réouvrir le ciel de Paris aux tours, redevenues, depuis que l'Asie s'était mise à battre les records américains, les objets iconiques de la modernité architecturale.

Tout cela manquant un peu d'unité et de vision, j'ai adjoint à ma note une introduction historique, certain que cela plairait à Nivelle, dont l'obsession, alors que l'état de grâce approchait de son terme, était de rendre un peu de lisibilité et de profondeur à l'action du Prince, dans les faits plutôt erratique. Mes projets urbanistiques devaient posséder la dimension d'une geste présidentielle.

Je commençais ainsi par montrer que de Gaulle avait été moins un bâtisseur qu'un visionnaire, plus un urbaniste qu'un architecte. Je rabattais en fait cette figure encombrante, dont la contribution à l'architecture française se serait limitée sans cela à la croix de Lorraine géante de Colombey, derrière l'œuvre magistrale de l'un de ses serviteurs, le légendaire Paul Delouvrier, le visionnaire génial, l'ami de mon grand-père. Je célébrais ainsi la construction des villes nouvelles, destinées moins à affaiblir Paris qu'à augmenter la portée de la Ville lumière sans trop en épaissir le tissu urbain, mais en dégageant au contraire, autour de ces nouveaux foyers, des vides, des parcs, des vallées profondes et presque giboyeuses, des morceaux de campagne intacts formant ensemble une ceinture verte — on pouvait comparer cet urbanisme du plein et du vide aux lentilles de Fresnel qui équipaient les phares, lentilles aussi puissantes que légères, et dont le caractère ajouré permettait paradoxalement une meilleure concentration de la lumière ; je n'oubliais pas, en empiétant un peu sur les règnes de Pompidou et Giscard, de montrer comment ces villes nouvelles allaient s'articuler avec la ville-centre grâce à un chef-d'œuvre architectural, le complexe souterrain, commercial et ferroviaire des Halles.

Je faisais défiler ensuite, après ce panorama succinct des réalisations urbanistiques du fondateur de la Cinquième, tous ses successeurs, dont les mandats se trouvaient ramenés à quelques monuments — j'entendais montrer, selon les formules maintes fois répétées par les politologues, qu'un grand président devait *inscrire son mandat dans la pierre* pour *ne pas manquer son rendez-vous avec l'histoire*, mais qu'à trop chercher, aussi, le prestige plutôt que la fonction, on ne se montrait pas à la hauteur de la fonction présidentielle : l'histoire de France n'avait jamais manqué d'architectes, mais les urbanistes y étaient rares.

Dans l'onomastique parisienne, deux noms attestaient du passage sur terre du président Pompidou : une voie rapide qui longeait habilement la Seine presque au niveau de l'eau, et le Centre Pompidou, que l'intelligentsia de gauche avait toujours préféré appeler *Beaubourg*, mais sans aller jusqu'à contester qu'un portrait cinétique du président défunt par Vasarely en orne le hall, ni qu'on ait finalement baptisé Georges le restaurant panoramique du niveau 6 : le président sous cortisone, vague ectoplasme dont on se souvenait tout au plus qu'il fumait, comme Gainsbourg, à la télévision, valait cachet d'époque et désignait au visiteur la rafraîchissante inconscience de l'ère industrielle. On se rappelait aussi, devant les tubes colorés de l'édifice, qu'on aimait jadis le comparer à une raffinerie, mais sans arriver à déterminer si cela se voulait alors un compliment ou un reproche.

Il était revenu au président Giscard d'Estaing d'inaugurer ce grand musée du XXe siècle. Mais c'est plus tristement à un autre projet que le président déchu était resté associé, en tant que président cette fois de la région Auvergne, connue pour ses volcans et, depuis 2002, pour son parc à thème volcanique Vulcania, édifice de loisirs à vocation scientifique doté d'un geyser artificiel et d'un cratère cinématique — la logique des monuments était souvent cruelle.

Son successeur avait su, en apparence, la retourner à son profit. Mitterrand est ainsi resté dans l'imaginaire français comme un président bâtisseur, un Louis XIV républicain, un pharaon démocrate. La chose avait en tout cas été parfaitement mise en scène, mais l'aventure manquait singulièrement d'audace. Le président avait en réalité survolé son sujet, posant ici ou là des monuments facilement spectaculaires, comme l'Arche ou la pyramide du Louvre, mais n'était jamais véritablement intervenu dans le plan de la ville, pas plus qu'il n'avait tenté d'en changer les dimensions : son Paris restait celui des touristes et des provinciaux, un Paris pour les yeux et pour les enfants, destiné à finir en diapositives dans la coque en plastique coloré d'un appareil photo factice vendu à Montmartre. On entendait presque les clics du bouton-poussoir entre les monuments.

C'était un Paris de décorateur de théâtre plutôt qu'un Paris d'architecte, avec ses intéressants ratés, comme le concours de l'Opéra Bastille, qui avait vu le jury choisir la proposition pataude d'un jeune architecte en croyant y reconnaître la main de Richard Meier, valeur sûre de l'architecture chirurgicale des années 1980. Les plaques blanches responsables de la confusion avaient d'ailleurs ironiquement commencé à se détacher peu après la construction de l'édifice, rendant nécessaire la pose d'un filet de protection, pour le coup absolument original, avant que d'autres ratages similaires ne fassent de cet élément de décor imprévu, et d'habitude réservé aux corridors alpins, un accessoire iconique de l'ère mitterrandienne.

Chirac avait été, lui, avant que la chose ne devienne une insulte dans la bouche des sociologues ou des urbanistes, l'instigateur de la ville-musée, aux gabarits intangibles et aux ségrégations spatiales minutieusement pensées pour mettre en valeur le patrimoine sans nuire à l'activité économique — il avait ainsi été le grand promoteur du *façadisme*, doctrine architecturale réprouvée qui laissait les façades intactes pour mieux remplacer, derrière elles, les hommes par des photocopieurs.

Paris avait en réalité peu changé au cours de ces cinquante dernières années et ses habitants tendaient à considérer que c'était plutôt une bonne chose.

L'histoire architecturale de Paris était finie, le temps était devenu cyclique. On tournerait de quartier en quartier sans toucher au bâti et en marquant même une certaine prédilection pour les zones qui n'auraient jamais connu l'urbanisme. Bastille avait ainsi été à la mode pendant les années 1980, avant le Marais dans les années 1990 et Oberkampf pendant les années 2000, puis cela avait été au tour du faubourg Saint-Denis, le lieu même de notre triomphe. Mais un Parisien sur cinq était exclu du jeu de la gentrification et de la redécouverte émerveillée des anciens quartiers populaires — les 8 millions d'habitants de ce qu'on s'obstinait à appeler la banlieue, l'espace des Franciliens, de ceux qu'on refusait d'appeler Parisiens et qui constituaient pourtant le vrai peuple de Paris.

Ceux-là subissaient l'éloignement et les mauvaises conditions de transport. Ils vivaient dans un monde unanimement considéré comme laid et, malgré la tentative polycentrique des villes nouvelles, comme irrémédiablement périphérique. Ils demeuraient cependant trop admiratifs de Paris, la ville achevée et parfaite, pour y renoncer complètement — ils en subissaient l'attraction fatale, et n'hésitaient jamais d'ailleurs, à l'étranger ou en province, à usurper le titre de Parisiens.

Le système ferroviaire de la métropole valait les meilleurs systèmes de ségrégation sociale, les meilleurs systèmes de castes ou d'apartheid : les habitants de Paris avaient le métro, ceux de la banlieue avaient le RER. Les deux systèmes se chevauchaient sans se croiser vraiment. Le métro, construit la plupart du temps en tranchée sous les rues, voire posé sur un viaduc circulaire à l'emplacement des boulevards extérieurs, restait près de la surface, à deux escaliers de la ville, tandis que le RER, aux galeries creusées par des tunneliers monstrueux, se trouvait coupé de tout lien organique avec la ville et traversait des abysses suffocants saturés d'hydrogène sulfuré et de banlieusards aux couleurs incertaines sous des néons tremblants.

Machelin m'avait emmené un jour, au-delà de Provins — mais la chose existait à toutes les extrémités du réseau —, vers le parking gigantesque qui permettait aux habitants des confins de la métropole d'économiser une dizaine d'euros mensuels en franchissant en voiture les enceintes invisibles des zones tarifaires.

Il était fréquent que ceux-là traversent Paris sans s'y arrêter, de banlieue à banlieue — ainsi des habitants de Marne-la-Vallée, sur la ligne A, qui travaillaient à la Défense —, comme il était fréquent que les Parisiens du centre n'empruntent jamais le RER, considéré comme incommensurablement plus dangereux et plus sale que le métro. Un détail cauchemardesque signalait d'ailleurs le passage de l'un à l'autre monde, la traversée redoutée du miroir : le métro roulait à droite, comme les voitures dans les rues, quand le RER, qui roulait à gauche comme les trains, arrivait toujours par surprise sur le bord de ses quais démesurés.

Le métro tendait naturellement à éviter les terres obscures de la périphérie. Si la ligne 1, la plus fréquentée, tentait, après sa traversée de l'inoffensive Neuilly, une résurgence à la Défense, la ligne 4, presque aussi fréquentée qu'elle, s'arrêtait superbement porte d'Orléans au sud et porte de Clignancourt au nord, comme si le champ de force invisible du périphérique s'était propagé au sous-sol. Il fallait à cet égard féliciter le président Giscard d'avoir toujours préféré le terme de métro de l'Île-de-France à celui, trop technocratique et ferroviaire, de RER, ou Réseau express régional — mais sa rivalité avec Chirac, alors maire de Paris, expliquait sans doute cette préférence, qui devait rester sans effet sur la réalité.

Je savais pourtant que cette idée de métro francilien devrait à un moment ou un autre revenir sur le devant de la scène, ces deux cartes superposées demeurant insatisfaisantes. On ne réformerait Paris qu'en rééditant l'opération magique des Halles, celle d'une inversion brutale du centre et de la périphérie, mais cette fois-ci à une échelle encore supérieure.

La prochaine convulsion du réseau devrait agréger la métropole entière, considérée enfin comme un tout indivisible. J'en appelais ainsi à la construction d'un système de transport hybride, cadencé et sûr comme le métro, mais mis au contact du Grand Ailleurs des zones périphériques. Aux vingt arrondissements actuels, j'allais en ajouter cent autres, cent arrondissements qui porteraient cette fois non pas des numéros mais des noms de villes, les noms de ces villes captives d'une banlieue dont le Grand Paris Express — c'était le nom que j'avais imaginé — aurait offert le rattachement définitif à la capitale de la France.

Ce serait alors la fin définitive de ce scandale urbanistique qui durait depuis des siècles, ce serait la fin des banlieues, de cette ville indistincte égarée loin des villes, ville qui était étymologiquement celle des bannis et qui était restée un lieu de relégation, avant de devenir celui d'une interminable crise qui ressemblait de plus en plus à une guerre civile.

J'avais fait figurer, sur la première page de ma note, un schéma simplifié du futur Grand Paris Express, qui désignait les points d'intersection entre la carte de l'agglomération parisienne telle qu'on la connaissait et le territoire invisible du monde des infrastructures — les pointillés que la ville saurait exploiter pour trouver seule sa forme optimale. Je m'étais inspiré d'une carte du Quartier latin que j'avais vue chez Machelin, carte sur laquelle apparaissaient, comme les lignes de faille d'un cristal sur le point d'éclater, toutes les barricades des journées insurrectionnelles de mai — carte dont l'esthétique générale demeurait cependant plus proche de celle d'un schéma d'aménagement de l'ère gaulliste que d'une gravure révolutionnaire.

Le calme apparent de la surface était, dans les deux cas, menacé par ces intrusions, ces fissures, cette gestation souterraine de la ville du futur — on était entre le romanesque naïf de la vue en coupe d'un immeuble parisien et le sublime terminal de celle d'une arche interstellaire. J'avais désigné, à l'intention des infrastructures du Grand Paris Express, les lieux où la ville, accablée, pourrait recevoir le secours de ce dieu mécanique.

Le Grand Paris Express ferait magiquement apparaître, au-dessus de la forme confuse de l'agglomération parisienne, une ville inédite, aussi fraîche qu'elle était ancienne, une ville aussi grande que Londres et aussi vivante que New York, une ville qui venait de voir sa population multipliée par cinq et sa surface grossir, instantanément et presque sans aucuns travaux, jusqu'à la taille critique d'une mégalopole.

Nivelle m'a convoqué, à la fin de l'été, pour suivre l'avancée de mon travail. Elle allait lui donner une dimension inattendue.

La réforme du Grand Paris — puisque c'était de cela qu'il s'agissait, même si j'avançais prudemment derrière mes projets d'infrastructures — serait l'une des deux ou trois grandes réformes du quinquennat. Et, avait-elle ajouté, ce sur quoi nous serons peut-être tous jugés. Ma note manquait cependant un peu de méthode et de sens de la mise en scène. J'avais mélangé l'essentiel et le secondaire, pensant que Paris pouvait faire l'objet d'une métamorphose invisible. J'avais négligé la passion absolue du peuple de France pour les symboles ostentatoires et le goût du Prince pour les coups d'éclat médiatiques.

D'une certaine manière, les infrastructures étaient moins importantes que l'architecture institutionnelle de la chose, avait souligné Nivelle — la très politique Nivelle. L'infrastructure organisationnelle, c'était l'enjeu majeur. Trouver à faire fonctionner le Grand Paris, ses milliers d'élus, ses centaines de conseils municipaux, ses huit conseils généraux, ses instances régionales qui contrôlaient les transports et, au-dessus d'elles, l'État qui supervisait les fonctions stratégiques de l'ensemble. L'infrastructure institutionnelle devait être remise à plat, les cartes rebattues, le mille-feuille écrasé. Le Grand Paris devait être repensé dans une perspective nouvelle — perspective anomale et sans points de fuite, perspective cavalière de cette ville faite de quatre cents communes juxtaposées, toutes rivales et toutes haïssant Paris, la ville de tous les privilèges et l'unique centre, pourtant, d'une agglomération sans lui dysfonctionnelle et anonyme.

Il fallait changer d'échelle, passer du Paris historique au Grand Paris de l'avenir. Mais je devais le dire plus fortement. Nous allions créer le Grand Paris, la marque Grand Paris. Ce serait avant tout une marque politique. Ce serait le grand projet, l'axe majeur. Tout pouvait échouer mais pas cela. Le Grand Paris devait réussir. Paris était peut-être la seule chose qui marchait encore bien en France, la seule chose qui n'avait pas décroché. La ville demeurait dans à peu près tous les classements la troisième ville la plus influente du monde après New York et Londres.

Nous n'avions plus le choix si nous voulions sauver cette chose presque sacrée dont nous parlions encore avec des frissons : l'élan de la campagne, d'une campagne marquée par l'idée presque magique de rupture, et par la redécouverte que la politique, à l'opposé des autres sciences, qui recherchaient la régularité de la loi et la monotonie du nécessaire, était la science de l'imprévu, de l'unique, du possible et de l'inespéré. Nous avions cru aux promesses messianiques de notre candidat et avions toujours compris son slogan de campagne comme un défi métaphysique : *Ensemble, tout devient possible.*

Le Grand Paris était peut-être l'unique concept qui soit à la hauteur de ce programme. Ce serait l'outil merveilleux de la politique du Prince, son arme pour exister enfin, non auprès de la gauche, qui le détestait si passionnément que c'était elle, d'une certaine manière, qui l'avait désigné comme le candidat naturel de la droite — il était le candidat le plus merveilleusement clivant qu'on ait jamais vu en France —, mais auprès de son propre camp, qui continuait à douter de lui, qui lui reprochait en aparté son teint pâle, ses trois mariages et ses mauvaises manières, qui lui aurait préféré, s'il n'avait pas pris soin de l'assassiner lui-même, un rival plus grand, plus beau et plus français que lui.

Mais le Prince allait offrir à cette droite hostile le plus beau cadeau qu'un roi ait jamais offert à l'un de ses vassaux : non pas Paris, mais Paris en mieux, Paris augmenté, Paris redevenu la capitale du monde — ce Grand Paris que j'aurais fabriqué pour lui et pour sa clientèle bourgeoise, hautaine et prétentieuse.

Il s'agissait, avait continué Nivelle, d'une nouvelle libération de Paris, de la fabrique d'un dragon européen, de la relance soudaine de la ville sur la rampe verticale de la modernité : Paris comme un nouveau Séoul, comme un nouveau Shanghai, comme une machine à ridiculiser New York et Londres. Plus qu'un pays, avec ses effets de balourd et de contrepoids pénibles, avec les aménagements

303

infinis de sa carte fractale et les coûts ruineux de ses territoires périphériques, je tenais entre mes mains un objet pur et incandescent, dense et indestructible.

Le projet de Grand Paris, à peine esquissé, se heurtait pourtant à une difficulté majeure : Paris avait été conquis par la gauche en 2001, Paris ne nous appartenait plus. Nous l'avions perdu et la chose dérivait mollement depuis, sans projet politique majeur. La ville-monde était devenue une jolie ville de province, une ville agréable aux Parisiens, plutôt démocratique même, et probablement moins corrompue que pendant les années Chirac, mais inutile au monde, et aussi lisse que ses boulevards extérieurs réaménagés pour le passage du tramway — son dernier grand projet d'infrastructure, tout juste digne d'une capitale de région.

Écrasée par sa propre banlieue, quatre ou cinq fois plus peuplée qu'elle, et institutionnellement privée des outils qui lui auraient permis de réaffirmer sa préséance, la ville se dévorait elle-même, cherchant partout de l'espace, transformant l'été ses voies sur berges en parcs éphémères, colonisant aux Batignolles ou à Tolbiac les dernières emprises ferroviaires de la SNCF, cherchant partout, dans sa voirie serrée et son onomastique saturée, ce qui pouvait encore ressembler à une place, pour lui donner aussitôt le nom d'un héros progressiste. Paris était devenu le lieu du culte laïc et sage d'une démocratie décevante et irréprochable. Paris s'accrochait à la modernité magnétique de ses bornes Vélib', comme il s'accrochait à tout ce qui lui rappelait son passé de ville moderne et éblouissante ; Paris commémorait sans fin l'avenir qu'il avait représenté mais ne communiait plus que dans les idées complémentaires de fin de l'histoire et d'économie circulaire.

Paris, définitivement, nous échappait, Paris la capitale des bobos, ces bourgeois qui pour la première fois, peut-être, dans l'histoire du suffrage universel, non seulement votaient contre nous, mais donnaient en plus à leur vote une composante artiste insupportable, allant jusqu'à voter pour des candidats écologistes ou trotskistes. Nivelle avait manifesté, en utilisant ce mot pour elle absolument anachronique, beaucoup plus de surprise que de dégoût — elle avait alors souri et j'avais vu passer quelque chose de cruel dans ses yeux bleus. Je m'étais souvent demandé comment elle conciliait sa pratique politique avec le message des Évangiles. La réponse était à cet instant assez claire : il n'y avait dans ces moments plus rien de chrétien en elle.

Elle avait un plan, un plan de reconquête.

Elle m'a d'abord rappelé à quel prix s'était faite jadis la modernisation de Paris, le plan Delouvrier et les villes nouvelles : de Gaulle avait dû créer les trois départements de la petite couronne et offrir l'un d'entre eux, le plus pauvre, le plus ouvrier, au Parti communiste. Le Grand Paris des Trente Glorieuses avait eu un coût, exorbitant et nécessaire : la création, juste à côté de la capitale de la France, d'une utopie marxiste.

Un département construit autour d'une ville nouvelle, Bobigny — où je n'étais jamais allé mais qui m'évoquait un mélange entre Brasília et une ville interdite de l'ancienne URSS. Un département où près de la moitié de la population vivait dans des logements sociaux, ou assimilés, et dont plus du tiers des habitants — la moitié, si l'on comptait les enfants — vivaient des minima sociaux. Un département dont les élus avaient planifié l'extrême pauvreté pour des raisons idéologiques et électoralistes, et dont ils avaient fait en plus, pour satisfaire à la ligne internationaliste du Parti et contrôler ainsi des populations plus grandes et plus dociles, le département vers lequel transitaient plus de la moitié des nouveaux arrivants en France. Un département où les lieux culturels, les théâtres, les cinémas et les bibliothèques diffusaient légalement depuis un demi-siècle la subversion gauchiste : Jean Ferrat chantait des textes d'Aragon dans des MJC Picasso ou Lénine, Manu Chao invoquait le sous-commandant Marcos à la Fête de l'Huma, un groupe de rap appelait à l'abrogation des lois Pasqua ou Debré dans une médiathèque Louise-Michel, une école maternelle était occupée par un collectif d'artistes anti-expulsion — j'en étais arrivé à me demander si Nivelle ne venait pas de compulser une vieille note des RG.

Après ce tableau apocalyptique, Nivelle a marqué un temps : « Ce département, vous allez le reconquérir. Nous allons le reconquérir. Puisque Paris vote à gauche, nous ferons voter la Seine-Saint-Denis à droite. Faire voter les pauvres et les ouvriers pour nous, nous savons désormais le faire. La campagne qui vient de s'achever est le laboratoire de la nouvelle droite, populaire et sécuritaire. La Seine-Saint-Denis, alliée aux Hauts-de-Seine et au Val-de-Marne, nous donne le contrôle hégémonique du

Grand Paris, quelle que soit la forme institutionnelle qu'il prendra.

« Vous aurez votre métro, et pour lui donner un
supplément d'âme, nous pourrions même organiser
une sorte de concours d'architectes. Mais en vérité
le Grand Paris n'est qu'une opération de redécoupage électoral. » Nivelle m'a alors annoncé qu'elle
avait quelqu'un à me présenter.

L'homme qui est entré était une figure connue
de la vie politique française. Obèse au point de laisser entrevoir son ventre blanc entre les boutons de
sa chemise tendue, portant des lunettes sans mon-
ture qui laissaient apparaître sous ses yeux tout un
filet de rides, Michel Pornier avait l'air beaucoup
plus vieux qu'à la télé.

Il avait pourtant été l'un des plus jeunes ministres
du gouvernement Balladur — celui dont le Prince
avait été le ministre du Budget et le porte-parole.
Lui avait été, en tant qu'unique maire de droite
d'une commune du 93 — Vaubron, sur les contreforts du plateau de Clichy-sous-Bois —, nommé
ministre de la Ville. Pornier, qui avait fait de sa ville
une enclave d'ordre au milieu du chaos, semblait
alors l'homme de la situation. Mais sa carrière avait
beaucoup souffert, après 95, de la disgrâce des bal-
laduriens — lui n'avait jamais vraiment réussi,
comme le Prince, à rebondir après sa traversée du
désert.

J'ai appris ce jour-là qu'ils avaient commencé la
politique ensemble. Ils avaient été amis, amis très
proches, jusqu'au 6 mai 2007 — les présidents,
m'a-t-il expliqué, lucide et un peu amer, n'ont plus

d'amis. J'ai compris que quelque chose s'était brisé quand il s'était vu refuser l'accès au Fouquet's.

Il était possible, au fond, que la finalité politique première de toute la réforme du Grand Paris ne soit qu'un moyen qu'avaient imaginé le Prince et Nivelle pour apaiser le mécontentement de Pornier, qui devait représenter, d'une façon ou d'une autre — sans doute en tant qu'ancien intime du Prince et dépositaire de certains des secrets les mieux gardés des *Pasqua boys* —, un danger potentiel.

Mais la vie de cabinet m'avait appris à ne pas poser trop de questions, et à accepter que les motifs du pouvoir soient souvent impurs. Faire le Grand Paris pour sauver la France, pour détruire la gauche parisienne ou pour acheter le silence d'un homme, toutes les raisons étaient acceptables. J'étais au service du Prince.

C'était le début de l'automne, les dernières lueurs de l'état de grâce et du foudroyant été 2007. J'avais passé plusieurs jours à écrire ce qui allait rester, au dire des spécialistes, architectes et politologues, l'un des grands discours régaliens du Prince. C'était pour l'inauguration de la Cité de l'architecture, dans l'aile nord du palais de Chaillot, face à la tour Eiffel — la modernisation, en fait, du musée des Monuments français, avec ses moulages en plâtre des plus beaux portiques d'église de France — les têtes de noyées de la France chrétienne, m'avait dit étrangement Nivelle à l'oreille, en me demandant si j'avais lu Aragon.

Je n'avais pas lu Aragon mais j'avais personnellement accueilli les plus grands architectes français, avec leurs écharpes en cachemire de Chandigarh, leurs lunettes excentriques et leurs cheveux défaits — à l'exception de l'un d'eux, sans doute le plus célèbre, parfaitement chauve et qui semblait avoir été redessiné par Starck, avec son crâne pointu et ses oreilles elfiques. Il y avait là deux Pritzker et sept Équerre d'argent, les auteurs de plusieurs bâtiments à plus d'un milliard d'euros, des vétérans des grands travaux mitterrandiens, des contributeurs remarqués à l'écriture de la *skyline* new-yorkaise comme des théoriciens de la ville du XXIe siècle. Ils avaient presque tous écrit des manifestes que j'avais lus, et tous avaient apporté des réponses décisives au malaise des banlieues, à la crise de la représentativité politique, à l'urgence écologique et au désenchantement du monde. Ils avaient pensé la ville, et le Grand Paris était presque trop petit pour eux. Il fallait peut-être remonter au congrès flottant de la charte d'Athènes ou à la construction collective du siège des Nations unies à New York pour trouver une telle concentration d'orgueil bâtisseur.

Ils méprisaient bien entendu le Prince et s'étaient regardés, consternés, quand, au terme de sa visite de l'appartement témoin de la Cité radieuse fabriqué par des lycéens en apprentissage, il avait lâché qu'à tout prendre il préférerait habiter dans un camping-car — il n'avait clairement pas lu ma note préparatoire. Les architectes avaient souri cruellement, mais c'était moi, et non le Prince, qui m'étais senti le plus mal à l'aise : lui pouvait jouer innocemment au naïf, et même à l'idiot, quand je devais être, moi, son conseiller en urbanisme et en architecture, infaillible et irréprochable. Mais je savais que je n'avais de toute façon aucune chance d'être pris pour autre chose que pour un imposteur. On n'était poli avec moi — un parfait inconnu qui avait fait l'objet, déjà, de plusieurs tribunes perplexes — que dans la mesure où j'avais l'oreille du Prince et la main sur des budgets pharaoniques.

Les architectes formaient une caste étrange. Une élite professionnelle incontestée, même par rapport aux médecins, qui devaient rester des praticiens quand eux pouvaient se contenter d'être des intellectuels purs — mais des intellectuels dont les méditations trouvaient à s'incarner. L'architecte, depuis les années 1930, depuis Le Corbusier, était l'homme héroïque, l'homme dans toute sa splendeur et dans toute sa démesure. Il possédait le don unique de changer le monde avec un simple dessin — au trait souvent confus et maladroit. Il occupait presque seul, en étant à la fois un artiste et un ingénieur, une place qui, dans un pays très marqué par la séparation entre littéraires et scientifiques, lui octroyait une fonction anthropologique privilégiée — fonction d'autant plus importante que son métier le mettait en relation directe avec l'élite du pays, élite dont il avait à cœur d'interpréter les rêves. Les meilleurs d'entre eux, comme ce matin, étaient même appelés à engager d'égal à égal avec le prince du jour un dialogue direct et franc, par-dessus les vicissitudes du temps et la petitesse des hommes.

Mon discours mettait précisément cela en scène. Il n'existait pas de grand prince sans architectes, ni de carrières d'architectes réussies sans commande princière : « L'architecture, c'est l'identité de notre pays pour les cinquante ans qui viennent. Il est tout à fait normal qu'en tant que chef de l'État je m'engage pleinement dans cette mission : redonner à l'architecture la possibilité de l'audace. »

Le Prince avait auparavant défendu l'idée que la culture n'était pas un luxe, mais l'âme même de la civilisation, et que l'architecture était peut-être, de toutes ses manifestations, la plus directement universelle : c'était la culture rendue habitable et démontrant enfin son évidente utilité. J'avais glissé ensuite quelques pointes polémiques, contre la France moche des accumulations périurbaines et des lotissements où ne passait plus le souffle de l'histoire, contre ces quatre-vingt-trois pour cent de maisons construites sur catalogue sans l'intervention d'un architecte, contre ces bâtiments désincarnés qui défiguraient la France, les entrepôts en tôle, les ronds-points, l'abandon général du périurbain à la laideur d'un pragmatisme dénué de toute vision esthétique — ce dernier point, un peu démagogique, m'avait été inspiré par des souvenirs d'enfance de Mitterrand, le président esthète, qui s'était battu pour que les toitures du Morvan, quel qu'en soit le prix, demeurent, par souci d'harmonie chromatique, en ardoises pluvieuses et argentées plutôt qu'en tuiles, moins chères mais trop italianisantes. Cette partie de mon discours avait été très appréciée par tous ceux qui, de Nivelle à Rouvert, la plume officielle du Prince, farouche et patriotique, luttaient pour que le Prince, après les fautes de goût de l'été, s'apaise, se recentre et se présidentialise.

Le Prince plébiscitait ensuite une approche pragmatique au sujet des constructions de grande hauteur, déplorant moins, contrairement à ses trois prédécesseurs, la tour Montparnasse en elle-même que le mauvais effet d'échelle, qui avait eu tendance à trop rapetisser le quartier alentour — c'était le mieux que j'avais pu faire sur ce dossier sensible. Mais il faisait ensuite un éloge appuyé de la Défense : qu'un président de la République paraisse aimer les tours, c'était en soi une révolution, et l'assistance avait alors senti que tout redevenait possible. J'ai même cru que l'un des architectes allait pleurer. C'était pourtant le plus célèbre de tous, en tout cas le plus gâté par la commande publique, le seul qui puisse se targuer d'avoir bâti trois musées à Paris, dont deux sur les quais de la Seine. Mais il était, disait-on, à jamais blessé de n'avoir pas réussi à construire à la Défense sa tour sans fin, tour dont la Cité de l'architecture exposait, un peu cruellement, une maquette en plexiglas jauni.

Après avoir un instant joué à faire peur à l'assistance en évoquant la ville de l'après-Kyoto, du nom du protocole international sur la réduction des gaz à effet de serre qui avait brutalement mis fin à l'ère triomphante de la révolution industrielle et de la démesure urbaine qui lui était jusque-là associée — les architectes avaient pour la plupart préféré continuer à jouer sur les deux tableaux en ouvrant des bureaux à Dubaï et Shanghai, deux métropoles à l'hybris intacte et au bilan carbone truqué —, le Prince en était arrivé enfin, et c'était l'objet principal de son discours, le moment où il devenait de Gaulle ou Napoléon III et moi Delouvrier ou Haussmann, à l'annonce d'une consultation architecturale internationale sur le Grand Paris. L'effet de cette annonce a été salué par des cris, des embrassades et une standing ovation de presque deux minutes. J'ai connu alors, immobile au premier rang, retenant des larmes de joie et croisant un instant le regard du Prince, qui m'a adressé un sourire complice, le sommet incontestable de ma courte carrière politique.

Le Grand Paris Express est alors devenu un projet presque messianique.

Nous avions rejoint le Prince — et je commençais très lentement à réaliser ce que ce choix avait de crépusculaire — pour relever une dernière fois le défi, tel que les libéraux français l'avaient formulé depuis un demi-siècle : la France pouvait encore tenir son rang de grande puissance à condition de sortir des velléités socialisantes de l'après-guerre, celles que la victoire de Mitterrand en 1981 avait réactivées à contretemps, celles dont Jospin, en réduisant à trente-cinq heures la durée légale du travail hebdomadaire, avait abusivement fait croire qu'elles étaient compatibles avec le monde qui venait — et qu'elles permettraient même de sécuriser l'entrée de la France dans un XXIe siècle équitable et vertueux. L'erreur avait été terrible, alors que la Chine était devenue l'atelier du monde, que l'Indien Lakshmi Mittal venait de racheter Arcelor et qu'aucun grand groupe industriel français n'était plus à l'abri d'une OPA hostile.

Nous avions tous lu le best-seller apocalyptique

d'un frêle héritier d'Aron, de Tocqueville et de Turgot qui avait tenté, presque en vain, d'appeler au sursaut, à la réforme de la dernière chance, au redressement de la France. Mais l'image de celle-ci, sur la couverture du livre, recadrée pour ne laisser apparaître que la face accidentée et décroissante de sa frontière nord-est, laissait très peu d'espoir — c'était le lieu même de la révolution industrielle et de sa fin malheureuse, avec ses fermetures de mines et d'usines, son chômage endémique et sa croissance atone.

Le succès médiatique de l'ouvrage avait en tout cas été de nature à impulser la dynamique d'une sortie de crise ; la boîte à outils libérale était ouverte, proposant tout un stock d'idées où le bon sens le disputait au pragmatisme, de la nécessaire lutte contre les corporatismes à la réforme du code du travail vers plus de flexibilité, en passant par une baisse de la fiscalité des entreprises — libre à qui voulait s'en saisir pour relever la France.

Le message allait être entendu et, quelques mois après la sortie du livre, la nomination du Prince à Bercy avait représenté un premier signal positif. Il avait lancé, sous le regard complice des marchés financiers, une campagne de privatisations partielles dont les bénéfices avaient permis à la France de rentrer dans les critères budgétaires de Maastricht et de mettre en œuvre les baisses attendues de plusieurs taux d'imposition. Le Prince s'était aussi attaqué aux profondeurs géologiques de la France, à l'or immobile et improductif de la Banque de France, dont il avait détaché 500 000 lingots pour les revendre au prix du marché.

Mais le libéralisme du Prince, comme au fond sa capacité à réformer la France, faisait l'objet d'un débat : il n'était pas sûr, au fond, que le Prince soit le libérateur attendu, celui qui saurait enfin sortir le pays de son marasme économique. L'incroyable énergie qui avait soulevé la France pendant la campagne serait sans doute aussi inexploitable et vaine que celle de la foudre ou d'un tremblement de terre. La théorie de l'électrochoc, sur laquelle le Prince avait fondé sa victoire, trouvait de moins en moins d'économistes pour la défendre, quand son volontarisme obstiné commençait à évoquer un emballement assez semblable à celui qui s'était emparé, à la fin du XVIIIe siècle, des cabinets de physique et des salons, quand les exhibitions de mécanismes à mouvement perpétuel et de guérisons magnétiques miraculeuses s'étaient succédé à un rythme rapide sans apporter jamais aucune preuve de leur valeur scientifique intrinsèque ; le Prince pouvait continuer à tressauter sans cesse, à accumuler des miles républicains dans son nouvel A330 de fonction, à courir partout dans le monde, des allées du Bois à celles de Central Park, on avait au fond cessé d'y croire, et le malaise vagal qui finirait par l'atteindre en pleine course allait bientôt confirmer le scepticisme grandissant des experts : l'état de grâce était fini, la singularité physique était résorbée, l'anomalie politique était morte.

Tout était perdu, je crois, dès la fin du premier été. Le tournant libéral de la France n'aurait été qu'un leurre et le déclin de l'Europe, de toute façon, était une chose trop écrite, dans les statistiques économiques, dans les données démographiques, dans la croyance naïve en l'existence de cycles historiques, pour qu'un homme seul puisse inverser la conjoncture fatale.

On commençait, d'ailleurs, jusque dans les profondeurs du Triangle d'or, à noter la présence de plus en plus active de ceux qui n'avaient été jusque-là que les riches fantômes de la capitale mondiale du luxe — des princes saoudiens accomplissant à Paris une variante mercantile et carnavalesque du hadj, entre la place Vendôme et l'Étoile, et versant, dans les bars lounge de la rue de Penthièvre, leurs aumônes rituelles à leurs coreligionnaires nés du mauvais côté de la Méditerranée et du périphérique. L'immeuble du Triangle d'or, comme tout le pâté de maisons, qui incluait aussi, de l'autre côté, quelques-unes des plus prestigieuses façades de l'avenue Montaigne, venait ainsi d'être racheté par un fonds qatari. Fonds souverain qu'on disait également intéressé par le PSG, quand l'Arabie saoudite avait pris à sa charge la réfection d'une cour du Louvre, bientôt destinée à accueillir les arts islamiques.

Paris parviendrait sans doute ainsi à sauver son rôle de capitale du monde — de petit Londres continental et raffiné : viendrait un jour où posséder un hôtel particulier à Paris serait comme posséder un riad à Marrakech. Cela représentait, pour beaucoup, et pas seulement à droite, quelque chose de désagréable — on commençait à parler, de plus en plus ouvertement, d'un projet concerté de contre-colonisation et d'une satellisation insupportable de Paris autour de quelques intérêts opaques et indéchiffrables.

La géopolitique était devenue une science paranoïaque et le Prince avait très largement contribué
à cela. Je me souviens qu'il avait un jour commencé
un discours sur l'immigration par cette remarque
simple et provocante : l'Europe souffrait d'un problème structurel, qui était sa proximité trop grande
avec le continent africain — formule scandaleuse
typique de la grande période du Prince, qui s'était
une autre fois opposé à l'entrée de la Turquie dans
l'Union européenne en rappelant, simplement, que
celle-ci n'était pas en Europe, car l'Europe n'avait
pas vocation à partager une frontière commune
avec l'Irak. À tout cela, qui formait l'air du temps
un peu orientalisant de la fin des années 2000, et
qui possédait le douceâtre des menaces lointaines,
il fallait désormais opposer une menace plus réelle
sur la prospérité du monde.

Graslin, dont beaucoup d'amis travaillaient dans
la finance à Londres et à New York, a été le premier, de tout le cabinet, à évoquer, dès l'été 2007,
la possibilité, terrifiante, d'une crise économique
mondiale. Plusieurs indicateurs tendaient à montrer que les titulaires américains de crédits hypothé-
caires — des produits financiers sophistiqués qui,
en financiarisant le risque de défaut, avaient permis
à beaucoup d'entre eux, même avec des revenus
très faibles, d'acquérir leur logement — avaient de
plus en plus de difficultés à payer leurs traites. Cela
risquait tout simplement d'entraîner la plus importante crise financière que le monde ait connue
depuis 1929, une crise des banlieues de dimension
mondiale, l'effondrement, après celui des centres-
villes dans la seconde moitié du XXe siècle, de la ville

pavillonnaire elle-même, du rêve américain dans ce qu'il avait de plus spécifique et de plus universel.

Le danger était réel. Il m'appartenait, la crise étant immobilière et risquant d'avoir des conséquences urbanistiques désastreuses, de m'emparer du sujet. Il pouvait cependant s'agir, à moyen terme, d'une opportunité majeure pour n'importe quel projet ambitieux d'infrastructure : la dévastation à venir, après trente ans de victoire idéologique d'un néolibéralisme joyeux et pur, celui de Hayek et de Friedman, annonçait le retour à Keynes et à des politiques ambitieuses de relance par l'investissement public et les grands travaux.

Politiques dont le Grand Paris Express était le véhicule idéal.

J'allais passer les deux années suivantes à superviser la consultation internationale sur le Grand Paris, rencontrant à peu près tout ce que la France comptait d'architectes, d'urbanistes et de penseurs de la ville. S'il ne s'agissait pas à proprement parler d'un concours, aucun projet ne devant l'emporter à la fin, il fallait néanmoins sélectionner les dix équipes lauréates qui auraient la chance d'être retenues, pour la gloire de Paris et le divertissement du Prince. Le but était avant tout de parler du Grand Paris, de le rendre visible, d'en faire un enjeu collectif — tout en vitrifiant les ego des architectes stars, qui seraient évidemment tous sélectionnés et dont les projets, ainsi neutralisés, feraient l'objet d'une belle exposition rétrospective. Car il était en réalité acquis, dès le départ, que le projet qui l'emporterait, une fois toute cette dramaturgie achevée, serait le mien, le onzième, le projet fantôme, celui du Grand Paris Express dont j'allais concevoir la forme dans le plus grand secret pendant qu'en surface les architectes se passionneraient pour des projets d'infrastructures aussi superflus qu'un monorail circulaire érigé sur le terre-plein central du périphérique, que des téléphériques de banlieue à banlieue ou que des autoroutes fluviales.

J'ai dessiné plus de mille fois les courbes de mon métro automatique avant d'arriver à un résultat satisfaisant — je m'étais souvenu du jeu mathématique des ponts de Königsberg, un graphe en forme de tête d'oiseau qu'on ne pouvait parcourir en une seule fois qu'à condition d'ajouter au-dessus de ses yeux une ligne supplémentaire, résolution qui m'avait illuminé, enfant, après plusieurs semaines passées à essayer en vain de compléter la figure. La solution qui m'était apparue était à peu près aussi satisfaisante : la construction de trois lignes nouvelles et le prolongement de deux lignes existantes étaient suffisants pour qu'un voyageur aléatoire puisse parcourir sans fin toutes les arêtes de la métropole en un seul voyage.

L'ensemble a très peu bougé depuis mes premières esquisses au feutre sur le mur de mon bureau.

Il était convenu avec Nivelle que je m'occuperais surtout des aspects urbanistiques du projet, m'adjoignant pour cela les services de tous les experts qu'il me faudrait — spécialistes du matériel roulant, géologues, démographes et même chercheurs en intelligence artificielle —, mais que je serais secondé, pour les aspects administratifs et financiers, par un haut fonctionnaire, Jean-François Lenoir, l'ancien président de la RATP. Il était en réalité hiérarchiquement très au-dessus de moi, et être membre du cabinet ne me donnait aucune préséance implicite : j'étais trop éloigné du Prince pour cela, et lui bien plus habile à se mouvoir dans les cercles du pouvoir.

Ma disgrâce était en réalité programmée dès sa nomination. Je le savais à moitié et m'en accommodais plutôt : j'étais probablement à l'endroit de Paris où l'on travaillait le plus, peut-être quatre-vingt-dix heures par semaine pour les conseillers les plus sollicités, et j'avais besoin de souffler un peu — le lancement du Grand Paris avait été un moment particulièrement éprouvant.

J'étais ivre de plus en plus tôt et peut-être même dès le matin si on comptait l'alcool de la nuit. Mon travail, d'une certaine façon, exigeait cet état, je passais tout mon temps dans des maquettes de villes imaginaires ou la tête perdue dans des dessins en trois dimensions, dans un monde de calques et de reflets étudiés pour magnifier la transparence de la ville de demain. Tout était délicat et virtuel, j'étais le citoyen unique de la ville du futur et comme le dernier homme à habiter encore le monde après la disparition de toutes les créatures humaines dans les lignes de code des logiciels d'architecture — le seul habitant de la Jérusalem vectorielle dont la lettre d'information quotidienne confirmait jour après jour qu'aucun autre que moi n'était encore sauvé et que les alcools blancs de la ville céleste m'étaient réservés.

Le Grand Paris Express allait alors devenir le thème récurrent de mes cauchemars alcoolisés. Ces cauchemars avaient commencé peu après l'élection ; je me perdais généralement dans les couloirs de plus en plus profonds du palais, puis dans Paris tout entier, devenu comme l'interminable antichambre de l'alcôve inaccessible d'où le Prince régnait sur la France.

Ils étaient devenus maintenant presque quotidiens et j'étais arrivé au sous-sol visqueux de Paris : je me tournais dans mes draps comme un robot fouisseur, traversant difficilement toutes les couches de la nuit, prisonnier d'un océan d'argile noire sur laquelle les diamants synthétiques de ma tête restaient inopérants. Je mélangeais sans fin des considérations géologiques à des problèmes insolubles de financement du projet et, incapable de les résoudre, j'allais finir, épuisé, dans la collection de crânes usés des catacombes, ou bien on retrouverait mon corps dans plusieurs millénaires, et à une profondeur inexplicable — j'avais peut-être même dépassé sans m'en rendre compte la grotte secrète dans laquelle reposait mon grand-père. J'étais terrorisé à l'idée de décevoir le Prince, de détruire Paris et de ruiner la France. Quand je finissais enfin par me rendormir, c'était pour me retrouver en face d'un tunnelier ou pour être poursuivi dans l'obscurité par un métro automatique, courant jusqu'à l'encoche lumineuse de la prochaine station, et j'étais encore surpris, le lendemain matin et dans le calme de mon bureau, par des déflagrations lumineuses et des bruits assourdissants de métro lancé à pleine vitesse dans des courbes trop serrées. Je voyais des lettres déformées peintes à la bombe à la place des noms de stations. J'avais beaucoup trop peur pour continuer ainsi.

Je commençais à regretter mes anciennes matinées de black-out, leur néant habituel et douceâtre, mon cerveau vide mais reposé, encore largement intact autour des formes étoilées de la nuit. J'avais pris l'habitude de voir ainsi le Triangle d'or remonter lentement, comme les feuilles d'or dans l'étrange cocktail qu'on y servait au bar ; des images me revenaient, paisibles et brillantes, de la nuit oubliée, de la nuit que j'avais traversée sous la couverture de survie habituelle et qui m'avait déposé, comme par magie, dans ma tour bien-veillante, sans plus aucun souvenir de mon retour — et j'ignorais jusqu'au tout dernier moment si je trouverais ou non mon scooter au garage. C'était là bien sûr une situation si régulière qu'elle était presque devenue, par-delà l'alcool, l'objet de ma véritable addiction : je pouvais mourir presque chaque soir, ressusciter chaque matin, laisser le monde derrière moi dans la caverne du Triangle d'or et le retrouver le lendemain intact, oubli et réminiscence protégeant mes nuits de toute atteinte et laissant mes journées se dérouler, au palais, dans un calme studieux. Mais l'alcool s'était lentement empoisonné et mes cauchemars étaient devenus de plus en plus nombreux. Et ils s'étaient mis à représenter une composante importante de mon travail d'urbaniste.

Par-delà mes études minutieuses, par-delà les rapports que je lisais, les cartes que je compulsais, les architectes et les sociologues que j'interrogeais, le Grand Paris Express, lentement, prenait forme, comme une bête sauvage en gestation, une hydre, quelque chose que je portais en moi et dont j'igno-rais — mais la chose était-elle encore en mon pou-voir — si je devais le faire naître ou l'anéantir.

J'avais entre les mains le destin de Babel, la mâchoire endiamantée du progrès, la machine capable de rendre enfin la ville endormie aux cycles dévastateurs des rituels païens de l'économie-monde. J'opérais directement au niveau des temps géologiques, j'accomplissais une œuvre qui dépassait toute durée connue pour atteindre à la structure de l'espèce, à sa mise en danger, à sa projection sur la surface hyperbolique d'une ville conçue moins pour lui servir d'habitat que pour lui permettre d'accéder à un stade critique, terminal — l'extase religieuse de l'espace. Les villes modernes étaient les dernières et les plus grandes des hérésies qu'on ait vues : la religion mise à nu comme une infrastructure.

Je pressentais aussi, je crois, qu'une fois achevé, le Grand Paris Express, entièrement rendu à sa fonction, disparaîtrait pour toujours, comme le tunnel sous la Manche avait disparu avant lui dans la craie bleue des fonds marins — et avec lui le rêve enfantin que l'Angleterre aurait pu cesser d'être une île. Je serais alors peut-être le seul à l'avoir vu vraiment, à l'avoir fait pivoter dans l'air silencieux de mon bureau, à l'avoir vu de l'extérieur, dans l'atmosphère si lourde de mes rêves qu'elle lui avait permis, quelquefois, de s'élever à la hauteur de mes yeux. Libérés de toutes les forces de la terre, ses voussoirs cylindriques s'assemblaient alors sans effort, dessinant peu à peu des galeries, puis des lignes et enfin la totalité du réseau — chiffre léger et inconnu, squelette articulé d'une espèce inédite, empreinte à cire perdue de la plus perfectionnée des colonies humaines.

Je buvais pour prolonger cette apparition, pour continuer à percevoir cet objet dont la connaissance m'était réservée, mais qui demandait chaque jour un effort un peu plus grand, des sacrifices plus nombreux pour le rejoindre — objet qui ne relevait plus depuis longtemps de ma raison ou de mes capacités intellectuelles, mais de ma seule croyance.

J'avais définitivement perdu la protection des feuilles d'or de la nuit et j'étais maintenant en danger jusque dans mon bureau silencieux et j'avais peur de devenir fou — j'entendais anormalement bien la ville alentour et les bruits de plus en plus rapprochés d'un train. J'étais dans la situation d'un voyageur épuisé qui verrait passer devant lui, à la place du métro attendu, un sombre convoi de chantier chargé de ballast, et qui comprenait qu'il n'y aurait pas de correspondance et que son voyage s'arrêtait là.

Je devais ralentir ma consommation d'alcool. Je sentais qu'une crise était proche. J'avais entendu parler bien sûr des Alcooliques Anonymes, d'une main tendue à travers la nuit et à n'importe quelle heure. Mais l'image qui s'était naturellement imposée, à cette idée, avait été celle de la poignée de main historique du tunnel sous la Manche — le Grand Paris avait commencé à m'ensevelir. Je devais ralentir ma consommation d'alcool pour retrouver un peu mes réflexes platoniciens perdus, ceux de l'alcool initial, la boisson abstraite, l'éther cosmique, l'espace primitif — celui d'avant les cauchemars, quand il était encore la boisson de Dieu, le liquide le plus transparent du monde et le révélateur universel, liquide plus charitable que le corps vitré de mes yeux, qui se limitait aux lignes brisées de la perspective quand l'alcool, immense et libéral, tolérait toutes les formes d'espace et tous les types de choses, qui brillaient devant moi dans une douceur égale et préhensile.

J'ai alors accepté, pour me détendre un peu, de me rendre au mariage d'un ami de l'ESSEC. C'était dans un petit château près de Paris, à l'ouest des Yvelines. J'y étais allé en scooter et tout avait bien commencé, j'avais pris la route de Versailles, la lumière était belle, rassurante. C'était un samedi consacré aux loisirs. Il y avait des chevaux sur les chemins de terre et dans le ciel, des planeurs silencieux, dont les trajectoires lointaines, appuyées sur les masses d'air chaud, dévoilaient la topographie délicate du sol : un ensemble de collines assez douces avec au sommet de l'une d'elles, plus allongée que les autres, un petit aérodrome.

Ce n'était plus la région parisienne, congestionnée et angoissante, mais ce n'était pas encore la campagne ; c'était le relâchement printanier de la ville, le retournement de toutes ses techniques vers la plaisance et la douceur de vivre. Le paysage m'évoquait celui des peintres naïfs, comme le Douanier Rousseau, encore plus précis que les impressionnistes quand il s'était agi de peindre les espaces infinis du divertissement, le panorama des nouveaux moyens de transport et la transformation de la terre en jardin public.

Le domaine loué pour la cérémonie incluait un ancien château fort dont on avait fait tomber le quatrième mur, donnant à l'ensemble le caractère factice et agréable d'un décor de théâtre : ces costumes et ces robes étaient exagérés, ces chapeaux n'appartenaient à aucune mode connue, comme les teintes pastel coordonnées des habits des enfants ; la voiture dans laquelle étaient arrivés les mariés était volontairement anachronique et pouvait même, par certains aspects, évoquer une calèche. Ce n'était pas la cour, mais on avait bien fait les choses et j'avais eu un peu envie d'y croire, même si je reconnaissais, encore intacts, les visages amicaux de mes anciens amis devenus cadres dirigeants d'entreprise.

Cette comédie sociale m'a rappelé le palais à la mécanique impeccable, au cœur d'un Paris devenu soudain une œuvre d'art totale, un Opéra aux coulisses invisibles — coulisses qui étaient maintenant sous ma responsabilité directe. J'avais eu l'impression désagréable que Paris rejouait sans fin, dans sa scène circulaire, la même pièce de théâtre, le même 1788 de porcelaine, d'insouciance et d'impéritie coupable. Les villes étaient des sommets d'artifice et c'était particulièrement vrai de Paris, la ville aux infrastructures aussi discrètes que le personnel d'un palace, la ville aux dépendances retenues loin d'elle dans ses annexes invisibles, la ville dont l'intendance n'était plus depuis longtemps qu'une convention de théâtre. Cette urbanité factice m'était d'autant plus détestable que ce dont il s'agissait vraiment, dans les villes, était d'une nature tout autre et d'un prosaïsme extrême.

La survie — c'était bien de cela dont il était question, en dernier lieu, seulement de cela et de nulle autre chose — la survie de plusieurs millions d'êtres humains tenait aux équilibres complexes que nous étions capables de maintenir, hors-sol, dans des villes devenues des écosystèmes artificiels aux variables innombrables, mais presque toutes sous contrôle humain ou institutionnel. Il ne restait rien du sol originel, de la terre nourricière. On tombait, dès qu'on creusait quelque part, sur un filet en plastique rouge ou orange fluo destiné à avertir les

conducteurs d'engins de l'existence d'une canalisation d'eau, de gaz ou d'électricité. La ville était
séparée de ces fluides vitaux par ce mince filet et on
pouvait imaginer l'y suspendre et l'y laisser mourir
— c'était en réalité la situation même de Paris, si
nous renoncions un seul instant à prendre soin de
lui. Le pouvoir politique entretenait des liens étroits
avec l'idée d'apocalypse. Le plan Vigipirate n'avait
pas été levé depuis 1995 et l'état d'urgence en était
resté le nom familier du Léviathan moderne — la
créature monstrueuse et humaine qui nichait dans
les villes.

Mon grand projet de métro automatique était un
projet politique, *biopolitique*, aurait dit Machelin. Je
voulais cesser d'avoir à alimenter cette créature
invisible, je voulais lui apprendre à se nourrir par
elle-même, à serpenter seule dans ses galeries souterraines — je rêvais que la ville devienne enfin cet
organisme autonome dont nous aurions été les
hôtes symbiotiques, nécessaires à son bon fonctionnement mais à jamais aveugles sur ses finalités, je
rêvais d'être enfin débarrassé des questions morale-
ment trop lourdes de la survie et de l'apocalypse.

J'en étais arrivé au stade, sans doute décisif dans
ma carrière d'urbaniste, de dépassement de l'humanisme, stade jamais véritablement atteint par aucun
de mes prédécesseurs — les écrits du Corbusier,
comme ceux de la plupart des théoriciens de la ville,
accusaient une naïveté presque niaise. Quelque
chose me gênait dans cet urbanisme progressiste, quelque chose de l'ordre d'un problème
d'échelle — des bâtiments trop grands et des espaces
intérieurs trop étroits, des cellules d'habitation

vendues comme primitives mais dont on sentait qu'elles étaient intellectuellement peu satisfaisantes, et plus proches du terrier archaïque que de la ruche idéale. L'architecture n'avait depuis longtemps plus besoin des hommes, l'architecture était le corps spéculatif d'une civilisation entière, le sens de son évolution, la perception confuse de son destin en tant qu'espèce — les villes, devenues visibles de l'espace, étaient des signes adressés aux étoiles. L'homme n'était qu'une variable de l'ajustement du bâti à la rotondité de la Terre, l'homme n'était que l'instrument du remplacement glorieux de la biosphère par une mégalopole unique.

C'était là, j'en étais de plus en plus certain à mesure que je m'alcoolisais à la table ennuyeuse des célibataires, le sens de mon travail. J'opérais dans le domaine prométhéen de la géo-ingénierie, je travaillais à rendre la Terre aussi compacte et fonctionnelle qu'un vaisseau spatial. J'étais comme un dieu à cette table de cadres modestes et d'ingénieurs prudents. J'acceptais leurs sacrifices et leur efficacité locale, j'écoutais leur conversation qui tournait autour de l'opportunité d'acheter — Paris, au stade où ils en étaient de leur carrière, était encore un peu cher, mais Boulogne représentait un bon compromis ; j'écoutais leur conversation comme j'aurais lu un manuel de démographie parfaitement neutre qui les aurait réduits à leur simple horizon statistique.

C'est à cet instant que la lumière s'est éteinte et qu'un diaporama est apparu sur l'un des murs de la pièce. Les photos se sont succédé à un rythme rapide, une de chaque côté et chacune représentant les mariés au même âge. La rencontre était inévitable. Elle se produirait, étant donné la vitesse à laquelle les mariés vieillissaient, dans moins de deux minutes — j'en avais d'ailleurs été témoin, c'était sur la dalle de Cergy, pendant une fête étudiante. L'urbanisme avait parfaitement joué son rôle. La musique était beaucoup trop mélancolique pour la situation ; on assistait moins au triomphe de l'amour qu'à celui de la fatalité universelle — c'était je crois celle de *L'Affaire Thomas Crown*. Les visages des mariés, entraînés dans le temps corrupteur, se déformaient lentement, perdaient leurs joues et s'allongeaient jusqu'à la maigreur ; les paysages défilaient derrière eux, c'était l'enfance perdue, l'adolescence avec ses grandes mers bleues et ses sourires fragiles, les villes d'Europe reliées en bus bleu et rouge puis en avions orange, avant la loterie chromosomique des fêtes étudiantes — j'ai vu passer le visage de Chloé, que j'avais un peu espéré revoir, mais qui n'avait pas pu venir.

Le compte à rebours devenait insupportable. Je me suis mis à penser à la première fille que j'avais embrassée sur un ferry entre la France et l'Angleterre, à la fin de l'enfance, au temps qu'il me restait. Les larmes sont arrivées sans que je m'en rende compte, j'ai dû quitter la table et sortir du château. Je me suis effondré sur l'herbe et j'ai pleuré là jusqu'à ce que le froid m'oblige à me lever. Le repas était presque fini. J'ai récupéré mon manteau au vestiaire et je suis rentré, en roulant très vite et en pleurant doucement.

Les derniers mois à l'Élysée, passés à compulser les travaux des architectes de la consultation sur le Grand Paris, me verraient devenir plus un critique d'architecture qu'un urbaniste. Je menais ainsi une existence baudelairienne : attendant le prochain Salon, le jour où les dix projets seraient rendus publics, j'essayais de former l'idée la plus nette et la plus pure de la modernité architecturale en descendant de plus en plus profondément dans les villes en réalité virtuelle que je recevais en pièce jointe.

Des souvenirs de Machelin me revenaient parfois — Machelin dont la pensée m'apparaissait maintenant moins monumentale que je ne l'avais cru, et dont même la mort avait perdu sa signification sacrée pour redevenir un simple fait divers, un fait divers comme le Prince savait si savamment les exploiter. Grand amateur de mystères et d'énigmes, Machelin m'avait parlé une nuit d'un paradoxe découvert par Wittgenstein, qui faisait remarquer qu'on pouvait imaginer des filtres de toutes les couleurs et regarder le monde à travers, à l'exception du filtre blanc — on ne pouvait pas imaginer de fenêtre blanche et transparente, comme il pouvait y en avoir des rouges ou des bleues ; le filtre blanc ne pouvait être que translucide et laiteux, et rendre flou tout ce qu'on observerait à travers. Mais, à examiner les premières images qui me parvenaient de la consultation sur le Grand Paris, je ne pouvais que constater l'existence de ce filtre blanc : c'était en tout cas à travers lui que les architectes observaient la ville du futur, aux teintes fades et aux contours effacés derrière une lumière uniforme.

J'avais reconnu là l'esthétique dominante du moment, inspirée par la nouvelle photographie chinoise, précisément fascinée par les métamorphoses urbaines, ou par le travail d'Andreas Gursky, qui s'était fait connaître avec l'image d'une barre d'habitation du grand ensemble parisien Maine-Montparnasse, image un peu terne et monotone, mais remarquable en ce qu'elle avait marqué, après trente ans de domination sans partage de l'esthétique expressionniste du hip-hop, le retour à une représentation neutre des grands ensembles.

Ces aspects éthérés étaient renforcés par l'usage, à peu près généralisé, de concepts abstraits qui barraient les cieux gris de commentaires étranges — car il fallait que les architectes soient, c'était leur rôle et leur fonction, absolument modernes, quel que soit le domaine concerné, du traitement de l'image à la typographie, de l'expression théorique à son rendu plastique. Je m'étais ainsi rendu compte, en consultant ces dossiers, que toutes les avant-gardes littéraires et artistiques s'étaient concentrées là, rendant l'ensemble un peu illisible, un peu incompréhensible, mais formant un modernisme encore intimidant — j'avais l'impression de tenir entre mes mains le testament esthétique de Paris.

Surnageait d'ailleurs, quand son déclin comme forme littéraire était incontestable, quelque chose qui ressemblait à de la poésie d'avant-garde, de la poésie en pleine recherche formelle et typographique, de la poésie retournée à l'âge héroïque du coup de dés mallarméen, mais obéissant aussi au beau programme que lui avait confié le dernier poète de France — le seul en tout cas à être demeuré audible en ce début de XXIe siècle : « Nous avons besoin de métaphores inédites ; quelque chose de religieux intégrant l'existence des parkings souterrains. » La phrase figurait d'ailleurs dans deux contributions : dans l'une, très attachée à la redensification urbaine, elle accompagnait l'idée que les parkings de supermarchés et de centres commerciaux pouvaient être reconquis par la ville ; dans l'autre, elle figurait dès la première page, en grandes lettres transparentes, dialoguant avec une question de Robert Venturi : « *Is not Main Street almost all right ?* »

Ce dernier dossier m'avait particulièrement intéressé : il ne proposait absolument rien et voulait seulement démontrer que le Grand Paris existait déjà tout entier et qu'il était même un objet esthétique de toute première ampleur. Il s'ouvrait sur ces campements sauvages, installés en bordure des autoroutes urbaines, qui m'avaient terrorisé enfant. Le terme choisi, pour en démontrer le génie architectural, était *tenségrité*, le concept de Buckminster Fuller qui désignait des structures autoportantes légères et qui s'appliquait parfaitement à ces regroupements de tentes igloos. Photographiés au flash dans le chapitre «L'histoire recommencée», les halls d'immeuble du 93 — grand lieu de la reconquête des classes populaires par le Prince, qui avait promis d'en expulser *la racaille*, celle qui empêchait *la France qui se levait tôt* de manifester son attachement à la *valeur travail* — ressemblaient à des grottes ornées préhistoriques couvertes de signes fabuleux. «Nazca Amazone» s'intéressait au dessin labyrinthique des zones pavillonnaires, et, contre le procès trop souvent fait de l'artificialisation induite des sols fertiles du Bassin parisien, en révélait l'incroyable biodiversité : la France périphérique était un nouveau jardin d'Éden, un retour raisonné à la forêt primaire. La diversité ethnique de l'Île-de-France faisait l'objet du chapitre suivant, «Babel Oued». C'était, sur une dizaine de pages, un millier de portraits, un échantillon représentatif de la diversité humaine et génétique de la population du Grand Paris. L'effet de réel était un peu grossier, on était dans le pire de la photographie humaniste contemporaine, mais la démonstration fonctionnait : Paris était, avec New York et Londres, la seule ville authentiquement et génétiquement cosmopolite. Le projet s'attardait enfin longuement sur les frontières de la métropole, sur cet espace périurbain un peu désolé que la sociologie électorale venait de redécouvrir et dont les beautés, lentement, commençaient à être reconnues. Ces pages, qui formaient une abondante documentation visuelle faite de vignettes paysagères rassemblées par thèmes, étaient intitulées : «L'Aleph». On trouvait là, parfaitement rangés et mis à la même échelle, à la façon des inventaires industriels de Bernd et Hilla Becher, des magasins de bricolage, de meubles et de vêtements ; puis des lave-autos, des restaurants franchisés et des garde-meubles ; des places piétonnes, des panneaux lumineux d'information municipale et des mairies annexes ; des lignes à haute tension, des gares RER et les points de passage, souterrains ou aériens, de l'A86 et de la Francilienne ; des collèges, des PME, des gendarmeries et des commissariats ; des boulange-ries, des kebabs, des discounters et des supérettes halal ; des jeux pour enfants, des terrains de sport grillagés et des salles de foot indoor.

Le photographe était un jeune plasticien du nom de Matthieu Oiron. J'avais justement été invité au vernissage de sa prochaine exposition, *93*, à la gale-rie Gagosian du Bourget. Je ne m'étais jamais spé-cialement intéressé à l'art contemporain, mais je connaissais ce nom, celui d'un marchand d'art qui représentait des artistes dont les œuvres hors de prix étaient destinées à servir de placement à des milliardaires. Située dans une partie de l'aérogare, la galerie n'était d'ailleurs vraiment accessible — en attendant la station d'interconnexion du Bourget, pivot important du Grand Paris Express — que par jet privé.

C'était pour Matthieu Oiron l'exposition de la consécration, sa transformation probable en l'un des artistes majeurs de la scène internationale. Il était jusque-là surtout connu pour avoir récupéré, pendant les émeutes de 2005, une centaine d'épaves de scooters brûlés, qu'il avait exposées, décharnées et inquiétantes comme des squelettes d'animaux monstrueux, dans les espaces post-apocalyptiques du Palais de Tokyo. Il revisitait, une nouvelle fois, cette thématique banlieusarde, mais en en élargissant son approche, en passant du constat machelinien de la guerre civile au portrait plus objectif d'un territoire, la Seine-Saint-Denis, qui était devenu pour le monde, depuis les émeutes, l'un des quartiers les plus célèbres de Paris.

L'exposition s'ouvrait sur la pièce *Paris cou coupé*, une photo panoramique, présentée comme la plus grande du monde, qui montrait toute la Seine-Saint-Denis vue depuis le dôme du Sacré-Cœur. Elle formait un immense arc de cercle qui reproduisait, avec exactitude, la forme du périphérique — la frontière entre Paris et le 93. Un écran tactile permettait de zoomer dans une version numérique de l'image pour en apprécier l'incroyable profondeur. L'exploit technique était, de fait, remarquable. On pouvait isoler les cheminées jaunes de l'usine de chauffage urbain de Saint-Ouen, l'enseigne rotative Siemens de la tour Pleyel, la flèche de la basilique de Saint-Denis comme, un peu plus à l'est, les deux fusées Ariane du musée de l'Air et de l'Espace du Bourget ou, un peu après, au milieu de la plaine de France, les dérives des avions de Roissy. On repérait facilement, plus loin à droite, les tours du plateau de Clichy-sous-Bois et enfin, à l'extrémité du panorama, l'énorme masse d'un immeuble de Noisy-le-Grand. Mais on pouvait zoomer encore, jusqu'à isoler, à travers une fenêtre, la silhouette d'un habitant, ou dans une rue, celle d'un passant. On découvrait alors que l'artiste avait, au prix d'un travail d'une minutie presque incroyable, modifié chacune de ces figures pour les faire ressembler à l'habitant originel du 93, à saint Denis lui-même, le premier évêque de Paris, représenté tel qu'il avait jadis dévalé les pentes de Montmartre pour rejoindre son lieu de sépulture : chacune de ces figures humaines était décapitée et tenait sa tête entre ses mains.

La partie la plus polémique de l'exposition était ensuite évacuée dès la deuxième pièce, qui présentait, parfaitement alignées sur un immense mur et à moitié scellées pour que seules leurs visières dépassent, des milliers de casquettes Lacoste blanches et immaculées, l'un des attributs les plus emblématiques des racailles de banlieue — *Racaille* était précisément le nom de l'œuvre. Cela m'avait rappelé cet intellectuel médiatique qui avait pris l'habitude d'évoquer, dès les années 1990 et sans trouver beaucoup de contradicteurs, l'emprise territoriale de plus en plus marquée de ceux qu'il appelait *les nouveaux Barbares*, et qu'on reconnaissait en général à leurs casquettes, ainsi qu'au fait qu'ils s'exprimaient très mal, voire qu'ils parlaient à l'envers. Meilleur polémiste que sémiologue, il avait cependant manqué un détail dans son analyse d'une civilisation qui courait à sa perte et d'un Paris sur le point de tomber comme une seconde Rome : ces casquettes décadentes arboraient de plus en plus souvent un petit crocodile vert, celui de cette marque née dans les beaux quartiers de l'Ouest parisien, et portant le nom de l'un des vainqueurs de Roland-Garros — signe que le renversement de notre civilisation n'était peut-être pas vraiment à l'ordre du jour. Mais l'intellectuel, trop intempestif pour être sensible à la mode, et trop opposé à la tyrannie publicitaire des marques pour opérer entre elles des distinctions pertinentes, était passé à côté de cet événement vestimentaire.

Heureux comme Tremblay-en-France reprenait le principe du mur panoramique de la première installation, mais pour présenter cette fois des centaines de vues de La Mecque, telles qu'on en trouvait dans tous les bazars d'Adrar, images ajourées derrière lesquelles des disques tournaient lentement, entraînant avec eux les pèlerins autour de la Kaaba. Devant le mur, l'artiste avait disposé quatre ready-made, des énormes plots de séparation autoroutiers en plastique vert, dont la légèreté supposée s'opposait à la symbolique implacable : la chose représentait, pour les automobilistes, la dernière chance de quitter l'autoroute, et représentait peut-être, pour les visiteurs, le risque inquiétant d'une conversion toujours possible — il était en tout cas difficile de s'extraire du spectacle hypnotique de ces moucharabiehs asynchrones.

La dernière pièce avait été réalisée en partenariat avec la société Saint-Gobain, dont la filiale Placoplatre exploitait à Vaubron, en attaquant directement la butte témoin de Clichy-sous-Bois, l'une des plus importantes carrières de gypse à ciel ouvert de France et l'un des derniers sites industriels du département ; elle se présentait sous la forme sobre et éblouissante d'une immense pyramide de plâtre, si volatile que les visiteurs se transformaient à son contact en fantômes. La pièce s'appelait sobrement *Souvenir de Paris*.

C'est là que j'ai revu Pornier, obèse et recouvert

de poussière blanche. Il avait l'air encore plus mal que lorsque je l'avais croisé dans le bureau de Nivelle. L'usine était sur sa commune et le travail du jeune Oiron l'intéressait. Il m'a proposé de venir travailler avec lui quand ma mission auprès du Prince serait terminée.

J'ai soudain réalisé que ma vie de cabinet ne durerait pas toujours.

Impressionné par le travail du plasticien, je lui avais demandé de me servir de guide à travers ce 93 où je n'osais toujours pas me rendre seul, et il avait accepté de m'emmener sur l'emplacement de l'une des futures gares du Grand Paris Express, à Noisy-le-Grand. Située à la pointe sud de la Seine-Saint-Denis, la ville relevait d'ailleurs moins, pour les urbanistes comme pour ses habitants, du trop sensible 93 que de l'environnement urbanistique apaisé de Marne-la-Vallée — la plus mystérieuse des villes nouvelles — dont j'avais découvert un jour, cela avait été comme la première illumination de ma carrière d'urbaniste, qu'il n'avait jamais existé de ville de ce nom, et que la ville nouvelle n'était qu'un projet d'aménagement qui n'avait jamais coïncidé avec aucune entité stable.

Je crois qu'Oiron voulait surtout m'alerter sur un possible risque de vandalisme architectural, le maire de Noisy-le-Grand envisageant de détruire l'un des plus importants complexes urbanistiques de sa ville, au motif qu'il ne permettait pas, de par la complexité de ses volumes, la mise en place d'un système de vidéosurveillance efficace. Mais il y avait aussi, à Noisy-le-Grand, quelque chose qui était susceptible de m'intéresser : les vestiges d'un vieux projet de métro automatique.

Oiron m'avait raconté ses années de jeune artiste en partageant avec moi une bière dans le RER, RER qu'il avait absolument tenu à emprunter, alors que j'avais proposé de mettre un chauffeur à notre disposition. Il venait de la scène punk et du monde des squats — de la ville coupante et qui collait aux pieds, lieu d'émergence de la seule culture urbaine authentique, avec la culture hip-hop, évidemment, dont elle était, si l'on veut et pour résumer grossièrement les choses, la version blanche. Mais les deux mouvements avaient fini par fusionner, les cultures du graff et les pochoirs néo-situ des punks avaient donné naissance au street art, et les musiques noires et le rock avaient abouti, par exemple, à l'électro syncrétique de Daft Punk. Mais si Daft Punk était un pur produit de l'Ouest parisien, le centre de gravité du mouvement était clairement à Berlin, le Berlin du tournant des années 2000, quand la ville était encore un gigantesque chantier, le plus grand d'Europe — chantier d'une ville moderne comme chantier archéologique : on y découvrait encore des bunkers restés inviolés depuis la guerre. Certains avaient été transformés en squats, et c'est dans l'un d'eux qu'Oiron avait fait ses premières expositions. Il avait ainsi appartenu à la mythique scène artistique berlinoise, il avait été l'un des acteurs de la reconquête de la ville par des artistes venus du monde entier, de l'édification, par les artistes eux-mêmes, de leur nouvelle capitale.

J'étais allé à Berlin quelques années plus tôt sans être particulièrement impressionné par la ville, dont j'avais gardé un souvenir peu convaincant : on distinguait à peine l'Est de l'Ouest, qu'on avait réunis autour d'une place un peu trop expressionniste, le Sony Center, à laquelle il manquait la compacité géniale des Halles. Il y avait aussi, un peu plus loin, un beau bâtiment de Mies van der Rohe qu'on avait mystérieusement laissé vide, et la seule chose qui m'ait vraiment plu, avec la réjouissante Alexanderplatz, avait été un petit module scientifique en forme de motopompe étrangement abandonné au bord d'un canal. Je me souvenais aussi d'un grand cylindre aveugle, construit par Speer pour tester la résistance du sous-sol berlinois, en vue de la construction ultérieure d'un monument plus massif, et qui ressemblait à peu près, par sa fonction comme par sa forme, au kilogramme-étalon de Sèvres.

À l'exode des cadres vers Londres avait en tout cas répondu, à peu près simultanément, un exode des artistes vers Berlin, sans que la droite, peu à l'aise avec les questions culturelles, ne s'en soit cette fois-ci alarmée. C'était un point intéressant, et j'ai enregistré l'information.

J'étais particulièrement excité à l'idée d'intégrer — et les bières que nous buvions participaient de ce fantasme initiatique — l'un des clubs fermés qui pendant plus d'un siècle avaient défini la modernité, rendu jaloux les hommes et transformé l'histoire de l'art en théorie du complot : j'appartenais cet après-midi-là à une avant-garde et je m'apprêtais à descendre au cœur de la nuit humaine, dans le département le plus dangereux et le plus ancien de la métropole.

Nous venions de franchir la Marne, laissant à notre droite un grand Ikea bleu et jaune, et à sa gauche, au-delà d'un interminable maquis pavillonnaire, qui devait correspondre à Neuilly-sur-Marne et Neuilly-Plaisance, un ensemble de buttes témoins, les unes arborées et les autres bâties, qui se détachaient, comme une ligne de crête inaccessible — celle sans doute d'un ancien méandre de la Marne —, au-dessus d'un paysage urbain complexe mais dont, pour la première fois, j'ai aperçu la cohérence.

Le train est alors entré dans un tunnel et nous sommes descendus dans une gare souterraine. Oiron m'a emmené dans un couloir de service fermé par une grille dont il a fait sauter le cadenas avec le pied-de-biche qu'il avait sorti de la poche, incroyablement profonde, de sa veste militaire. Il m'avait alors tendu une lampe frontale et avait mis la sienne.

Nous étions désormais dans les couloirs de la ligne abandonnée. Des petites cabines taguées étaient rassemblées contre ce qui ressemblait à un quai. Oiron m'a expliqué qu'il s'agissait d'un système assez rudimentaire, dit *hectométrique*, très inspiré des remontées mécaniques des stations de sports d'hiver, la cabine circulant sur des rails mais étant tractée par des câbles. Destinée à desservir un quartier de Noisy-le-Grand qui n'avait jamais été construit — le promoteur s'était déclaré en faillite avant de prendre la fuite —, la ligne avait été fermée il y a dix ans et il ne restait, étrangement, qu'un seul système de ce type en exploitation, à Shanghai.

Nous avons continué à avancer dans le tunnel, long d'à peu près 500 mètres, puis nous sommes remontés à la surface en empruntant un conduit d'aération qui menait à une grille descellée.

Nous étions dans un espace vide qui correspondait au quartier fantôme de Noisy-le-Grand. J'avais en face de moi l'immense hémicycle du palais d'Abraxas, le chef-d'œuvre de Ricardo Bofill. Je n'avais jamais ressenti cela, devant aucun autre bâtiment : une émotion architecturale inattendue, entre le syndrome de Stendhal et la manifestation, rarissime, du sublime kantien. La chose était à la fois une source de joie et de terreur, sa forme demeurait inconnue, presque inconnaissable, au-delà de la faculté de connaître, j'avais en face de moi un bloc d'esthétique pure, quelque chose que je ne pouvais pas comprendre, mais que je ne pouvais pas non plus m'empêcher de regarder en tremblant. Je pouvais analyser comment le bâtiment fonctionnait, saisir de quels éléments il était la synthèse, isoler telle ou telle citation d'architecture, je pouvais noter que les bow-windows superposés fabriquaient quelque chose qui ressemblait à des colonnes et que les chapiteaux concentriques de celles-ci formaient judicieusement des balcons à l'étage supérieur, mais j'étais incapable de décider si la forme avait déterminé la fonction, ou la fonction la forme — j'étais, avec cette incertitude, au cœur du sentiment de la beauté pour Kant, ainsi que me l'avait enseigné Machelin, beauté qui était une finalité sans fin et un libre jeu des facultés entre elles, beauté qui se manifestait de façon privilégiée dans l'organicité géniale du vivant, organicité qui nous obligeait à concevoir, contre les enseignements des sciences naturelles, et par-delà la distribution rationnelle des fonctions biologiques, l'idée d'une finalité irréductible dans la nature, l'idée d'un démiurge esthète, l'idée d'un architecte.

C'était cela : j'avais pour la première fois devant moi l'idée d'un architecte.

L'hémicycle au cœur duquel nous avions pénétré s'appelait le Théâtre, m'a expliqué Oiron. Il enserrait une pelouse qui descendait, par degrés successifs, jusqu'à un gigantesque arc de triomphe, formé par la réunion de trois barres d'habitation ; une fois encore, la chose formait un objet ambigu et indécidable : l'arc était-il né de la réunion des parallélépipèdes qui formaient les éléments de base de l'architecture moderne ou bien la forme classique de l'arc était-elle primitive ? La chose dépassait ainsi le simple jeu citationnel d'un postmodernisme auquel il était trop facile de la réduire, elle était trop classique pour cela, ses formes trop simples ne cherchaient pas l'arc en tant qu'arc et semblaient l'avoir découvert seulement en tant qu'il était l'une de leurs combinaisons possibles. L'architecture antique devenait un simple moment de l'architecture moderne, une de ses possibilités lointaines — ici, l'esthétique faisait bloc et contestait l'histoire.

C'était le sens du troisième moment de l'édifice, après le Théâtre et l'arc : le palais d'Abraxas. On entrait au cœur de quelque chose, mais il était impossible de dire quoi. L'objet était lovecraftien, on était au-delà des catégories esthétiques humaines, au-delà, même, de nos intuitions physiques ordinaires. Les derniers étages, en surplomb, étaient ainsi plus larges que la base du bâtiment, bâtiment gigantesque, merveilleux et incompréhensible.

Ses habitants l'appelaient Alcatraz ou Gotham City. C'était le nom de deux cités prodigieuses, des villes terminales, insulaires et définitives.

Abraxas était à lui seul l'un des plus grands complexes HLM de France, et peut-être le dernier grand ensemble, en tant que tel, à avoir été construit. Mais l'architecte avait réussi à donner à son projet une densité restée sans autre exemple. La lourdeur, la masse de l'ensemble, constitué d'un faisceau de tours resserrées les unes contre les autres jusqu'à ne plus former qu'un seul bloc, évoquait tout au plus certaines cités asiatiques, comme l'île fantôme de Hashima ou l'ancienne enclave chinoise de Hong Kong.

Oiron m'a entraîné à travers les passerelles qui permettaient de passer d'un bloc à un autre de façon presque aléatoire, et qui parvenaient à intensifier l'espace, à le tordre et à donner à ces barres parallèles la forme arrondie d'un cosmos. J'étais soudain, véritablement, dans le palais d'Abraxas, dans l'univers dégradé de la gnose, reflet de reflet et ombre d'une ombre, prisonnier d'un dieu mineur et pervers, mais tout-puissant en son labyrinthe terrestre.

J'ai compris à cet instant que n'importe quel trajet futur à bord du Grand Paris Express serait semblable à ces passages décoordonnés d'une tour à une autre, à ces jeux topologiques qui parvenaient à intensifier, à tordre et à faire disparaître l'espace, que ces trajets seraient les outils, distribués et magiques, qui allaient permettre à la ville de se reconstruire sur elle-même, de se rénover sans changer de forme, de retraverser les optiques du temps, de basculer sur les miroirs tournants de l'espace et d'être alternativement la ville terminale et la courbure du tout premier cosmos.

Alors que le réseau de transport parisien avait jusque-là cherché à optimiser les déplacements des hommes, à les conduire à la ville le matin et les reconduire chez eux, dans leur banlieue-dortoir, à la nuit tombée — on parlait de déplacements pendulaires, d'un nom qui rappelait ce vieux fétiche newtonien dont la régularité était telle qu'on lui avait longtemps accordé un statut hégémonique sur le contrôle du temps —, le nouveau métro devrait, lui, créer autant de possibilités qu'il existait de voyages. Acéphale et automatisé, souterrain, il continuerait en solitaire le projet d'une ville-machine, mais laisserait en surface la ville presque intacte, intacte et métamorphosée : la ville garderait sa forme concentrique mais le sol en dessous d'elle serait redevenu liquide. Paris serait posé, par la magie des gares et des correspondances, sur des courants de convection qui rendraient ses quartiers les plus éloignés instantanément connexes et repousseraient les arrondissements du centre à leur périphérie. Il n'y aurait plus de gares d'interconnexion centrales ou de gares terminus, mais une seule onde de ville sans cesse ramenée par le métro sous les pieds des voyageurs, une seule dérive aléatoire sur le dos d'une figure géomé-

trique impensable, mais souple et docile, facile à chevaucher et fidèle à la main — le cercle de Pascal,
dont le centre est partout et la circonférence nulle
part, soudain devenu un objet du monde réel.

Le métro de Paris était le chef-d'œuvre terminal de la révolution industrielle, la mise en scène la plus achevée d'un cycle révolu du monde — celui de l'Univers comme totalité déterministe et de la ville comme machine. Cette conception, qui allait donner naissance, en Amérique, pays de la liberté, aux personnages de super-héros, personnifications extrêmes des forces physiques isolées au siècle précédent, et organes mobiles de rétrocontrôle de la ville moderne, avait abouti en France, pays égalitaire, à l'apparition d'une seule héroïne, impersonnelle et collective, la Régie autonome des transports parisiens. Mais la RATP était elle aussi une représentation allégorique de la physique du XIXe siècle, du carrelage blanc de ses stations, semblable à celui d'un laboratoire, à ses tunnels métalliques enterrés identiques à des cages de Faraday, des cylindres colossaux des stations Cité ou Saint-Michel, en forme de cuve ou de réservoir, à ses stations fantômes, Arsenal ou Haxo, dont on apercevait parfois les quais intacts et vides, avec leurs publicités anciennes et leurs lumières éteintes, comme si on avait dû les abandonner brutalement après un mystérieux accident de manipulation.

Graslin, de retour d'un étrange séminaire qu'avait organisé un ami du Prince, un milliardaire un peu mystique, m'avait parlé du concept de singularité technologique, la religion des machines, la dernière hérésie des modernes, qu'il m'avait décrit comme une sorte de généralisation à l'humanité entière de ce que l'automatisation de la ligne 14 avait fait subir aux conducteurs de la RATP — la Régie autonome des transports parisiens risquant bientôt de s'étendre à la terre entière et d'acquérir une autonomie véritable.

Lenoir était précisément l'ancien directeur de la RATP et l'inauguration du poste de contrôle du Meteor, dont on pouvait voir aux Arts et Métiers une maquette futuriste peuplée de silhouettes humaines transparentes, avait dû être le plus beau moment de sa vie. Avant sa nomination surprise au poste de secrétaire d'État au Grand Paris.

C'était au lendemain de la présentation officielle des dossiers lauréats de la consultation que j'avais supervisée — et dont j'avais rédigé une courte et minutieuse synthèse à destination du Prince. La cérémonie avait pris place là où tout avait commencé, dix-huit mois plus tôt, à la Cité de l'architecture. On avait invité les mêmes architectes, et une fois de plus le discours du Prince — mon discours — avait été si remarquable que l'assistance en avait eu des frissons.

Il avait habilement distribué des hommages aux dix projets lauréats, s'émerveillant de la vision de l'un qui voulait englober dans le Grand Paris tout l'estuaire de la Seine jusqu'au Havre, de l'intelligence de celui qui voulait planter une forêt dans le cône de bruit de Roissy, du pragmatisme d'un autre qui voulait autoriser les habitants des zones pavillonnaires à densifier seuls, sans architecte ni permis de construire, leurs petites parcelles. Le Grand Paris Express, enfin, était avalisé. Ce serait donc un métro automatique de presque 150 kilomètres qui formerait une sorte de 8, le symbole de l'infini, autour de Paris.

Le Grand Paris venait de naître et j'ai compris que ma mission était terminée. Le Prince ne m'avait pas regardé une seule fois en lisant son discours.

Le secrétaire d'État au Grand Paris gérerait désormais le dossier seul. Au jour le jour et jusqu'à la fin du quinquennat — nous avions, sans nous en rendre compte, cessé de dire le premier quinquennat —, c'est lui qui aurait à effectuer des arbitrages savants entre les égoïsmes communaux, les inquiétudes départementales et la morgue d'une région qui considérait qu'elle était la seule structure institutionnellement valide du Grand Paris, lui qui aurait à gérer la sécession possible des Hauts-de-Seine, auxquels l'idée d'une fusion avec la Seine-Saint-Denis voisine faisait tellement horreur que le président du conseil général préférerait tenter à la place une alliance de la dernière chance avec les Yvelines. Le temps du rêve était fini, c'était maintenant celui des compromissions avec les réalités complexes du territoire francilien qui commençait — et je n'étais pas entièrement malheureux de ne pas avoir à m'en mêler. Le Grand Paris ne serait pas ainsi une structure unique, mais une réorganisation, une rationalisation des rapports entre les communes et les départements, entre la région, l'État et la Régie des transports. Ce serait un assemblage complexe de territoires divers au sein d'une métropole unique, à laquelle adhéreraient les cent vingt-trois communes des départements de la petite couronne — départements qui seraient à terme dissous. Il serait donc moins grand que je ne l'aurais voulu, et laisserait les villes nouvelles et l'Île-de-France rurale à sa périphérie.

Ma disgrâce était dorénavant écrite ; elle allait néanmoins être imprévue et violente.

J'avais passé mes derniers mois de cabinet à préparer ma reconversion et à briguer une place que le soutien du Prince me permettrait d'obtenir, je le croyais, sans difficulté : la présidence de l'EPAD, l'établissement public qui gérait la Défense. Je n'avais pas tout à fait le profil, je n'étais pas assez politique. Mais j'avais fait savoir au Prince, par Nivelle, que j'étais justement intéressé par une carrière politique.

J'avais longuement étudié la chose au Triangle d'or avec Villandry et Graslin ; passé les qualités psychologiques, nécessaires, comme la ténacité, le goût du pouvoir ou le sens du compromis, deux choses étaient en fait indispensables pour réussir en politique : disposer de la protection d'un homme politique plus âgé et avoir de la chance. J'avais la chance d'être dans le cabinet du Prince et d'avoir été l'architecte de l'une de ses réformes principales.

Je visais déjà, pour 2015, la vice-présidence de la future Assemblée du Grand Paris, et sa présidence pour 2021. Le Grand Paris Express aurait alors commencé à circuler et à mener presque seul ma campagne victorieuse. J'aurais dans l'intervalle été élu maire de Colombes et, *in extremis*, conseiller général des Hauts-de-Seine, juste à temps pour voir disparaître mon département natal, désormais dissous dans une métropole dont je serais devenu, après en avoir été l'architecte, le roi incontesté. Je serais alors l'un des hommes les plus puissants de France et tout serait possible.

Je découvrais, pendant ces longues discussions stratégiques, le charme de l'ambition politique qui portait en elle quelque chose d'obsessionnel et de performatif. L'idée de carrière politique était déjà une carrière politique. L'ambition fonctionnait de façon parfaitement autonome.

Mon orgueil était inarrêtable. Je passais mes journées à préparer ma candidature au poste de directeur de l'EPAD — et j'avais étrangement retrouvé le sommeil en visualisant toutes les étapes de mon futur destin et mes candidatures victorieuses à toutes les fonctions possibles. J'avais fait des fiches pour être incollable sur le sujet en cas de convocation surprise : la Défense était arrivée à la fin d'un cycle économique. L'EPAD était largement déficitaire, il existait des milliers de mètres carrés de bureaux vacants et les derniers projets de tours, avec la crise, avaient été annulés. Mais la Défense était trop belle et porteuse d'un projet de civilisation trop grandiose pour être abandonnée. Il fallait la convertir d'urgence à l'après-Kyoto. Ses tours devaient devenir les plus spectaculaires symboles de la transition énergétique. J'envisageais aussi de révolutionner plus radicalement la Défense en transformant une tour sur trois en tour d'habitation, pour faire définitivement du quartier d'affaires un quartier du Grand Paris. J'étais heureux, après m'être occupé pendant deux années du Grand Paris dans sa totalité, de changer ainsi d'échelle et de réfléchir à la meilleure façon de faire vivre l'un de ses quartiers emblématiques. Je n'y voyais aucune disgrâce, aucune diminution de ma puissance.

Le Prince m'avait enfin, après plusieurs demandes, accordé quelques minutes d'entretien, et il avait semblé s'intéresser à tous mes projets — je n'avais bien sûr, en fin courtisan, pas fait directement état de mon ambition.

Pourquoi pas aussi une gare TGV, un prolongement jusqu'au Havre de la voie royale, une tour de un kilomètre ? Il m'écoutait distraitement rêver à haute voix en envoyant des textos à des interlocuteurs mystérieux — et le voyant régulièrement sourire, je voulais croire qu'il souriait à mes projets, et qu'il incorporait mes visions à ses projets présidentiels.

Il m'a soudain demandé si je faisais du vélo. Il devait aller, ce dimanche, tourner dans la forêt de Saint-Germain avec Michel Drucker ; c'était l'objet, apparemment, de sa conversation par textos.

Ce serait intégrer le tout premier cercle.

J'ai répondu oui sans réfléchir. Ma carrière politique était lancée. J'avais trois jours pour acheter un vélo et pour retrouver ma condition physique. Le délai était bien trop court pour ce dernier point, mais je m'étais dit que je pourrais compenser, avec un bon matériel, la force qui me manquait. Je suis allé en fin d'après-midi à la boutique Giant de la pointe de l'île Saint-Louis. Je m'étais plusieurs fois demandé ce que faisait ce magasin de sport à cet emplacement privilégié ; j'ai compris rapidement, en voyant les prix, qu'on se trouvait bien en présence d'une boutique de luxe.

Mais il s'agissait d'un investissement, peut-être l'investissement le plus important de ma vie, bien plus important que l'achat de mon appartement ou mon séjour en Algérie. Je me voyais déjà devenir le nouvel ami cycliste du président, je me voyais tourner avec lui chaque dimanche à Longchamp ou dans le polygone de Vincennes, et entre le fort de Brégançon et le cap Nègre.

Je me suis tourné rapidement, très sûr de moi et face à un vendeur probablement habitué à ce type de demande, vers le vélo le plus cher, un Giant Revolution TCR tout carbone, si léger que l'UCI avait failli l'interdire en compétition. J'ai choisi des roues aux roulements si performants et à l'aérodynamique si bien étudiée qu'elles pouvaient tourner dans le vide pendant presque quatre minutes avant de s'arrêter. L'ensemble, avec tout l'équipement, le casque et les chaussures, représentait exactement un mois de mon salaire, un peu plus de 6 000 euros.

J'ai voulu l'essayer aussitôt et, après avoir passé quelques minutes à apprendre le fonctionnement des pédales automatiques, je suis parti, par Rivoli et par les Champs, vers le soleil couchant, vers l'ouest, vers la Défense conquise. Tout cela me paraissait incroyablement facile ; la pratique du scooter m'avait habitué à me faufiler dans la circulation et il m'a fallu moins d'une demi-heure pour rejoindre le pont de Neuilly.

357

J'ai pris à droite la bretelle qui permettait de rejoindre les quais et, tournant trop vite, je suis parti en dérapage, le pied encore pris dans la pédale.

Il n'y avait par chance aucun véhicule derrière moi. Je suis parvenu à me relever, la jambe et le bras en sang, mais j'étais seulement inquiet des dégâts éventuels sur mon vélo. J'ai réussi à remonter en selle et à rejoindre ma tour. Le vélo allait bien. J'étais en larmes à l'idée d'avoir failli passer à côté de mon destin.

Le jeudi et le vendredi se sont écoulés sans aucune nouvelle du Prince — le palais était même étrangement calme. J'avais mal à la jambe et au bras et je devais régulièrement me déshabiller pour enduire mes blessures d'huile cicatrisante — je voulais conserver, au moins jusqu'à dimanche, ma souplesse de mouvement. J'attendais un appel imminent du chef de cabinet ou de l'un de ses adjoints qui gérait l'agenda du Prince.

Je n'osais pas appeler.

J'ai fini par contacter la production de Michel Drucker qui ne pouvait ni confirmer ni infirmer la sortie de dimanche.

Le dimanche, j'étais dès 8 heures devant le château de Saint-Germain-en-Laye. J'avais cru mourir dans la montée du Pecq et la sueur, qui se mélangeait à mon sang dans mes plaies rouvertes, me faisait pleurer de douleur. J'ai pourtant passé toute la matinée à tourner dans la ville, puis à décrire des boucles de plus en plus larges, jusqu'à Maisons-Laffitte, Achères et Poissy. Le Prince et l'animateur étaient introuvables. J'ai fait plusieurs fois le tour, au milieu de la forêt, d'une immense gare de triage déserte ; j'ai repéré à peu près toutes les bouches d'aération et toutes les sorties de secours du tunnel de l'A14 ; j'ai atteint les installations sportives du PSG ; j'ai tourné sur des chemins de terre autour d'une immense station d'épuration, lointain réceptacle des eaux usées collectées par le réseau d'égouts imaginé par mon ancêtre. J'ai failli m'arrêter, plusieurs fois, devant des camionnettes aux rideaux rouges, juste pour être consolé par l'une de leurs occupantes. J'ai fini, vers 14 heures, par rentrer chez moi, désespéré et épuisé. Je me suis mis devant *Vivement dimanche*. Michel Drucker recevait complaisamment Christian Clavier, et le Prince avait fait une courte apparition vidéo pour saluer la carrière de son ami.

J'ai appris le lendemain que le fils du Prince, qui venait de fêter ses vingt-trois ans, était candidat à la présidence de l'EPAD. J'étais *de facto* écarté. Je subissais le même sort que celui qu'avait subi un an auparavant le plus irréprochable de nous tous, le courtisan parfait, l'homme le plus poli et le plus délicat du monde, Garnier-Rivoire, l'enfant de Neuilly devenu le porte-parole de la présidence et qui avait offert aux médias, chaque semaine, sur le perron de l'Élysée, le visage idéal de nos années princières. Neuilléen de naissance et de manières, il avait été le candidat naturel, là-bas, de notre camp pour les municipales — jusqu'à ce que le fils du Prince, déjà, monte une liste dissidente, avec le soutien plus que probable, mais pour nous presque incompréhensible, de son père.

Humilié, Garnier-Rivoire avait dû abandonner Neuilly et démissionner de son poste de porte-parole, tandis que les médias s'étaient amusés de la disgrâce du premier de la classe. Nous avions passé des soirées entières au Triangle d'or à essayer de le consoler. Nous étions désolés pour lui, bien sûr, mais son malheur nous était plutôt agréable : nous étions encore en place, la foudre nous avait manqués.

C'était donc mon tour, et dans des circonstances étrangement similaires. À ceci près que je n'avais pas fait officiellement acte de candidature, et que je pouvais encore me convaincre que le Prince n'avait rien su de mon projet, qu'il n'avait pas compris, lors de notre dernière rencontre, mes allusions explicites. J'ai préparé une lettre de démission, mais sans la dater encore.

J'ignorais que j'allais servir une dernière fois le Prince, pitoyablement, comme victime expiatoire.

La nomination probable de son fils allait cette fois provoquer un vaste scandale. L'audition de celui-ci devant le conseil d'administration de l'EPAD avait été suivie par les médias du monde entier, qui n'avaient pour la plupart plus parlé de la Défense depuis le concert de Jean-Michel Jarre de 1990. On se scandalisait, à gauche, que le fils du Prince ne soit qu'en deuxième année de droit, quand on avait vu, à droite, la riposte coordonnée et problématique de toute la vieille droite altoséquanaise, affairiste et un peu honteuse, celle des amitiés historiques du Prince et des scandales immobiliers anciens qui remontaient peut-être jusqu'à la mort à jamais suspecte du ministre Robert Boulin une nuit d'octobre 1979, nuit pendant laquelle, ainsi que quelques journalistes s'étaient plu à le raconter, celui qui était de permanence au ministère de l'Intérieur n'était autre que l'actuel secrétaire général de l'Élysée.

Le Prince lui-même avait dû intervenir au *20 Heures*, et il n'avait pas été mauvais : « Vous pensez vraiment, monsieur Pujadas, que parce qu'il est mon fils, il aurait le droit à moins que les autres, que parce qu'il est mon fils, ses compétences devraient être systématiquement mises en doute ? Mais permettez-moi de vous le demander, monsieur Pujadas, est-ce que c'est ça votre conception de l'égalité ? Est-ce que parce qu'il est mon fils, il serait moins capable que d'autres ? Voyons, un peu de bon sens, monsieur Pujadas. J'en appelle à votre sens républicain et à celui des Français qui nous écoutent et qui sont, eux, attachés au mérite et à l'égalité, et je dirais même, à l'exemplarité. Parce que vous pensez bien qu'il en faut du courage à un jeune homme de vingt-trois ans pour affronter de telles insinuations, et bien du mérite à vouloir continuer à bien faire son travail dans de telles circonstances. Et vous pensez vraiment qu'il ne le sait pas, cela, et qu'il n'en est pas capable ? Mais c'est justement parce qu'il est mon fils, avec toutes les conséquences qui sont là sous nos yeux — et permettez-moi de vous dire, monsieur Pujadas, que c'est pas un beau spectacle, et c'est pas le père qui parle, c'est le président, c'est le garant des institutions, le défenseur des grands principes de notre belle République —, c'est justement parce qu'il est mon fils qu'il a le devoir de réussir. »

L'agitation médiatique n'était cependant pas retombée et le Prince avait dû finalement se résigner à lâcher son fils. Il ne restait plus qu'à sacrifier celui qu'on allait présenter comme l'initiateur de cette candidature malheureuse et déplacée, en tout cas précipitée. Il fallait désigner celui qui était à l'initiative de cette aventure, et mettre en scène sa neutralisation définitive.

J'étais bien sûr le candidat idéal pour une telle opération. J'ai accepté dignement ce sacrifice en mettant la date du 23 octobre 2009 sur ma lettre de démission. Il n'y avait eu personne pour me consoler, le soir même, au Triangle d'or.

J'ai seulement reçu un texto de Nivelle qui me souhaitait : « Bon courage. »

J'ai été réveillé le lendemain par un appel d'Oiron. J'avais complètement oublié que nous devions nous voir. J'avais fait la fermeture du Triangle d'or et je souffrais d'un terrible mal à la tête — mais je n'avais rien oublié de la journée de la veille.

Il préparait déjà sa nouvelle exposition et je devais assister à la livraison de l'une de ses dernières pièces. Je l'avais revu deux ou trois fois depuis Abraxas. J'étais ainsi descendu avec lui dans la carrière de plâtre de la forêt de Montmorency. L'endroit, entièrement invisible du sol, était spectaculaire. La carrière, immense, avec ses grands piliers tournés de plusieurs dizaines de mètres, évoquait une cathédrale gothique monolithe, la dernière des grandes cathédrales gothiques du Bassin parisien — mais une cathédrale qui ne servait plus qu'à fournir en minces cloisons de plâtre le secteur de la construction pavillonnaire.

J'étais ce matin dans un état de choc bizarre, je crois que je ne réalisais pas ce qui m'arrivait et que j'étais heureux de faire encore un peu semblant d'occuper des fonctions stratégiques. J'ai ainsi rejoint Oiron à la manufacture de Sèvres — dernier vestige, avec celle des Gobelins, de la proto-industrie francilienne de l'Ancien Régime — où il venait surveiller la fabrication d'un millier de cylindres de porcelaine blanche, tous longs d'exactement un mètre.

Oiron s'était inspiré d'un roman de Jules Verne qui racontait la mesure d'un méridien terrestre, en Afrique australe, par des savants européens — il s'agissait de déterminer la valeur du mètre, qui représentait par définition le dix-millionième de la moitié d'un méridien terrestre. Le livre mettait en scène, sur fond de rivalité entre la France et l'Angleterre pour la domination du monde, la manière dont cette entité abstraite avait été péniblement arrachée à la jungle africaine par des explorateurs intrépides. Il prévoyait de planter ses 1 000 mètres, son kilomètre en pièces détachées, sur un grand carré devant l'Observatoire de Paris et de faire germer des plants de lierre au pied de chacun de ces cylindres blancs. On assisterait alors à la revanche progressive de la forêt tropicale, qui viendrait briser un à un les totems de la modernité.

Oiron m'a proposé, alors que nous avions assisté à la cuisson et au démoulage de plusieurs mètres et à l'inspection minutieuse de leurs défauts potentiels, d'aller précisément voir un peu plus haut, dans le parc de Saint-Cloud, ce qu'il appelait « le mausolée de la modernité » : le pavillon de Breteuil, un ancien trianon, seul vestige du château de Saint-Cloud. C'était ici qu'était conservé le mètre-étalon, dans un lieu qui jouissait, outre sa température égale et son atmosphère modifiée, d'un privilège d'extraterritorialité, comme les ambassades. Mais ce n'était là l'ambassade d'aucun pays, seulement le lieu d'accueil du Bureau international des poids et mesures — l'ambassade, si l'on voulait, de la modernité, telle qu'elle avait été proclamée à Paris pendant la Révolution, révolution presque astronomique destinée à arraisonner l'Univers.

Et le mètre avait triomphé, même si sa longueur était depuis longtemps rapportée à un intervalle parcouru par la lumière dans le vide, plutôt qu'à la mesure empirique d'une portion du méridien de Paris. On tentait à présent de parvenir à une définition précise du kilogramme. Plusieurs laboratoires étaient ainsi en train de polir des sphères monocristallines de silicone avec une précision bien supérieure à celle requise pour le polissage des miroirs d'un télescope spatial. La chose fascinait visiblement Oiron, qui considérait que ces opérations étaient ce qui nous rapprochait le plus de nos rites religieux disparus. Le mètre-étalon était ainsi exhibé à intervalles réguliers, comme le suaire de Turin ou l'ampoule miraculeuse de saint Janvier, pour que les mètres dégradés des grands laboratoires du monde lui soient comparés. La cérémonie, extrêmement ritualisée, tant sur le plan symbolique — elle exigeait par exemple la présence impérative de tel ou tel lieutenant de la puissance publique, comme de ceux de plusieurs organisations internationales — que sur le plan pratique — on la répétait plusieurs fois et on n'officiait qu'en combinaison étanche et sous le regard impassible d'une caméra —, dépassait pour Oiron les pompes de la liturgie romaine.

Il considérait d'ailleurs la modernité comme une religion cohérente, autonome et véritable, quoique déjà un peu vieillissante — point qui laissait les autres religions indifférentes, ou qui pouvait même conduire à les rendre plus vénérables, mais qui était mortel pour celle-ci. Il était moins catégorique sur le type de divinité qu'elle adorait. J'ai suggéré la ville, et Oiron n'a pas démenti. L'humanité en tant qu'espèce faisait aussi une bonne candidate.

Mais il était certain que le mètre-étalon, sans que l'on puisse exactement définir son rang liturgique, était l'équivalent d'une divinité. Nous allions en tout cas faire l'expérience concrète de sa nature sacrée en nous voyant refuser l'accès au pavillon qui en conservait l'unique incarnation terrestre. J'allais mesurer au passage l'étendue de ma disgrâce, n'ayant plus personne à contacter pour forcer l'accès du sanctuaire.

Dieu n'existait pas, le mètre était invisible et j'avais perdu tous mes pouvoirs magiques.

93

Dans son article fondateur de 1985, « *Indigenous Management of Tropical Forest Ecosystems : The Case of the Kayapó Indians of the Brazilian Amazon* », l'anthropologue Darrell Posey tente de démontrer que les Indiens Kayapó cultivent la forêt amazonienne comme un grand jardin, afin que celle-ci s'adapte au mieux à leurs besoins. On sait que la notion de jardin possède, en Amazonie, des limites floues, passé un premier cercle de cultures manifestes : le fait que les plantes aux vertus curatives soient surreprésentées autour des villages et que les essences produisant le curare soient toujours abondantes le long des pistes de chasse plaide aussi pour des plantations raisonnées et permet d'attribuer aux Indiens une forte conscience des interactions écologiques. Mais Darrell Posey va plus loin et suggère que la forêt vierge, en totalité, pourrait être une création volontaire de ses habitants humains. Il examine, pour cela, différents aspects de l'activité écologique des Kayapó qui tendent à prouver que non seulement la forêt qui entoure leurs villages témoigne d'actions écologiques volontaires, répétées et conscientes, mais aussi que les Kayapó, anticipant sur leurs déplacements futurs et se souvenant de leurs déplacements passés sur des échelles très largement supérieures à la durée d'une vie humaine, ont probablement planifié l'évolution biologique de la forêt tout entière. La thèse de Posey sera après lui très disputée et largement remise en cause, sans que sa puissance en soit diminuée. Elle demeure encore aujourd'hui le seul équivalent possible, dans le champ ethnologique, d'une révolution copernicienne, révolution inversée, dans un premier temps, qui verrait d'abord l'homme rétabli dans ses droits cartésiens de maître et possesseur de la nature, d'aménageur de la forêt et d'urbaniste du monde végétal, mais révolution truquée, à double fond, qui viserait en réalité — on sait que Darrell Posey était un activiste, attaché à la défense des droits des Indiens, comme, au-delà, à la défense des droits de la forêt elle-même — à la réintégration de l'homme à un biotope dont il ne serait jamais réellement sorti.

En tombant au milieu de la journée sur le documentaire strident et moite qui reprenait les grands thèmes de cette controverse — documentaire dont les cris d'oiseaux m'avaient évoqué, plus que des bruits animaux, les sons d'un jeu d'initiation à l'électronique que j'avais possédé enfant et grâce auquel, en couplant un potentiomètre à un buzzer, j'étais parvenu à reproduire dans ma chambre une ambiance tropicale —, il m'est apparu soudain que la ville moderne était un objet du même ordre que la forêt primaire : un univers hostile et dangereux, en même temps que — mais cette fois nous le savions et la chose n'était ni une hypothèse contestée ni une sorte de fable écologique — quelque chose que nous avions fabriqué, qui répondait à des besoins précis et que nous avions planifié, génération après génération, comme une niche écologique, une niche à la fois incroyablement bien adaptée, mais qui présentait aussi d'inquiétants signes de décadence, voire d'ensauvagement relatif.

S'il fallait un certain effort conceptuel pour ramener la forêt vierge à une construction humaine, il était paradoxalement beaucoup plus facile, et c'était même devenu un cliché, de considérer la ville comme une jungle. J'avais visualisé cela dès mon plus jeune âge : l'absorption de la blanche Colombes dans le ghetto universel. C'était ma grande frayeur d'enfant et l'explication dernière, par-delà tous les opportunismes, de ce pour quoi j'avais rejoint le Prince : j'avais eu trop peur de ce monde pour qu'il ait pu en être autrement. J'avais vu, par-dessus les murs antibruit de l'autoroute du Nord, le chaos urbain du 93. J'avais vu ces signes monstrueux dans les tunnels du métro, ces lettres déformées tentant d'articuler des phrases sur les rames argentées des RER qui traversaient la métropole en ruine. J'avais vu le monde fonctionnel et gris de l'urbanisme des années 1970 être presque entièrement recouvert par les efflorescences de cette langue inconnue, de ce lierre humain multicolore qui était comme l'adaptation monstrueuse du langage écrit aux murs-rideaux des tours — comme les vrilles des plantes procédaient d'une dégénérescence de leurs feuilles, forcées de s'adapter au milieu urbain. Le terme technique inventé par Darwin pour décrire le processus était *circumnutation* ; la culture urbaine

371

témoignait d'une évolution similaire de la ville, d'un stade nouveau de son évolution où, après avoir lancé ses tentacules dans l'espace, ceux-ci revenaient vers elle pour l'étouffer.

Paris était désormais une ville conquise. J'étais tombé quelques mois plus tôt sur une photo qui montrait la profanation de la villa Savoye par des tags multicolores et des animaux issus du bestiaire du street art. J'avais mis quelques secondes à comprendre qu'il s'agissait d'une image retouchée, tant la chose semblait correspondre à mon expérience de la ville.

Tout était perdu pour la ville-centre et Paris ne pourrait retrouver un peu de vitalité, un peu de la vitalité inquiétante de la forêt primitive, qu'à condition, pourtant, de se laisser envahir par les intrants venus de ses quartiers périphériques, comme la forêt amazonienne qui, poussant sur un sol appauvri, ne devait sa survie qu'aux particules de poussière arrachées par le vent à une dépression saharienne où s'étaient accumulés, pendant des millions d'années, les squelettes des algues microscopiques d'une mer asséchée — c'était le thème de la seconde moitié du documentaire sur les mystères de l'Amazonie.

Les nouvelles cultures urbaines, la culture hybride des villes était la seule à pouvoir triompher là où la vie serait devenue impossible, sur les essarts infertiles de la révolution industrielle, dans les villes retombant à l'état de nature — un état de nature modifié, violent, hors de contrôle. L'homme allait devoir se battre à nouveau dans des écosystèmes hostiles dont il aurait été ironiquement le seul architecte — son destin était dorénavant lié à celui de ces jungles urbaines étouffantes.

On avait craint, devant la cité des 4000, l'un des grands ensembles les plus emblématiques de la France d'après-guerre, que la vie concentrée dans des cages d'habitation superposées et identiques ne donne naissance à une civilisation trop standardisée et trop rationnelle ; on découvrirait bientôt dans cet Aveyron vertical, dans cette jungle cellulaire, l'existence de trois enfants sauvages privés de tout soin comme de toute existence légale dans un appartement du septième étage.

Les banlieues étaient à la fois les frontières de la ville et le centre renouvelé de l'expérience humaine — le lieu de toutes les mutations. La violence de la ville devait être le dernier paysage, le lieu de révélation, par lui-même et pour lui-même, de la nature de l'homme, son environnement exclusif, à la fois le seul où il puisse vivre et le seul qui puisse encore l'informer de ce qu'il était vraiment, en le retenant loin des fausses extases romantiques du paysage naturel.

L'homme était devenu ici son dernier paysage, un paysage de plots en béton destinés à protéger les édifices publics des voitures-béliers, de grillages tendus au-dessus des cours d'écoles pour éviter que les enfants ne reçoivent des projectiles mortels, de lumières bleues pour empêcher les toxicomanes de discerner leurs veines dans la nuit.

On avait atteint ici les bords du monde humain et la ville se relevait légèrement comme la planche rugueuse d'un skateboard, comme les rampes d'un skatepark — unique et inquiétante contribution des cultures urbaines à l'architecture. Les villes étaient devenues des obstacles à franchir, des falaises horizontales, des terres d'exploration. Une discipline sportive, un nouvel art martial était apparu ici, dans la banlieue parisienne, le parkour, ou l'art du déplacement urbain, popularisé par le film *Yamakasi* — pratique qui consistait à sauter de bloc en bloc et de balcon en balcon, comme si l'homme s'était transformé en une espèce parasite de la ville de béton, qu'il était devenu ses herbes folles, son lierre envahissant.

Les cultures urbaines étaient devenues des arts premiers authentiques et l'humanité venait de découvrir qu'elle serait, pour l'éternité, son seul tribut.

Je devais finalement donner raison à la caricature célèbre que j'avais aperçue adolescent dans mon manuel de lettres, caricature qui montrait Foucault, Lacan, Lévi-Strauss et Barthes en plein dîner anthropophage : l'état de nature était proche, les raffinements terminaux de nos civilisations urbaines tendaient tous vers ce point effrayant où nature et culture, après la parenthèse moderne, se seraient à nouveau rejointes et où la ville, lieu manifeste de la liberté, n'exprimerait plus qu'un obscur et vénérable fatalisme — où la ville serait le théâtre mélancolique d'un monde sans dieux, sans hommes et sans réparation possible.

J'étais pour l'heure retranché dans une tour d'habitation étanche, incapable de sortir, de descendre dans la ville alentour, certain que tout était ici-bas dangereux et mortel.

J'avais perdu la protection de mon bureau silencieux, la protection du cabinet, des salons du palais dorés comme des croissants et de ses cours fermées comme des coquillages. Je serais allé trois fois dans les jardins, deux fois dans le bureau du Prince, pas plus de dix fois dans celui de Nivelle, mais j'avais, même relégué à une aile secondaire, habité le palais pendant deux ans et pu, chaque matin, franchir sa porte interdite. Cela avait été comme si toutes les portes de Paris s'étaient refermées quand j'en avais été finalement expulsé.

J'avais été publiquement désigné comme bouc émissaire. Mon nom était sorti dans plusieurs articles accusateurs sur l'affaire de l'EPAD. J'osais à peine me montrer à la fenêtre de ma cuisine qui donnait sur la Défense, et j'avais de l'autre côté l'impression que tout Paris me voyait et attendait ma chute — j'aurais d'ailleurs eu trop peur de sauter si j'étais sorti sur le balcon. Les fenêtres fermées, les rideaux tirés, la télé allumée, j'étais en sécurité relative.

J'ai passé presque un mois dans cet état suspendu.

J'avais progressivement ralenti ma consommation d'alcool, en augmentant simplement la quantité de Red Bull que je mettais dans ma vodka glacée. Cela avait eu pour effet d'accélérer mon cœur et de m'obliger à sortir pour dissiper l'énergie accumulée.

Je pouvais demeurer anonyme tant que j'étais sur mon scooter et que je gardais mon casque. Je suis ainsi repassé devant l'Élysée, très tôt et après une nuit presque blanche. On travaillait déjà, les lumières de certains bureaux étaient allumées. Quelque chose d'important devait être en préparation. J'ai repoussé l'idée de forcer l'entrée pour me faire abattre par l'un des gardes — qui risquait de toute façon de reconnaître mon scooter et de m'épargner.

J'ai continué ma balade matinale. Paris était gris et détestable. L'eau de la Seine était froide et les églises, sorties d'un siècle d'incroyance dévote et d'éclectisme sans substance — Sainte-Clotilde, Saint-François-Xavier et Notre-Dame-des-Champs —, étaient laides et grotesques. Même la tour Montparnasse, dont les bureaux éclairés formaient d'habitude des cellules orangées et pulpeuses, avait ce matin quelque chose de désagréable : on avait installé sur ses arêtes des leds bleutées qui soulignaient ses angles de leur couleur glacée.

Paris m'inspirait désormais les mêmes sentiments que l'inutile Adrar. La ville avait bien été décrite, avec une cruelle exactitude, par Baudelaire : un grand désert d'hommes. Je suis arrivé place d'Italie pour déplorer, une nouvelle fois, le bannissement absurde des tours par le président Giscard, qui avait abouti ici au remplacement d'un projet d'une tour de 200 mètres par une sculpture ratée. Le Prince aurait bien été, comme l'avaient craint les commentateurs les plus âgés de son ascension, un nouveau Giscard — un rêve de modernité qui aurait à peine tenu plus longtemps qu'une campagne. Le quinquennat était manqué.

J'avais devant moi, au-dessus de la montagne Sainte-Geneviève initiatique et du désordre machelinien des toits du quartier Mouffetard, le dôme du Panthéon. J'ai repensé à cet autre président, ce président bâtisseur obsédé par sa place dans l'histoire, qui avait lié son destin à cette église républicaine aux fenêtres murées et qui serait parvenu à faire croire à Paris qu'il était encore une capitale architecturale — une capitale un peu pompière, sans doute, toute plaquée de marbre et faite à l'image du Grand Louvre, lui-même imité d'un centre commercial de prestige ou d'une station de métro de luxe, mais une capitale encore, et peut-être pour la dernière fois.

J'ai pris une petite rue pavée qui descendait à gauche jusqu'à l'ancien lit de la Bièvre et qui donnait sur le Mobilier national, l'un des premiers bâtiments en béton armé qu'on ait construits à Paris, mais dont l'auteur avait habilement dissimulé les audaces architectoniques en lui donnant la forme d'un hôtel particulier. On avait aussi construit là, autour du parc aménagé dans la dépression alluviale, plusieurs tours de grande hauteur, dont le premier gratte-ciel de Paris, un bel immeuble d'un peu plus de vingt étages, dont la structure originale, faite de tubes d'acier remplis de béton, continuait, après cinquante ans, à lui donner un élancement et une finesse exceptionnels. Deux autres tours, plus tardives, complétaient le dispositif, beaucoup moins rationnel que les autres grands programmes de tours du XIIIe, beaucoup moins dense aussi avec, entre ces tours, des immeubles anciens, des maisons particulières et même, contre les dogmes ségrégatifs de la charte d'Athènes, quelques vestiges industriels, comme un atelier de maintenance du métro ou la manufacture de tapisserie des Gobelins.

La ville moderne s'était avancée ici à tâtons et en respectant, étrangement, les servitudes imposées par une rivière disparue. Il y avait eu quelque chose comme la possibilité d'un Paris idéal, respectant son site mais ouvert à toutes les aventures architecturales, mobilisant toutes les tailles et toutes les formes, mélangeant gracieusement les époques, les styles et les fonctions. Le quartier, dissimulé à l'intérieur même de l'ennuyeuse trame haussmannienne et situé comme en dessous de la carte du Paris des avenues rectilignes et des boulevards monotones, possédait une grâce urbanistique inattendue et presque pastorale, une fraîcheur qui m'a évoqué le paradoxal jardin alpin du Muséum, où pour reproduire le gradient de température de la haute montagne, on avait simplement excavé une partie du sol.

Un des projets du Grand Paris avait proposé de réaliser, beaucoup plus au nord et dans des proportions incomparables, une opération urbanistique de ce type, en faisant du parc de La Courneuve le Central Park qui manquait à Paris. Le lieu avait jusque-là été sous-exploité, à cause de la trop faible densité urbaine de ses alentours et de son excentrement relatif — notions que les jeux topologiques permis par le Grand Paris allaient bientôt rendre obsolètes. L'idée était d'implanter, tout autour du parc, traité comme un canyon végétalisé, les immeubles de grande hauteur dont la Seine-Saint-Denis était étrangement restée dépourvue. Les dessins préparatoires, automnaux et mordorés, évoquaient la projection de Manhattan, la ville vertigineuse du XXe siècle, dans le paysage moins stressé de l'après-Kyoto. Je craignais qu'il ne reste, du Grand Paris comme de ces visions féeriques, que quelques murs végétaux, un métro invisible et une canopée inerte, celle des nouvelles Halles.

Un journal, quelques jours après ma démission, avait titré «Paris perdu?». La réponse serait certainement positive. La parenthèse architecturale glorieuse du Grand Paris était déjà refermée, avant même la construction d'un seul bâtiment; le Grand Paris serait l'œuvre aveugle d'un tunnelier et laisserait sur son passage, tout au plus, quelques gares vitrées et écologiques à la modestie prétentieuse — le Grand Paris ne serait jamais plus visible ni plus spectaculaire que dans l'entrepôt anonyme où on accumulait les carottes géologiques argileuses qui devaient permettre aux experts géologues de déterminer sa future trajectoire.

Je venais de traverser la Seine et je me trouvais maintenant tout près des Halles. J'ai pris le souterrain qui plongeait sous la rue Saint-Honoré. Je savais que la rénovation des Halles allait entraîner la fermeture de la plupart de ces tunnels, symboles d'une époque révolue. Celui-ci tournait sur lui-même, provoquant une désorientation instantanée. Il n'y avait plus que du carrelage coloré sur les murs et des noms abstraits d'embranchements possibles. Paris avait atteint, ici, son niveau d'abstraction maximal. La ville avait disparu, elle était devenue cet ensemble de fonctions auquel les modernes avaient voulu la réduire : une forêt de signes.

Le monde ici avait changé de nature, il pouvait disparaître et réapparaître, comme la ville disparaissait et réapparaissait à chaque entrée et à chaque sortie du tunnel en spirale ; il était docile et souple, il possédait des règles de fonctionnement simples et le charme étrange de ce qui n'était plus ni tout à fait réel ni tout à fait imaginaire. Le monde était perdu, mais ce n'était plus, depuis longtemps — si cela l'avait d'ailleurs déjà été —, quelque chose de tragique. Le monde était perdu et nous devions le retrouver : c'était un jeu de piste, un jeu d'aventure, c'était comme les tunnels de la mine dans *Indiana Jones*, quelque chose auquel nous choisissions de croire, dont nous nous amusions à avoir peur, sans que cela n'entraîne aucun engagement plus fort — les tunnels étaient faux comme des montagnes russes, Hitler était un personnage de comédie, la Bible un scénario de film et nous suivions les aventures d'un faux archéologue dans un monde dont l'histoire était évaporée.

La mort de Dieu elle-même, l'élément fondateur,

la catastrophe initiale, le drame indépassable de la modernité, avait maintenant quelque chose de factice : les civilisations qui développaient des parkings souterrains n'avaient plus besoin de Dieu, mais seulement d'issues de secours praticables et d'extracteurs d'air puissants.

Le tunnel que j'avais emprunté ressortait juste en dessous de celui des Halles, dissimulé dans un faux îlot haussmannien. Toute la ville moderne était rassemblée là, orgueilleuse et tremblante, autour de la trémie en béton du tunnel : la ségrégation des flux de circulation, l'immeuble-machine, un jardin suspendu, le béton brut et la subtile citation des bow-windows en verre d'un immeuble d'habitation — ensemble qui dissimulait aussi le campement presque invisible d'un SDF, fait de cartons accumulés, comme une ville dans la ville, une proclamation baroque de son infinité.

J'ai réalisé alors que c'était précisément cette idée de la ville qui avait été prise pour cible le 11 septembre 2001, le rêve d'une seconde Babel, d'une seconde Babylone, celui d'une incarnation terminale des idéaux modernes dans une structure unique autonome, celui d'un lieu où les promesses théoriques de la ville étaient enfin matérialisées — et le postmodernisme, moins qu'un retour des âges anciens, avait été ce moment étrange où ces idéaux seraient rendus définitivement habitables, le point de non-retour de l'histoire humaine, l'instant où l'humanité avait commencé à trouver, en elle-même, plutôt que dans le monde trop lentement dévoilé des sciences naturelles ou trop brutalement révélé des religions du Livre, l'unique lieu où elle désirait vraiment vivre.

La ville était l'émanation directe de ce projet fou et émancipateur, de cette anthropophagie spirituelle, de ce désir moite de vivre tous ensemble dans le filet sans fin des déterminations humaines, dans le paysage sans point de fuite d'une humanité repliée sur l'adoration perpétuelle de ses réalisations passées, présentes et futures.

Les attentats du 11 Septembre avaient voulu détruire cela, la ville terminale et contradictoire, la ville dorée et pleine de l'Occident heureux, la ville transparente et vide des échanges symboliques, la ville comme *world trade center*. Les terroristes avaient visé le point d'incandescence de la ville, le filament glorieux de notre civilisation amoureuse d'elle-même et tout ce qu'elle était capable d'imaginer pour satisfaire ses besoins illimités de gloire et d'amour, pour satisfaire cette hérésie chrétienne somptueuse qu'elle était devenue. Le 11 Septembre avait frappé étonnamment juste, en visant ce complexe qui symbolisait l'essence même, sacrée et profane, de la ville moderne, de la ville comme surface d'échange et comme lieu d'émergence de la seule religion enfin universelle, de la seule religion à laquelle rien ne serait étranger.

Le mode de représentation privilégié de cette ville devenue véritablement monde — monde, planète et cosmos — avait été la vue aérienne en grand angle, en très grand angle, de façon à ce qu'elle apparaisse déformée et convexe, qu'elle se déplie entièrement jusqu'à ressembler à la surface d'une sphère hérissée de tours.

Il n'y avait alors plus rien que la ville, ses réseaux, ses secrets et ses miracles économiques, plus aucune Terre en dessous d'elle, plus aucun ciel au-dessus d'elle. Vivre en ville procurait des expériences mystiques de qualité supérieure à toutes celles que l'homme avait connues jusque-là. Dieu et le monde étaient des objets dispensables et désuets pour les habitants des villes.

Nous n'étions pas athées, nous étions citadins, et aucun monothéisme ne pouvait résister longtemps à cette industrialisation de la pensée religieuse : tout marchait trop bien pour que nous ayons besoin d'autre chose. Maintenant les hommes n'étaient plus dans la main d'un dieu unique mais rejetés sans fin entre les mains infinies de tous les dieux possibles. Maintenant la réalité avait succombé au rêve. La ville était le lieu de toutes les créations du monde.

Bien sûr les attentats avaient échoué et le World Trade Center serait reconstruit. Mais l'attaque elle-même survenait après un premier attentat manqué et nous savions qu'il y en aurait d'autres et que ses ruines faisaient désormais partie intégrante de la ville moderne. C'était là le véritable message des attaques : la ville comme totalité autonome et close, comme système de signes toujours neufs et toujours rafraîchis, comme horizon biologique, politique, esthétique, comme horizon religieux de la vie sur terre, était désormais sous la menace d'autres attaques. Les villes ne s'appartenaient plus vraiment. Les urbanistes n'étaient plus les seuls maîtres de la ville.

L'effondrement des tours, l'après-Kyoto, la crise, mon éviction et la fermeture programmée des tunnels des Halles formaient ce matin-là un événement unique, la fin d'un cycle, la clôture d'un paradis terrestre dont nous avions compris trop tard qu'il avait existé et que nous en avions été les contemporains.

Tout Paris ce matin ressemblait à la ruine figée d'une civilisation morte — la nôtre. J'étais peut-être le seul à avoir compris ce que nous venions de perdre, et il était trop tard pour en faire la révélation aux autres. Prophète, il me manquait un prince et une ville à convertir pour être pris au sérieux.

J'ai ressenti une tristesse profonde et sans objet.

J'allais bientôt avoir trente ans et j'avais passé un tiers de ma vie à boire quotidiennement un mélange, jugé explosif par les autorités sanitaires, de caféine et d'alcool. Je n'étais pas sûr de voir le Grand Paris Express, qui ne serait opérationnel qu'entre 2020 et 2030 — 2040 sans doute, pour son ventricule occidental, que Lenoir avait laissé en pointillé sur la carte communiquée aux médias.

Le projet m'avait été enlevé et sa temporalité m'excluait désormais, comme celle des grands programmes scientifiques, des accélérateurs de particules aux télescopes spatiaux, programmes prétendument optimistes mais dont la mise en œuvre, qui excédait la durée d'une génération et presque celle d'une vie humaine, ne pouvait qu'inspirer un sentiment d'abandon devant l'ordre glacial du temps : on pouvait prédire le type de découvertes que l'humanité ferait dans un demi-siècle, et même prévoir la date de ses futures épiphanies rationnelles, liées au démarrage lointain d'un programme initié quelques décennies plus tôt.

J'étais alors tombé sur les résultats d'une étude

médicale qui suggérait que l'ingestion régulière de caféine pouvait jouer un rôle protecteur pour le foie. Le soulagement euphorique qui m'avait saisi m'avait surpris. Il y avait là presque comme un signe : puisque j'avais échappé miraculeusement à ma condamnation à mort, puisque le destin avait voulu qu'une sorte de grâce chimique censure l'unique façon que j'avais trouvée de me détruire, je devais peut-être vivre encore un peu, presque par gratitude — envers qui, je ne le savais pas encore.

J'avais décidé d'arrêter de boire et de me mettre au sport — décision moins motivée, peut-être, par l'instinct de survie que par la rage vengeresse de voir le Grand Paris Express tourner autour de moi, de sentir toute la métropole vibrer avec lui pour envoyer à travers les étages de ma tour cristalline un unique signal de reconnaissance et de soumission à son souverain légitime, ignoré et déchu. Je n'avais alors aucun plan de carrière, aucun désir de fonder une famille, rien d'autre que cette envie irrationnelle de contempler mon orgueil passé.

Je me suis d'abord attaqué au point culminant de ma boucle natale, à l'ascension cycliste du mont Valérien, ancien lieu de pèlerinage maintenant dédié au culte gaulliste de la Résistance — aux cultes païens de la politique, qui me sont apparus, ce jour-là, plus froids et plus vides que ceux des anciens Romains. Ces eaux glacées et acides s'étaient abattues partout sur les calcaires tendres et dorés du Bassin parisien et avaient commencé à creuser un vaste système karstique, une République occulte dont on entendait les derniers échos dans les scandales immobiliers qui mettaient en scène des résistants illustres et des milieux politico-financiers immenses et souterrains. La Cinquième République avait quelque chose d'une société secrète, d'un complot caverneux dont la résurgence la plus connue était l'église déconsacrée du Panthéon, mais qui impliquait aussi l'existence, sous chacun des palais de la République, d'un abri antinucléaire, comme à l'autre bout du monde celle d'une cavité inaccessible aux parois vitrifiées dans la cheminée refroidie d'un volcan du Pacifique, ou plus près de nous, dans le désert algérien, celle d'une montagne creuse — celle où mon grand-père, dans un rêve que je faisais souvent, avait été enterré vivant.

Mais c'était bien en Île-de-France que ces résurgences étaient les plus nombreuses et que ce culte s'était développé avec le plus d'intensité : il y avait dans les rues de Paris ces petites plaques de marbre blanc qui rendaient hommage aux combattants tombés pour sa libération, plaques souvent dotées d'un anneau de cuivre afin qu'un clergé mystérieux vienne y déposer à dates régulières une gerbe de fleurs, vite fanées sous leur plastique transparent ; il y avait ces petits monuments qui se dressaient soudain sur le bord de la route, quand on traversait une forêt francilienne, et qui signalaient le lâche assassinat d'un groupe de partisans, ou bien ces stèles, un peu partout, qui marquaient l'avancée de la 2e DB à travers le maquis de la petite couronne.

Le culte gaulliste de la Résistance avait ainsi repris presque tous les signes visibles du catholicisme, sans que le catholicisme français ne s'en trouve renforcé ni que la République renaissante n'en soit consolidée. La République, un peu coupable de s'être ainsi placée dans la queue de comète d'une religion sur le déclin, apparaissait en tout cas plutôt fatiguée et désuète, et même inutilement sépulcrale, au pied de la grande croix de Lorraine du mont Valérien, dont j'allais monter et descendre les pentes jusqu'à l'épuisement, passant et repassant devant le crématorium où avaient disparu mes parents et où je serais à mon tour rendu au néant si mon cœur me lâchait.

Je suis parti un matin, sans réfléchir, après m'être endormi très tôt la veille pour la première fois depuis des années, pour une longue balade à vélo. Il faisait beau ; ce serait l'un des derniers soleils de l'année. J'ai laissé cette fois le mont Valérien invaincu pour préserver mes forces et j'ai roulé vers le sud, vers la forêt de Meudon. Je suis ainsi arrivé à l'extrémité sud du croissant des Hauts-de-Seine, puis j'ai traversé les communes indiscernables du Val-de-Marne jusqu'à la Seine, que j'ai franchie à Vitry, avant de me perdre sur l'autre rive, dans le chaos routier, ferroviaire et fluvial de Créteil et des villes alentour. J'ai enfin atteint une grande forêt silencieuse, puis après elle la Francilienne, que j'ai dépassée après avoir traversé un petit village qui n'avait plus rien de banlieusard — sinon une surcapacité discrète en équipements de loisirs et en infrastructures.

Je devais être arrivé en Seine-et-Marne, le seul département d'Île-de-France qui faisait la taille d'un département normal, et qui couvrait la moitié de la région. On était loin du Grand Paris et au cœur, déjà, du désert français. Les villages, de plus en plus resserrés, avaient perdu depuis longtemps leurs zones pavillonnaires ; les églises, les mairies et les vieilles maisons alignées de leurs rues principales évoquaient tout au plus les dépendances abandonnées d'une ferme, depuis que les engins agricoles, devenus gigantesques, ne pouvaient plus y être entreposés.

Ces monstres mécaniques étaient rangés un peu à l'écart dans des abris en tôle beige. Ils servaient à extraire la farine et le sucre, les deux bases de l'alimentation des modernes, les deux substances poudreuses qui permettaient à l'humanité de continuer à dévaler le temps, les deux matières blanches dans lesquelles était stockée la seule énergie directement consommable par les hommes. L'un des mystères de l'existence de Paris m'était enfin révélé : Paris était né, comme une pierre à moulin taillée un peu en biais et évidée au centre, de la légère concavité de l'un des plus riches plateaux céréaliers du monde.

J'avais devant moi, depuis quelques kilomètres, une raffinerie presque aussi isolée que celle d'Adrar et qui devait dater du temps où l'Île-de-France, avec la découverte de quelques gisements de pétrole, s'était crue en autarcie énergétique. Elle me semblait fumer beaucoup trop. J'ai compris, après l'avoir dépassée et en voyant le nuage de fumée se repositionner au-dessus de Provins, qu'il s'agissait de la vapeur émise par les tours de refroidissement de la centrale nucléaire de Nogent-sur-Seine — l'une des bornes frontières d'une région jugée jadis trop peuplée et trop stratégique pour accueillir une telle installation sur son sol.

Il était inutile de continuer jusque-là. J'allais rejoindre Provins, la ville-forteresse aux confins du désert, le verrou du sud-est à l'époque où les ducs de Bourgogne étaient plus puissants que les rois de France et l'une des villes les plus riches de leur royaume au temps ancien des foires et de la chevalerie, le lieu, aussi, où Delouvrier était venu mourir pour contempler Paris depuis cet aphélie lointain — Paris basculé de l'autre côté de l'horizon et devenu l'aurore boréale du siècle à venir.

N'ayant pu pénétrer dans l'enceinte médiévale faute d'avoir voulu m'acquitter de l'octroi exigé, je me suis assis à la terrasse d'un café de ses faubourgs d'où j'ai regardé passer, moi-même en costume Giant fluo anachronique, les hallebardiers, les jongleurs et les ménestrels qui montaient vers la ville haute.

J'ai remarqué alors que tous les figurants qui défilaient devant moi, garçons comme filles, étaient blancs. C'était étrange dans la mesure où le flux touristique qui rejoignait la ville haute avec eux, et qui devait représenter un échantillon normal de la population française, d'une population intéressée par l'histoire et venue en famille à Provins plutôt qu'à Disneyland, ne l'était pas.

La chose était à la rigueur admissible dans la mesure où il n'avait jamais dû y avoir de Maures à Provins, mais je ne pense pas que le souci d'authenticité des organisateurs de la reconstitution médiévale ait été jusque-là, pas plus qu'on ne pouvait envisager une discrimination à l'embauche aussi massive, discrimination qui aurait poussé les minorités visibles à postuler uniquement à Disneyland, où on pouvait facilement les dissimuler sous des masques géants. J'avais cependant lu une tribune qui dénonçait le recours un peu trop systématique à des comédiens blancs pour jouer *Othello*, la pièce du répertoire classique la plus naturellement propice à l'expression d'un peu de diversité — les Turcs du *Bourgeois gentilhomme* restant de pure convention, quand le *Mahomet* de Voltaire posait des énigmes insurmontables.

Cette sous-représentation des minorités visibles tenait sans doute plus à la sociologie des pratiques culturelles, au rêve petit-bourgeois de vivre de son art, qu'à un quelconque racisme institutionnel. Mais cette ségrégation diffuse m'apparaissait pourtant choquante — et j'étais plus surpris encore de la trouver choquante.

Le Prince avait d'ailleurs bien su l'exploiter, de façon très pragmatique, en jouant le désir d'ascension sociale à peu près pur des populations issues de l'immigration contre le sentiment diffus de fin de l'histoire des enfants de la moyenne bourgeoisie, qui votaient à gauche et qui n'avaient jamais vraiment aimé l'argent. Le Prince avait ainsi su trouver dans la France multiculturelle, au fond un peu plus sérieuse que l'autre et plus en accord avec son destin de fils d'immigré volontariste, des défenseurs ardents de ses doctrines économiques. Mais il avait hélas tout gâché avec la création d'un ministère de l'Immigration et de l'Identité nationale. On avait frôlé là — quoi que j'aie pu dire moi-même, et de façon parfaitement sincère, à des dizaines et des dizaines de contradicteurs — le racisme d'État. Et j'ai réalisé soudain, assis à la terrasse d'un mauvais bistrot de l'absurde Provins où on m'avait servi une quiche surgelée accompagnée d'une salade flétrie, que j'étais devenu sensible à cette question, qui m'était jusque-là restée absolument étrangère, du racisme.

J'ai alors remarqué les deux jeunes d'origine maghrébine qui admiraient, avec trop d'insistance à mon goût, mon vélo hors de prix. J'ai croisé, très gêné par la situation, par le caractère secrètement inédit de la situation, le regard de l'un d'eux.

Il a heureusement joué son rôle à la perfection, m'insultant, insultant ma mère, me traitant de sale Français et finissant par menacer d'enculer toute la France. J'ai accueilli la chose avec une telle sérénité que j'ai réellement pu craindre, pendant quelques secondes, une conversion à je ne sais quelle version doucereuse et sacrificielle du christianisme : j'étais dans la situation d'un missionnaire sur le point d'être tué par un sauvage, et de façon complètement irrationnelle, j'aimais mon bourreau, je lui rendais grâce d'exister, je comprenais sa colère. Encore plus étrange, la France qu'il menaçait de violer avait acquis soudain, dans sa bouche, une réalité que je ne lui avais jamais connue. La France existait pour lui, quelle que soit la façon brutale dont il l'avait évoquée. La France existait et lui comme moi en faisions partie, à égalité. Il avait heureusement disparu dans la foule, sans quoi je me serais peut-être levé pour aller à sa rencontre comme le père de Foucauld était jadis allé à la rencontre de son meurtrier.

J'étais clairement épuisé par tout le chemin parcouru ; même arrêté, c'était comme si ma tête continuait, par inertie, à avancer toute seule.

L'après-midi était bien entamé et je devais partir

si je voulais arriver à Paris avant la nuit. Mon état euphorique a tenu encore quelques kilomètres, qui m'ont vu remonter, sans que je m'en aperçoive, beaucoup trop vers le nord. Mon iPhone venait de s'éteindre et j'ignorais à quelle distance j'étais maintenant de Paris, mais j'avais accueilli ce challenge supplémentaire avec une certaine ivresse — l'endorphine avait pris avec facilité la place laissée vide par l'alcool.

La fatigue ainsi qu'une inquiétude grandissante devant des panneaux routiers signalant des villes inconnues, comme Coulommiers, que j'aurais située en Normandie plutôt qu'en Seine-et-Marne, ont commencé peu à peu à modifier mon humeur, et à peine 40 kilomètres après mon épiphanie, je me suis mis à vomir, littéralement, sur la République — en tout cas juste à côté —, la République symbolisée par une stèle qui commémorait, au bord d'une route anonyme, la mort d'un héros de la bataille de la Marne — peut-être était-ce d'ailleurs, je ne m'en souviens plus et après vérification l'endroit correspond mal —, celle du lieutenant Péguy lui-même, le dernier des méritocrates, le républicain absolu, le Francilien sacrificiel. J'ai vomi là toute la France et tous ses paysages, j'ai vomi la brume qui montait au couchant par-dessus un Paris invisible, j'ai vomi la République, son Prince et son suffrage universel, j'ai vomi le faux sacré des stèles et l'enfer froid des hommes. Tout me dégoûtait soudain, j'étais pris d'un accès de mélancolie sans limite. J'étais perdu, sur des routes vides, sans argent ni téléphone, sans amis ni famille, et j'aurais pu me tuer si l'occasion s'était présentée. À défaut de camion j'avais envisagé de me pendre à ma chambre à air, si je trouvais un arbre dans la plaine déserte.

Il me restait à peine une heure de soleil ; plus que la mort, je craignais maintenant le froid.

J'ai traversé encore un village, résolu à demander de l'aide, quand j'ai été soudain récupéré, à travers le temps, par la main de mon ancêtre.

J'avais reconnu, juste après la dernière maison du village, un des petits regards hémisphériques de l'aqueduc de la Dhuis, l'aqueduc qu'il avait construit pour alimenter Paris.

J'avais lu, adolescent, la monographie que mon grand-père avait consacrée à son aïeul illustre et je connaissais les principales caractéristiques de l'ouvrage, ses siphons invisibles, ses jeux habiles avec les courbes de niveau et les lits capricieux des rivières traversées.

J'étais maintenant en terrain connu. J'étais sur une propriété de la Ville de Paris, qui possédait encore toute l'infrastructure nécessaire à son alimentation en eau : il me faudrait sans doute marcher toute la nuit, mais je jouirais, quels que soient les lieux que je traverserais, de ce privilège d'extra-territorialité. J'étais dans l'un des plus longs et des plus anciens tentacules du Grand Paris. J'étais, à tous égards, dans un univers familier.

J'ai laissé mon vélo, le posant simplement contre la porte verte du regard, et je me suis engagé sur la petite levée de terre qui signalait la présence souterraine du bienveillant aqueduc.

La nuit était presque tombée mais la pleine lune et la pente herbeuse me garantissaient un cheminement facile. J'avais dû cependant retirer mes chaussures, qui s'étaient révélées très vite inconfortables.

J'ignorais à quelle distance je me trouvais de Paris — autour de 40 kilomètres sans doute, peut-être un peu plus.

Après avoir longtemps marché au milieu des champs, je suis arrivé à un golf, puis à un lotissement : j'ai cru que j'étais enfin entré dans la ville, mais de nouveaux champs, des bois sombres et humides et des routes de campagne désertes sont apparus. J'ai franchi une autoroute en courant, espérant qu'il s'agisse déjà de la Francilienne, puis encore un bois et une nouvelle zone pavillonnaire. Toutes les fenêtres étaient hermétiquement fermées avec des volets roulants électriques anti-intrusion, les traditionnelles persiennes ne remplissant plus depuis longtemps qu'un rôle décoratif. Les seules lumières venaient des rares lampadaires ou des Velux des étages qui diffusaient, dans la nuit noire, leur bleu TF1.

On était là dans la France du Prince, celle des petits propriétaires, des jardins grillagés et des chiens agressifs, la France du plastique et des hypermarchés, qui pendait en décembre des mannequins du père Noël à ses gouttières, qui achetait l'été des piscines autoportantes et qui laissait blanchir des jeux d'enfants sur ses petites terrasses ; c'était la France moche des émissions de télé-réalité, non pas celle de la *Star Academy* ou du *Loft*, qui passaient en prime time et promettaient la gloire, mais celle de la seconde partie de soirée, celle de *Confessions intimes*, de *Super Nanny* ou du *Grand Frère*, celle des émissions de déco sans espoir et des relookings compassionnels — la France de ceux qui n'allaient pas très bien et qui comptaient sur la télé pour aller un peu mieux.

La seule personne que j'ai croisée, énorme, promenait un tout petit caniche et a paru terrifiée par mon apparition — elle n'a exprimé en tout cas, devant ma tenue fluo qui brillait dans le clair de lune, aucun geste de sollicitude : habillé à la façon bariolée et hasardeuse d'un *Rom* ou portant une version à peine exagérée du survêtement à bandes réfléchissantes qui signalait d'habitude qu'on était en présence d'une *racaille*, j'étais réduit à la catégorie hostile du rôdeur, et l'homme a rembobiné la laisse extensible qui retenait son chien — chien que j'ai vu dans un flash se tenir immobile dans les airs.

Je me suis enfin retrouvé sur une route incurvée bordée d'arbres monotones. Il m'a fallu un certain temps pour comprendre que j'étais sur la voie circulaire qui entourait Disneyland. Il était trop tard pour prendre un RER, et j'ai décidé, soudain rassuré par mon entrée sur le territoire de la ville nouvelle de Marne-la-Vallée, et un peu excité aussi par la beauté de mon aventure nocturne, de continuer jusqu'à Paris.

Je suis ainsi arrivé, après une forte descente, sur le bord de la Marne. L'aqueduc devait la franchir par un siphon souterrain car il n'y avait pas de pont. J'ai pris à droite, sans parvenir à décider dans quel sens les eaux stagnantes de la rivière s'écoulaient. Il y avait heureusement un pont de chemin de fer à moins de un kilomètre. Une indication « Paris », sur un panneau rouillé, m'a convaincu de continuer par là.

J'ai retrouvé l'aqueduc, avec soulagement, pour longer avec lui un village qui devait être encore sur le territoire de Marne-la-Vallée. Je me rapprochais.

Mais l'aqueduc a obliqué soudain vers le nord, en entrant dans une forêt interminable, beaucoup plus noire ct plus profonde que tous les bois que j'avais traversés jusque-là ; j'avais pris, aussi, de l'altitude et devais avoir retrouvé le niveau de Disneyland. J'ai fini par comprendre que j'étais sur les coteaux d'un ancien méandre de la Marne, sur une ligne de crête qui finissait, à l'ouest, par former le plateau de Clichy-sous-Bois.

J'allais entrer, de nuit et presque nu, dans le département le plus dangereux de France — après celui de la Guyane.

Trois grandes tours identiques sont apparues devant moi. J'étais arrivé à Clichy-sous-Bois, à Clichy-sous-Bois où tout avait commencé et où tout aurait pu finir.

J'ai abandonné assez vite l'aqueduc et son parcours, aménagé en une sorte de jardin public, beaucoup trop exposé.

Le quartier était en assez bon état. Nous avions en tout cas dépensé beaucoup d'argent pour cela. Il n'y avait évidemment plus de carcasses de voitures calcinées, mais pas non plus de ces voitures sans roues, à moitié désossées et déposées sur des parpaings, de cabines téléphoniques cassées ou de halls d'immeuble squattés par des mineurs désœuvrés — stéréotypes habituels des reportages sur la banlieue. Il n'y avait rien d'ailleurs, rien du tout, à peine une ou deux fenêtres éclairées dans une tour et au loin le bruit étouffé d'une moto. Le quartier avait l'air plus désolé que dangereux.

Un bâtiment bas, en tôle blanche, qui reliait entre elles plusieurs tours, m'a rappelé, par son dénuement, sa pauvreté involontaire, des choses que j'avais vues à Adrar : l'architecture sèche de la Méditerranée profonde, le caractère un peu apocalyptique de celle du désert et des pays insuffisamment pauvres pour avoir gardé des traditions vernaculaires, mais insuffisamment riches pour avoir fait émerger une caste d'architectes. Cela avait dû être un Franprix ou un Leader Price. Probablement pillé pendant les émeutes, aucune enseigne n'aurait voulu le reprendre et il avait dû passer aux mains d'un entrepreneur local, plus sensible aux besoins de la cité, qui avait installé à la place une boucherie halal et un hammam.

Il devait encore rester de l'espace dans le complexe, car un panneau annonçait l'ouverture prochaine d'une mosquée.

Nous nous étions trompés sur les banlieues et sur l'islam. Nous avions confondu deux menaces, une réelle et une imaginaire, celle de la violence et celle de l'islam. Le 11 Septembre nous avait aveuglés en nous faisant croire que les deux phénomènes étaient liés — mais c'était après tout son unique objectif : transformer une religion en arme politique.

J'ai alors compris, devant les lettres vertes de la boucherie halal, qu'il y avait dans l'islam une promesse d'ordre que nous n'avions pas voulu voir

— d'ordre au milieu des ruines de la ville moderne —, qu'il y avait dans l'islam une promesse de sécurité et presque de douceur, d'une douceur un peu tragique et froide, venue du monde méditerranéen plutôt que de celui, ensorcelé, des forêts de la vieille Europe chrétienne que j'avais traversée pour arriver jusque-là. Quelque chose qui était en tout cas à sa place ici, dans cette architecture moderne qui — il était étonnant que je ne m'en aperçoive qu'à cet instant tardif — n'avait été au fond, avec ses formes simples et blanches, ses toits-terrasses et sa sobriété architectonique, qu'une colonisation de l'Europe du Nord par des formes venues de la Méditerranée. Le paquebot de la charte d'Athènes, le vaisseau fantôme de la modernité, avait tourné sans fin, comme celui d'Ulysse, entre tous les rivages de la mer intérieure.

Il y avait dans l'islam une promesse de résolution définitive du problème des banlieues tel qu'il empoisonnait la France depuis des décennies — moins la pauvreté que le désœuvrement, moins la violence que l'incivilité, moins la drogue que l'ennui, moins la déréliction de l'État que celle des âmes, moins la promesse d'une révolution que l'attente sordide et vaine d'un espoir quelconque dans un monde sans dieu. Clichy-sous-Bois était toujours aussi pauvre, mais quelque chose avait changé : elle était pauvre à la manière d'un ermitage, pauvre mais de moins en moins malheureuse.

Il devait être plus tard que je ne le croyais car le jour commençait à se lever.

J'ai pris une ruelle à droite pour ne pas être vu des premières voitures. Il y avait là, derrière un rideau d'arbres, une minuscule chapelle, probablement abandonnée, puis à nouveau un grand ensemble aux rues orthogonales et aux tours plutôt réussies — si réussies d'ailleurs que j'ai ressenti, en les quittant pour rejoindre une zone pavillonnaire, une certaine déception et comme un sentiment de déchéance architecturale.

J'avais devant moi un petit bâtiment rose et rectangulaire — il ressemblait un peu aux premiers HLM des années 1930 — vers lequel j'ai décidé d'avancer, en pensant que cela me conduirait à un nouveau quartier de tours.

J'ai réalisé au tout dernier moment qu'il s'agissait du transformateur électrique où deux adolescents avaient perdu la vie un après-midi d'octobre 2005, alors qu'ils tentaient d'échapper à la police.

Des autocollants *Devoir de mémoire, justice pour Zyed et Bouna* étaient collés sur le portail à côté des têtes de mort d'Électricité de France.

Épuisé, je me suis effondré en larmes.

Je suis resté longtemps, je crois, assis sur le trottoir, répétant des morceaux de phrases sans signification mais qui ressemblaient à des supplications ou à des prières.

Je pleurais toujours, sans pouvoir m'arrêter, quand j'ai soudain entendu mon nom.

Une grosse voiture noire était arrêtée en travers de l'impasse et un homme venait d'en sortir du côté passager. Je le reconnaissais sans pouvoir dire qui il était. Cela ne pouvait évidemment pas être Machelin, mais je l'ai cru quelques secondes.

« Alexandre Belgrand ! Alexandre Belgrand pieds nus et en larmes ! Le saint François du Chêne Pointu, le Charles de Foucauld du plateau de Clichy-sous-Bois, le naufragé de l'EPAD ! Mais il faut absolument que je raconte cela au *Canard enchaîné* ! »

J'ai reconnu la voix. C'était Pornier, le maire de Vaubron, l'ancien ami du Prince — mais Pornier devenu méconnaissable. Il avait perdu presque 30 kilos, ses cheveux avaient repoussé, des cheveux blonds d'enfant. Le mort-vivant du Bourget était bronzé et ressuscité, et le peu de rides qui lui restaient, caressées par la lumière rasante du matin, ne servaient plus qu'à souligner son sourire. La méta-morphose était en fait presque terrifiante.

« Cela me flatte que vous me reconnaissiez si difficilement. Je sors précisément d'une spectaculaire session de remise en forme : pilules, régimes, massages, lifting, la totale. Presque trois mois de travail, pour un prix indécent, presque un an de mon traitement de sénateur. Mais le résultat est là ! Le médecin, un véritable sorcier, m'a même garanti vingt ans de vie en plus, ou bien il rembourse mes héritiers. Et tant qu'à faire, j'en ai même profité pour me faire greffer des cheveux, de beaux cheveux blonds. Bref, avec tout ça, j'ai manqué le mois dernier l'émouvante cérémonie d'hommage à nos deux petits martyrs. J'ai promis aux familles, des gens charmants, les pères sont éboueurs à Paris, d'une dignité exemplaire, de venir dès ma sortie d'hôpital — hôpital, ça faisait plus sérieux que clinique — déposer une gerbe de fleurs. »

Il riait en parlant, il riait de lui-même, de moi, de notre rencontre improbable, il riait sans aucun cynisme, m'obligeant à rire à mon tour du grotesque de la situation, de l'incroyable coïncidence, du caractère un peu factice de la vie et de la mort dans cette impasse naguère fatale à deux adolescents et où j'allais, je le pressentais, entraîné par l'irrésistible et contagieuse vitalité de Pornier, commencer un nouveau cycle de ma vie.

Un chauffeur est sorti de la voiture et est allé prendre dans le coffre une énorme couronne de fleurs qu'il a posée devant le portail du transformateur en suivant les instructions de Pornier : plus à gauche, à droite, moins penchée, ici même.

« Allez, montez : je vous ramène. Vous êtes venu à vélo ? Vous voulez qu'on aille le récupérer ? Non ? Oui ? J'ai plein de place maintenant dans mon coffre. »

J'ai décliné la proposition : je crois que j'en avais

fini pour longtemps avec le sport. Pornier est monté avec moi à l'arrière, et m'a paru soudain beaucoup plus grave qu'à l'extérieur.

« Ça a été quelque chose, la mort de Zyed et Bouna. Le soir même, avec le maire de Clichy-sous-Bois, qui est un ami, on s'est rendus chez les deux familles. On voulait présenter l'image d'un front républicain uni, la droite et la gauche rassemblées dans un même chagrin. On pressentait quelque chose. Le quartier était calme, mais deux morts, deux adolescents gentils et populaires, tout sauf des caïds, un Noir et un Arabe, un Malien et un Tunisien, merde, non ! Et avec des flics impliqués, en plein ramadan : ça ne sentait vraiment pas bon. Je vous le dis, il y a quatre ans, on a eu très très chaud. Les médias n'ont pas tout montré. Ce n'est pas une, pas deux, ce sont toutes les cités de France, toutes, dans tous les départements, qui se sont mises à brûler des bagnoles, à caillasser des bus, à détruire des vitrines. Même au pire du pire des guerres révolutionnaires, avec un front extérieur et un front intérieur, on n'a jamais connu ça. Un front aussi grand, des guérillas aussi nombreuses. Villepin et Chirac en vomissaient de peur tous les matins. Ils se voyaient déjà décapités à la Concorde — surtout Villepin : Bourreau tu montreras ma tête au peuple, j'étais vraiment beau gosse. Quel imbécile. Le ministre de l'Intérieur a été le moins mauvais des membres du gouvernement : flic à l'ancienne, maintien de l'ordre, son petit Fouché à la manœuvre. Pas subtil, efficace : les réseaux corses sollicités pour calmer toutes les tentatives d'agitation opportunistes du milieu, pour qu'ils ne profitent pas de la situation

— et surtout, surtout, pas de livraisons d'armes ni de mutineries en prison, les réseaux marocains, algériens, et même qataris, mis à contribution pour que les imams fassent leur boulot, et se surpassent même, tout ça contre des promesses de mosquées et de soutien à trois bandes à tel ou tel point de leur agenda géostratégique occulte, les vieux réseaux de la Françafrique, enfin, réactivés pour que les ressortissants de telle ou telle diaspora s'apaisent. Clairement, il a été très bon, il a bien mérité sa place. Mais moi, pendant ce temps-là, sur le terrain, j'avais l'étincelle à éteindre. La famille et les amis à consoler. Les appels au calme à lancer. Les commerçants à rassurer, les chauffeurs de bus en larmes, les bibliothécaires en plein syndrome de stress pré- ou post-traumatique, les policiers municipaux qui faisaient valoir leur droit de retrait, les principaux des collèges qui réclamaient des portiques électroniques et les directeurs d'école des sacs de sable, les chefs d'entreprise qui dormaient dans leur bureau avec un fusil de chasse de peur qu'on ne brûle ou qu'on ne vandalise leur outil de travail. Sans parler de ma base électorale — Vaubron est très résidentielle, c'est un peu le Neuilly du 93 —, qui parlait déjà de monter des milices citoyennes armées, et pourquoi pas, s'il n'y avait plus que ça à faire, de recruter des skinheads pour les entraîner. J'ai pris 30 kilos de graisse en trois semaines juste à cause du stress et j'en perdais autant en eau tellement je transpirais, j'en étais, quand le calme est revenu, à cinq chemises par jour. Mais on a tenu bon. On a été des bons maires.

« Vous savez, on juge les élus sur à peu près tout, on les accuse de tous les maux du monde et on en attend tout : emploi, logement, sécurité, loisirs. Mais il y a quelque chose dont on ne les crédite jamais, c'est là peut-être notre unique job, notre putain d'unique job : tenir à bout de bras les structures de la société et empêcher la guerre civile. On est tout ce qui reste, avec un chômage à vingt-cinq, trente ou cinquante pour cent, le tout dernier espoir, ceux grâce à qui la France c'est pas le Rwanda, c'est pas Sarajevo, c'est pas Beyrouth. C'est grâce à nous. C'est ça le job, c'est ça l'unique boulot des politiques — enfin jusqu'à un certain niveau. Moi je suis de droite, je suis un libéral. Ça veut dire que je pense que c'est aux entreprises de faire qu'il y ait du boulot, que la société innove, que tout marche à peu près. Mais empêcher la guerre civile, ça, c'est la part irréductible de la politique. Quand ça merde vraiment c'est nous qui allons chez les gens, moi ou le maire d'à côté avec son collier de barbe et sa gueule de survivant du goulag. C'est pas le Samu, c'est pas les pompiers. Eux, ils gèrent l'urgence. Mais après, aussitôt après, c'est nous. En première ligne et au quotidien. On est la dernière porte qui reste — toujours ouverte, jamais fermée. C'est la magie de la politique, son unique lieu, le dernier lieu peut-être : ce tout petit espace qui sépare le possible et l'impossible, cet écart qui retient les hommes de se foutre sur la gueule comme des atomes qu'on aurait trop secoués. Appelez ça comme vous voulez, appelez ça la Cité si ça vous chante, la *polis* si vous êtes snob ou l'Ici-bas si vous êtes un peu mystique. Et pourtant je viens de l'autre bord. Je fais partie de ceux qui vraiment cru à la guerre civile. La guerre civile, à droite, c'était comme le culte de la Révolution pour la gauche : tout notre imaginaire. J'ai pas honte de le dire, et je suis bien l'un des seuls, à droite, à pas m'en cacher. J'ai vraiment été fasciste. Pas anti-communiste, non non, trop facile, ça. Sincèrement facho, sincèrement raciste. J'aurais pu écrire plus jeune des abominations sur la mort de Zyed et Bouna. Croyez-moi. Des abominations. Mais la politique m'a changé en bien. Pas la grosse poli-tique, pas celle des appareils. Là non seulement j'ai été plutôt mauvais, mais en plus j'ai été con. Con comme un balladurien. J'ai bien mérité ma traver-sée du désert. Non, la politique qui m'a rendu meilleur c'est ici, dans le 93, c'est à Vaubron. Maire, c'est le plus beau métier du monde. Ça m'a changé. Ça m'a rendu, j'en ai pas honte, presque gentil.

« Il y a deux fonctions électives où on a vraiment la sensation physique d'avoir du pouvoir : c'est maire et président. Entre les deux c'est vraiment l'endroit des professionnels de la politique. J'en suis aussi, bien sûr, je suis sénateur, faut pas déconner. Mais ce que je veux dire c'est que c'est des endroits de jouissance politique, strictement, au mieux on baise ses assistantes ou ses assistants, on baise l'opposition, on baise les marchés publics, mais c'est des jouissances politiques tout ça, pas des jouissances humaines. Là, je parle de la matière humaine, du plaisir qu'on peut avoir à la manipuler, celle qu'on peut écraser si on est pervers ou qu'on peut relever si on est quelqu'un de juste. Mais pour avoir fait les deux je dirais assez cyniquement que les deux comportements procèdent du même fond, du même orgueil, et procurent à peu près les mêmes sentiments. Il n'y a pas de chrétiens en politique, il n'y en a jamais eu. Mais cette jouissance humaine, cette perversité abyssale du bien et du mal, elle est réservée aux présidents et aux maires. Car ce sont les seuls élus dont le pouvoir s'exerce sur des territoires, plutôt que sur des institutions ou des circonscriptions abstraites — demandez aux Français le nom de leurs députés, il n'y en a pas un sur dix qui les connaît. Et comme ces territoires ne disparaîtront jamais, ces élus seront toujours là, comme des dieux de la terre.

« C'est pour ça que je veux le Grand Paris. C'est pas un conseil général, c'est pas un conseil régional. C'est un truc solide, un truc qui a une existence forte, ce que vous nous avez inventé là. Enfin, inventé, c'est le Paris administratif réajusté à la taille du Paris réel. Pas con du tout votre truc, pas con du tout. Oh, me suis-je dit en voyant la présentation du projet à la Cité de l'architecture devant le pauvre président de la région Île-de-France qui tirait un peu la tronche : oh, le beau fief que voilà ! C'est à peu près la seule chose qui restera du quinquennat, ça, c'est à peu près acquis : c'est un coup de maître pour un jeune conseiller. Pas étonnant qu'il vous ait viré : il ne veut pas partager la gloire. »

Nous venions de franchir la Seine par le pont de L'Île-Saint-Denis ; j'étais revenu vivant dans les Hauts-de-Seine. Le chauffeur, sur mes indications, a pris les quais et nous étions maintenant bloqués par la circulation matinale. Mais il ne me déplaisait pas de rester encore en compagnie de Pornier.

« Je pensais justement à vous dernièrement, me

demandant où vous en étiez et à quoi vous pourriez bien servir. Savez-vous que nous avons un ami commun, le délicat Lossac ? Il est revenu il y a quelques jours avec de grands projets. Mais avant toute chose, connaissez-vous son petit secret ? Je ne crois pas qu'il vous en ait parlé. Apparemment, à ce qu'on m'a dit, il se la jouait là-bas, en Algérie, vieux hippie pédéraste ou archéo-routard, moitié André Gide, moitié Le Corbusier. Vous confirmez ? Un drôle de type, n'est-ce pas ? Presque un guide spirituel, sans doute. L'adepte d'une vie simple, un vieil homosexuel raffiné qui serait remonté aux sources de la vie et qui vivrait Adrar comme un nouveau Marrakech, un Orient authentique. Un comédien de génie, en réalité. L'individu frugal et solitaire que vous avez connu est un rôle de composition. C'est un vieux brigand, ce Lossac, et loin, très loin de l'ascète que vous avez dû voir — on lui a même prêté une aventure avec Le Luron, vous savez, l'humoriste qui imitait Giscard. Lossac — Pornier avait pris cette fois un accent corse —, Lossac, de son vrai nom Ange Locacelli. Je suis sûr que vous avez déjà entendu ce nom. C'est lui, le mystérieux fugitif, l'homme sans visage, le banquier occulte de toutes les droites, l'homme poursuivi par la justice française et sous le coup d'un mandat d'arrêt international pour abus de biens sociaux, l'homme dont la grâce présidentielle a été l'une des dernières décisions du président Chirac en mai 2007 — cadeau d'adieu empoisonné au Prince. Un peu comme vous, d'ailleurs : ne croyez pas ce qu'on dit, vous n'avez pas été sacrifié à son fils, votre disgrâce était plutôt un message qui lui était adressé, une manière de lui dire, en sacrifiant son protégé, que son règne était fini. C'est ce qui l'a sans doute décidé à revenir. Vous connaissez forcément quelques-unes des affaires dans lesquelles son nom a été cité. Tous les élus du 92 lui doivent quelque chose, mais il a prudemment préféré partir avant d'être condamné par contumace. C'est lui, l'homme d'affaires invisible et l'actionnaire majoritaire de la plupart des sociétés immobilières de la Défense, le parrain occulte du 92, l'ancien grand maître du Grand Occident de France — du nom amusant dont s'est dotée la loge maçonnique altoséquanaise, loge qui a permis de recycler toute une génération partie comme moi un peu trop à droite, mais loge maçonnique authentique, puisque contrôlée pendant plus de vingt ans par un maçon, un vrai de vrai : l'infatigable Locacelli lui-même, l'homme dont on dit qu'il aurait construit plus d'un million de mètres carrés de bureaux — un arrondissement parisien de bureaux. C'est d'ailleurs plutôt cocasse, l'affaire qui l'a fait condamner devait être son dernier coup, une sorte d'opération de blanchiment définitive sous la forme d'une fondation d'art contemporain. Car c'est un grand collectionneur, un très grand collectionneur. Il a même des Oiron, vous voyez le niveau. Il a commencé sa collection de façon amusante, en rachetant les œuvres d'art que la Régie Renault avait commandées à des artistes, avant de s'en débarrasser au moment de la fermeture de son usine de Billancourt — des nouveaux réalistes, des œuvres industrielles, comme des R14 compressées par César ou des moteurs découpés en deux par Arman. Ça valait rien, à l'époque, c'était

410

instockable, intransportable. En tout cas Locacelli, lui, avait la place d'entreposer tout ça, dans son château des Yvelines, un endroit charmant, vous verrez, tout au fond de la vallée de Chevreuse, dans une clairière de la forêt de Rambouillet — un château dont le conseil général a largement payé la réfection. C'est en tout cas l'affaire qui l'a fait condamner : à la fois pas grand-chose et en même temps un dossier explosif, tout le monde étant plus ou moins mouillé, comme pour Boulin, comme pour votre grand-père. »

Il avait lâché l'information comme ça. Je pense qu'il croyait sincèrement que j'étais au courant ; ou bien c'était un génie de la manipulation. L'accident d'escalade en Algérie de mon grand-père était resté jusque-là une donnée irréfutable de ma biographie : une tragédie dotée d'un certain prestige, une mort héroïque, moderne et un peu corbuséenne, de celles dont on disait d'un air viril en apprenant la nouvelle : « Le con, il s'est tué en montagne. »

Pornier ne savait rien, ou prétendait ne rien savoir ; il ne pouvait que me renvoyer à l'affaire du triangle de Gonesse, un scandale vieilli dont j'avais du mal à me représenter quoi que ce soit. J'avais en tout cas maintenant une excellente raison de revoir Lossac — de rencontrer Locacelli. Le piège, s'il y en avait un, avait fonctionné.

« Locacelli doit savoir tout cela, même si sa fortune remonte plutôt à la décennie suivante, à la Défense des années Mitterrand. Ne cherchez pas un coupable, vous valez mieux que ça, ne devenez pas comme cet héritier de je ne sais plus quel meurtrier bas-breton qui vient sans cesse à la télé pour réclamer la révision du procès de son grand-père. Votre grand-père est l'un des derniers morts de cette époque, pardonnez-moi, un peu bénie de l'urbanisme parisien. Voyez ça comme quelque chose de positif : on ne meurt plus pour cela en France depuis longtemps. Nous ne sommes plus un pays vraiment corrompu. Cela vaut mieux, à tous égards, et même les Hauts-de-Seine n'ont plus qu'un ou deux élus vraiment problématiques. Les choses s'arrangent. Le Grand Paris Express : objectif zéro mort. Paris appartient maintenant aux sociologues, aux spécialistes de la mobilité urbaine et aux start-upers, ce n'est plus une ville pour les auteurs de romans policiers. Mais revenons à Locacelli. Il a continué, bien sûr, à manœuvrer dans l'ombre. À ce qu'on m'a raconté, il aurait fait remonter beaucoup d'argent du pétrole dans la campagne, un projet assez complexe, visant à un peu desserrer les liens historiques entre la droite et la monarchie marocaine, en remettant l'Algérie et la Libye dans le circuit. Enfin, cela concerne mes amis de la droite altoséquanaise et je ne sais rien, je ne veux rien savoir. Ce ne sont plus mes réseaux depuis longtemps. J'ai d'autres amis, mais je vous en reparlerai en temps venu. Revenons à nos affaires, et encore désolé pour votre grand-père. »

J'étais un peu sonné, mais je n'avais manifesté aucune colère comme je n'avais presque posé aucune question. Je voulais, étrangement, donner à Pornier le spectacle d'un homme d'État — d'un homme qui sait que ce genre de choses arrive quand la raison d'État l'exige. J'aimais aussi l'idée, je crois, de pouvoir me rattacher à un destin sacrificiel et j'étais encore trop ambitieux pour ne pas voir tout l'intérêt de ma situation.

Nous étions enfin arrivés au pied de ma tour.

« C'est évidemment une tour gérée par Locacelli. C'est l'un de ses échecs, d'ailleurs, il n'a pas réussi à faire de la Défense un vrai quartier d'habitation. Vous êtes le précurseur d'une avant-garde citadine défaite. Je vous laisse, changez-vous, reposez-vous, et revenez vers moi quand vous voulez. Nous allons travailler ensemble. Mais rien ne presse, rien ne presse. Le Grand Paris n'est pas encore sur ses rails. Profitez un peu de l'avoir inventé, Locacelli vous trouvera un travail amusant et très, très bien rémunéré. Et quand vous voudrez refaire de la politique, vous reviendrez naturellement vers moi. Pas trop vite, vous venez de passer de la lumière à l'ombre, vous ne valez plus rien. Mais vous allez voir que dans un an ou deux, quand les élus commenceront à s'inquiéter vraiment du Grand Paris, vous reprendrez mécaniquement de la valeur. Lenoir ne durera pas : je le connais, il est trop prudent. Vous, vous êtes un passionné, j'aime ça chez vous, un vrai aventurier. Ne venez-vous pas de faire la plus rocambolesque des balades autour de Paris ? Quand vous serez revenu en grâce et qu'on commencera en haut lieu à s'inquiéter de vous, on vous trouvera, comme par enchantement, à mes côtés. Et vous tiendrez alors, je vous le jure, votre vengeance. »

J'allais obéir à Pornier et passer les deux années suivantes à profiter du Grand Paris. Locacelli/ Lossac m'avait reçu dès le lendemain dans son domaine des Yvelines.

C'était un petit château qui ressemblait, avec ses tours rondes, son pigeonnier et sa chapelle, à un village complet et rassurant, comme il en figurait dans les fonds des tableaux primitifs. Il aurait été presque impossible, si l'on était arrivé ici après un voyage dans le temps, de déterminer l'époque — l'époque et même la région : avec son toit en tuiles et ses pierres claires, le château aurait pu être aussi bien dans le Morvan ou en Alsace que dans cette enclave intemporelle du Hurepoix ; on aurait même pu être dans l'Allemagne de Dürer ou dans le Haut-Adige, n'importe où en Europe à la fin de l'ère médiévale. Le brouillage spatio-temporel s'atténuait cependant à mesure que je m'approchais : les sculptures exposées dans le parc venaient incontestablement de l'ère industrielle.

Locacelli m'a accueilli au milieu d'elles :

« Je les déteste toutes. Elles m'ont coûté trop

cher. Je connais peu de collectionneurs aussi mal avisés que moi. De l'argent plus immobilisé que si c'était des biens immobiliers. Je suis en train de négocier avec le fisc — j'en ai fini avec la justice des hommes mais on n'en finit jamais avec la justice fiscale — pour payer en nature. Mais ma tour de voitures en béton armé a l'air de les importuner plutôt et j'en suis réduit, passivement, à attendre une rétrospective Niki de Saint Phalle ou César au Grand Palais pour être tout à fait en règle. Les nouveaux réalistes me retiennent en otage. Je suis un collectionneur à peu près ruiné. »

Locacelli avait très peu changé depuis trois ans, il avait simplement transporté son visage d'aventurier du désert sur les pelouses moelleuses du Vieux Continent, baissé son chèche autour de son cou et échangé sa saharienne contre une veste de lin claire : le vieux beau dans toute sa splendeur, le baby-boomer dans tout l'éclat de sa soixantaine radieuse. Il a semblé d'ailleurs remarquer l'impression qu'il me faisait.

« Je me plains du fisc alors que j'ai tout, je suis un incorrigible enfant gâté, un ignoble baby-boomer, presque l'ennemi de classe de votre génération. C'est vrai que j'ai tout eu et presque sans effort. J'ai même été révolutionnaire, à Nanterre, avec les pauvres Machelin et Cordier, et nous sommes à peu près sûrs, Pornier et moi, que nous nous sommes battus l'un contre l'autre, mais sans réussir à nous accorder ni sur les lieux ni sur les coups reçus. Mais, après avoir fait un peu d'archi, j'ai bifurqué assez vite vers les affaires et quand, après 83, après le tournant de la rigueur, il s'est avéré que la gauche ne changerait plus le monde et que tous mes condisciples ont retourné leur veste, j'étais déjà dans la partie depuis presque dix ans. Je suis le chaînon manquant entre la génération Giscard et la génération Mitterrand. J'ai été le premier à comprendre que l'argent ne devait plus être traité comme une valeur bourgeoise, quelque chose qu'on accumulait à droite et qu'on détestait à gauche, mais que c'était simplement un feu de brousse, quelque chose de volatil, qui avait le pouvoir de changer la société plus vite et mieux que n'importe quelle révolution. Et j'ai même eu la chance, disons-le comme ça, de me voir offrir une seconde vie. Vous m'avez vu là-bas : j'étais pas mal, non, et presque heureux. Je dois vous avouer cependant que quand j'avais trop chaud, je prenais quelques jours de vacances aux Antilles. J'ai bien vécu, je ne me suis pas trop ennuyé. J'ai construit une ville ! J'étais un peu usé, comme promoteur, j'ai fait des erreurs. Ça m'a fait le plus grand bien de jouer ainsi à l'urbaniste. Vous vous souvenez de cette phrase liminaire avec laquelle je vous ai accueilli : "Nous autres, urbanistes, nous parlons aux dieux plutôt qu'aux hommes" ? Et la scène finale, la destruction du mausolée ? Grandiose, non ? »

Je ne pouvais que lui donner raison : je faisais incontestablement partie de ceux qu'il avait abusés et qui n'avaient vu en lui qu'un colon anachronique, qu'un expatrié un peu loser, qu'un résidu saharien de la génération Katmandou-Woodstock.

« Et je n'ai pas été trahi, moi, par mon propre fils », a-t-il conclu.

J'ai compris l'allusion à une des affaires politico-financières un peu oubliées de la décennie passée, la fuite rocambolesque d'un des barons des Hauts-de-Seine rattrapé par la justice après que son fils eut dévoilé son lieu d'exil dans l'émission d'Ardisson.

J'ai repensé à mon grand-père. Je n'étais pas venu pour la justice familiale, j'étais venu, Pornier avait raison, pour me venger du Prince, ou plus modestement pour tenter de revenir en grâce, pour retrouver un chemin vers lui à travers le maquis des vieux réseaux du 92. L'histoire de la droite française s'était jouée là, dans les jeux d'ombre qui avaient œuvré, pendant presque un demi-siècle, pour que se réalise la prophétie occulte, la fonction providentielle du jeune département : l'élection du Prince.

Comme s'il avait suivi les étapes de ma réflexion, Locacelli s'est chargé de conclure :

« Le Prince aura tenu, en 2007, toutes les cartes du grand jeu départemental. Tout avait été préparé depuis plus de vingt ans, depuis quarante ans même, depuis la création des départements de la petite couronne, la cession provisoire de ceux de l'est à Moscou, avec leurs rues Lénine et leurs rues Gagarine. Tout le monde a oublié ça, la troisième voie, la synthèse gaulliste, le non-alignement, mais je m'en souviens très bien, moi, de la tournée de Gagarine en France, en 63, en pleine guerre froide et seulement un an après la crise des fusées. Il s'est posé au Bourget, comme Lindberg, mais il a fait, lui, le tour dans l'autre sens, le tour des mairies de la ceinture rouge. Tout l'Est parisien, avec ses bâtiments gris et ses drapeaux rouges, s'est alors pris pour Berlin-Est. Si l'on ressort les cartes électorales, à peu près jusqu'à la victoire de Mitterrand, Paris est en état de siège, il reste deux petites brèches, vers Vincennes et Versailles, mais on est, à l'apogée du communisme francilien, à deux ou trois communes de l'encerclement total. »

J'avais connu cette époque inquiétante. Ma boucle natale était encore, dans mon enfance, une ville communiste. Les échancrures industrielles d'un grand port fluvial abîmaient son sommet et des friches industrielles descendaient jusqu'à Colombes. Un monolithe noir et solitaire, le seul qui ait échappé au faisceau de la Défense, venait rappeler, là-bas, comme on avait imité à Moscou les gratte-ciel new-yorkais, l'existence d'un projet politique concurrent : c'était la mairie de Gennevilliers, ville ouvrière qui votait communiste. La ceinture rouge venait presque mourir au pied de la maison familiale, dans le glacis pavillonnaire de Colombes, et bien que nous ayons été finalement épargnés, la menace avait tenu jusqu'en 1989.

« Mais tout ça, avait repris Locacelli, c'était du bluff. Personne n'était inquiet, à droite, absolument personne, ou alors juste ce qu'il fallait pour ne pas désespérer *France-Soir*. Car le vieux Delouvrier, au moment de faire éclater le département de la Seine en quatre entités, avait pensé à fabriquer, avec la Défense, une citadelle imprenable, une vraie citadelle, d'ailleurs, dans le méandre aval, surveillant tout Paris et commandant toutes les hauteurs occidentales et la vallée de la Seine, là même où le mont Valérien avait assuré jadis la victoire des Versaillais sur les communards. Voilà, en résumé, toute la pensée ésotérique de la maçonnerie altoséquanaise, dont j'ai eu l'honneur de présider aux destinées. Mais il y a aujourd'hui un transfert stratégique vers le nord, vers la Plaine Saint-Denis. Bien sûr il faut faire un peu de pédagogie avant de déplacer là les sièges sociaux, promettre des vigiles, voire des taxis de nuit, et dépolluer un peu les sols — mais l'opération reste financièrement très rentable. J'y suis d'ailleurs associé via des montages complexes. Mais je regrette quand même la belle ouverture, un peu venteuse, presque océanique, du quartier de la Défense. La plaine de France, en comparaison, a quelque chose d'un peu froid, de presque germanique : c'est le pays des Francs. Enfin, des Sarrasins maintenant — mais vous savez comme moi à quel point les nuits sont froides dans le désert. En tout cas, là-bas, on ne fait pas de l'urbanisme, pas encore, on établit des colonies sécurisées. C'est un peu ce que fait notre cher Pornier à Vaubron depuis trente ans. Il tient un avant-poste. Enfin, il tenait : il se dit qu'il se serait converti à l'islam. Lui, l'ancien frère du Grand Occident, mon ancien numéro deux. C'est amusant, n'est-ce pas ? Voilà un réseau qui compte, et qui avance masqué : une nouvelle confrérie à droite, au fond, exactement comme la franc-maçonnerie a longtemps été un instrument au service de la gauche. Savez-vous que *Tartuffe* a été monté pour la première fois à Vaubron, dans l'ancien château ? »

Locacelli m'a alors expliqué ce qu'il attendait de moi. Je n'étais pas une prise de guerre, il ne faisait pas de politique, il refusait d'en faire. Je serais plutôt la caution intellectuelle de son grand dessein de contre-colonisation de la banlieue rouge, celui qui apporterait à ses projets un supplément d'âme, un peu de pensée urbanistique.

Paris était entouré d'une sorte de champ pétrolifère largement inexploité. Il y avait là une population jeune, cosmopolite, arriviste — il avait beaucoup écouté, en Algérie, les mixtapes que lui fournissait le fils aîné du Prince, son filleul, qui officiait étrangement comme producteur de hip-hop, et il aimait l'énergie qui s'en dégageait. Plus encore, il aimait analyser leurs paroles : les banlieusards ne rêvaient plus depuis longtemps d'une révolution quelconque, mais seulement d'ascension sociale. Mieux, il y avait derrière toute la mythologie de la drogue, de la prison et des armes un réel conservatisme social, qui tranchait avec le libéralisme de mœurs de sa génération — la chanson *Laisse pas traîner ton fils* de NTM représentait à cet égard un tournant. La presse parisienne avait d'ailleurs manifesté, contre cette chanson, une intéressante réprobation, y voyant un retour, au mieux, à la loi des grands frères, au pire, au patriarcat. Il appartenait cependant au promoteur immobilier de reconnaître là un authentique désir d'ordre et de saluer la naissance d'une nouvelle classe moyenne.

Le Prince ne s'y était pas trompé : les trois derniers sous-préfets qu'il avait nommés en Seine-Saint-Denis étaient des personnalités dont il avait été très proche, à Beauvau, des fidèles de la grande époque, des sécuritaires, comme celui qui serait son candidat aux prochaines législatives dans la treizième circonscription du 93 — tout un symbole —, qui était issu du syndicalisme policier et qui tenterait, aux municipales, de reprendre Aulnay à la gauche. L'ordre régnerait bientôt dans le 93, et contre toutes les mythologies de l'émeute, il s'agissait là d'un authentique désir populaire. L'accession à la propriété était la prochaine étape.

Il ne restait plus qu'à adapter l'offre à la demande et à identifier le type de programme qui correspondrait le mieux aux modes de vie et aux idéaux de cette nouvelle clientèle.

Cependant, où loger cette nouvelle classe moyenne, née métropolitaine, manifestant un authentique désir de ville et une très grande sensibilité urbanistique ? Le Grand Paris Express avait précisément apporté la résolution de cette énigme. Il allait ouvrir des nouveaux lieux à la spéculation, des lieux jusque-là enclavés, des lieux relativement proches de Paris mais restés inexploitables. Les robots tunneliers du Grand Paris Express, indifférents à tous les obstacles naturels et artificiels, les atteindraient tous, comme les trépans directionnels d'un forage pétrolier, et les feraient fonctionner en réseau comme une seule ville nouvelle, une ville dans la ville, un accélérateur de ville.

Locacelli avait déjà identifié les lieux où construire les premiers tronçons de sa ville en anneau.

Tout devrait être fait, dans ces nouveaux quartiers — terme évidemment préférable à celui de cité et qui en appelait à l'apparition prochaine d'une ville unique qui les intégrerait tous —, pour qu'on se sente habiter en ville plutôt qu'en banlieue. Locacelli voulait imposer partout la vie confortable des centres-villes — centres-villes que la bourgeoisie elle-même, revenue de ses idéaux pavillonnaires, avait réinvestis.

Locacelli tenait le Paris historique pour une réussite urbanistique totale, et il concevait le Grand Paris comme le déploiement de l'ammonite fossile des arrondissements centraux. Son projet était ambigu, dans la mesure où les lieux qu'il avait en tête, lieux d'une réconciliation possible, n'étaient que des centres-villes de substitution, et, d'une certaine manière, des ghettos d'un type nouveau. Il faudrait par ailleurs user de beaucoup de diplomatie pour le vendre aux villes de la ceinture rouge, encore assez souvent communistes.

C'est là que l'exil saharien de Locacelli avait joué son rôle. Il avait été initié par des Touaregs à des pratiques authentiquement écologiques ; il avait découvert, moitié par curiosité, moitié par désœuvrement, les problématiques de l'économie circulaire et de la ville de l'après-Kyoto et il y avait vu l'avenir de la promotion immobilière. Ses villes citadelles, ses ghettos pour la nouvelle classe moyenne pouvaient parfaitement être décrits comme des écoquartiers : des zones autonomes, autarciques, exemplaires. Et si l'on construisait là des tours plutôt que des maisons, ce serait selon des préceptes inspirés de l'architecture méditerranéenne — de l'architecture méditerranéenne authentique, non pas de celle, monstrueuse, de la charte d'Athènes —, qui avait depuis longtemps démontré les effets bénéfiques de l'habitat groupé sur la thermodynamique du bâti, le contrôle des ressources et le respect du sol.

Je suis ainsi devenu le directeur de la stratégie du groupe Locacelli, terme prestigieux qui
correspondait plus ou moins à un métier de conférencier : j'assistais à des réunions d'élus, d'investis-
seurs, de banquiers et d'urbanistes, je m'exprimais
dans des chambres de commerce, devant des
représentants de Réseau ferré de France ou d'Aéroports de Paris, j'allais à Londres, à Shanghai ou à
Doha pour parler du Grand Paris et pour lever des
fonds, réunions dont j'étais le produit d'appel et
qui me voyaient prendre soudain la parole pour
livrer un récit enthousiaste de mes deux années
princières.

Tout avait été préparé, minuté et répété avec
l'aide d'une jeune communicante dépêchée par
Havas, qui m'avait appris à mettre mes atouts en
avant — essentiellement à revendiquer, de façon
implicite mais soutenue, la paternité du Grand
Paris : j'avais imaginé la chose, j'avais écrit les deux
discours historiques qui avaient marqué sa création.
Elle m'avait promis que dans cinq ans je serais plus
connu que Delouvrier, et que dans dix ans mon

niveau de notoriété égalerait celui d'Haussmann. C'est en travaillant sur ma garde-robe, qui devait être un peu froissée, mais d'une coupe irréprochable — qui devait sentir la poussière du terrain et la proximité du pouvoir —, que nous avons commencé à flirter.

Elle allait être, au moins au début, une source d'inspiration permanente et comme une révolution intime. J'aurais plusieurs fois l'impression qu'elle lisait dans mes pensées et que tant que j'étais avec elle je n'avais besoin d'aucune protection, ni de celle du Prince ni de celle de l'alcool. Jamais je n'avais eu autant confiance en moi qu'avec elle : elle m'aidait à prendre conscience de mes forces, à les structurer et à les transformer en outils performants.

Nous nous sommes très vite installés ensemble, dans mon appartement panoramique ; nous étions socialement prédestinés : Céline était passée, deux ans après moi, par la prépa HEC de Rueil, et nous avions ainsi, sans nous être jamais vus, des anecdotes communes sur nos anciens professeurs — il avait été cependant impossible de nous mettre d'accord sur l'ordre religieux auquel rattacher notre professeur de philosophie.

La première fois qu'elle était venue chez moi, elle avait dit, en avançant vers le balcon, que le parc de mon château était très beau, que j'avais bien fait de détourner la Seine pour la faire passer sous mes fenêtres comme de planter un bois entre ici et le hameau de la Reine, là-bas, dont elle appréciait tout particulièrement la jolie folie métallique — qui s'était soudain illuminée.

Comme j'avais ri, elle s'était retournée et m'avait dit qu'elle allait me guérir de mon humilité, qu'elle allait m'apprendre à régner sur Paris. Elle avait alors commencé à se déshabiller, faisant glisser sa robe noire sur ses chaussures hautes, mais elle avait gardé son collant, qu'elle portait sans culotte. Elle s'était avancée jusqu'à la baie vitrée, contre laquelle elle était venue rafraîchir ses seins, et s'était laissé prendre ainsi, cambrée et frissonnante, au-dessus de la ville lumineuse.

Elle m'avait donné rendez-vous, un peu plus tôt, au planétarium du Palais de la découverte, initiative charmante de nature à me rendre immédiatement amoureux d'elle — mais je crois qu'elle le savait, qu'elle l'avait peut-être lu dans le guide *Où s'embrasser à Paris*, ou simplement vu dans un épisode de *Friends*. Après un premier film qui montrait comment serait le ciel parisien dans quatorze mille ans — film de nature à nous faire éprouver le frisson de la mort, frisson propice à la naissance de l'amour —, le planétarium avait diffusé un documentaire sur le fond diffus cosmologique, à partir des images du satellite Wilkinson qu'on voyait tourner au-dessus de nous en spirale tout autour de la voûte du planétarium en dessinant l'Univers tel qu'il était quelques milliers d'années après le big bang. Le renversement de la perspective était inédit et spectaculaire : nous n'étions plus dans l'espace infini et froid de Pascal, nous n'étions même plus sur la ligne de crête d'un Univers en expansion, nous étions à l'intérieur du big bang, qui grossissait autour de nous sans que nous puissions jamais lui échapper. J'avais ressenti un sentiment de claustrophobie désagréable. L'image qui s'était formée, bleu, vert et rouge, et qui s'était refermée sur nous, m'avait alors évoqué une chambre où j'avais dormi autrefois, la chambre entièrement mansardée et recouverte du sol au plafond d'un vieux papier peint à motifs floraux, une chambre où il faisait trop chaud et où j'avais fait toute la nuit des cauchemars apocalyptiques. J'ai mis quelques secondes à me souvenir de la localisation de cette pièce, mais c'est Céline, hélas, qui me l'avait dit, me chuchotant à l'oreille tout en glissant sa main dans mon pantalon que cela lui rappelait le papier peint de la chambre où elle avait perdu sa virginité à Rueil — c'était la chambre d'un de mes meilleurs amis de prépa. J'ai joui dans sa main avec une rage que je ne me connaissais pas et je suis devenu soudain d'une jalousie maladive.

Céline avait fait, plus jeune, un peu de mannequinat quand elle était à Sciences Po. J'avais voulu voir toutes les photos et connaître toutes les anecdotes à connotation sexuelle de ces années de débauche. La certitude que j'avais alors fini par acquérir, qu'elle me plaisait mieux maintenant que sous son incarnation passée, m'avait finalement apaisé et était parvenue à lever la malédiction de la chambre fleurie — la malédiction de ne pas l'avoir vue nue à dix-huit ans et d'avoir connu celui qui avait eu cette chance.

Elle avait par ailleurs très peu croisé Carla Bruni. Mais je ne pouvais m'empêcher, à chaque fois que je la voyais nue, transparente de beauté, de revoir le grand poster du top italien que j'avais accroché dans ma chambre, quinze ans plus tôt, un grand nu en noir et blanc sur lequel elle gardait son sexe caché entre ses mains mais où tout le reste était visible, ses hanches, sa taille et sa poitrine dont j'étais fier alors de connaître, comme si j'avais possédé son numéro privé, les mensurations exactes, mensurations qui la désignaient objectivement comme l'une des dix plus belles femmes du monde, avec le charme supplémentaire, comme il y avait le grain de beauté de Cindy Crawford ou l'accent allemand de Claudia Schiffer, d'une poitrine légèrement inférieure aux standards, mais en cela peut-être plus facilement libérable : 86-61-89. J'avais suivi, avec un peu de fétichisme, les aventures de mon poster, dont l'un des originaux avait presque atteint les 100 000 dollars peu après son mariage avec le Prince, pour retrouver assez vite, un an plus tard, une cote normale, et un peu cruelle, mais qui m'aurait cette fois permis de me l'offrir.

Céline était presque aussi belle que le super-top l'avait été et elle était plus jeune de quinze ans. Je menais avec elle la vie rêvée du Prince, quand il aurait perdu, comme cela devenait de plus en plus probable, la présidentielle de 2012 : celle de conférencier premium, qui avait permis, disait-on, aux Clinton d'amasser une fortune de presque 100 millions de dollars. J'étais en tout cas invité, grâce aux réseaux de Locacelli et aux conseils de Céline, dans tous les grands rendez-vous de la planète, des forums de Davos et Yalta au World Urban Forum de Rio, en passant par le dîner Unitaid donné par le président américain à Saint-Denis, dans une ancienne usine électrique presque aussi impressionnante que celle de la Tate Modern et que Luc Besson venait de reconvertir en Cité du cinéma.

C'est là que j'ai revu Nivelle, presque un an après

ma démission. Elle avait quitté le cabinet pour devenir l'un des cadres dirigeants d'EuropaCorp, la société de production de Luc Besson. J'aimais assez ce réalisateur, pour la simplicité et la robustesse de son imaginaire : il avait toujours voulu faire des entrées et n'avait jamais eu peur de la caricature. Il avait compris bien avant le Prince, dès *Nikita* ou *Léon*, que la violence était affaire de mise en scène et qu'elle pouvait rapporter beaucoup. Il était aussi l'un des découvreurs du Grand Paris, dont la variété architecturale et ethnique offrait un lieu de tournage idéal. J'avais lu une interview dans laquelle il déclarait que la banlieue était un trésor. Il avait visé juste en manquant délibérément le centre — le cinéma honni de Saint-Germain-des-Prés : son public était là, comme était là la France qui pouvait encore rayonner sur le monde, une fois les vieux charmes de Paris, de plus en plus réservés aux élites vieillissantes du monde occidental, définitivement épuisés. Il était justement question, à ma table, du fait que Woody Allen vienne bientôt tourner son prochain film pour universitaires décadents entre la montagne Sainte-Geneviève et Montmartre ; Besson venait, lui, de faire monter John Travolta sur le plateau de Clichy-sous-Bois pour le tournage d'un film d'action.

On pouvait reprocher beaucoup de choses à Besson, la cohérence de son projet esthétique et industriel forçait l'admiration. Il avait fait un cinéma pour les banlieues du monde et venait de s'installer au cœur de l'une des plus célèbres, dans le 9-3 de tous les fantasmes.

Nivelle avait dû faciliter son arrivée, risquée et

providentielle, dans cette ancienne usine de Saint-Denis. Peut-être même en avait-elle été à l'origine, comme elle avait été à l'origine, à travers moi, du Grand Paris.

Elle était assise avec le président Clinton et le Premier ministre, à la table d'honneur, et elle était beaucoup moins belle que dans mon souvenir. Je m'apprêtais à aller la saluer et à lui présenter Céline, infiniment plus belle, quand elle a disparu avec un diplomate américain et un jeune homme, visiblement arabe. Ils m'étaient tous deux familiers : le premier, j'ai mis quelque temps à l'identifier, était l'ambassadeur de Washington à Paris ; le second m'évoquait lui quelque chose d'indistinct, mais de l'ordre du mauvais souvenir.

Céline a vu ma déception et j'ai dû lui avouer ma passion platonique pour mon ancienne supérieure ; nous nous sommes disputés pour la première fois dans le taxi du retour.

Même si celles-ci avaient constitué la base du travail que nous avions effectué ensemble, l'origine de mon *storytelling*, Céline n'aimait pas m'entendre parler de mes années de cabinet. C'était moins à cause de Nivelle que pour des raisons professionnelles : elle avait tenté d'intégrer la branche politique d'Havas, la plus prestigieuse, mais elle y avait jusqu'à présent échoué.

J'étais, pour le moment, l'une des meilleures affaires de l'agence. Le plan presse était prêt, j'avais commencé à réfléchir à un livre manifeste, entre mémoire, traité d'architecture et livre politique. J'aurais, à sa parution, des portraits dans tous les journaux, je serais invité à débattre un peu partout et je deviendrais le premier urbaniste de France à accéder à la lumière, un peu à la manière dont Starck avait imposé jadis la profession de designer à ses compatriotes éblouis.

Nous voyagions beaucoup et je répétais mécaniquement les mêmes choses sans intérêt sur le Grand Paris, ville palimpseste, organique et fractale, et ma conclusion était toujours la même : le nouvel urbanisme, lié aux nouvelles mobilités urbaines, était porteur d'une révolution égale à celle de la perspective. La composition classique — la Cité idéale d'Urbino s'affichait derrière moi — avait laissé place à un monde dont le centre était nulle part et la circonférence partout — une circonférence qui prenait dans mes schémas la forme des lignes entremêlées du Grand Paris Express. Je projetais alors la vue panoramique de ma tour dans laquelle je zoomais et dézoomais sur mon iPad de façon volontairement chaotique : le centre était à quelques minutes de marche de n'importe quel lieu de la métropole, la métropole était aussi rapide et disponible que cette image pincée entre mes doigts.

J'étais devenu, entre les mains expertes de Céline, un urbaniste visionnaire. Elle m'avait fait regarder *Le Rebelle*, le film de King Vidor, et m'avait acheté des lunettes, aux verres neutres, d'aspect corbuséen. Elle m'avait aussi fait transformer mon appartement en musée du design danois — nous chinions le dimanche aux puces de Saint-Ouen.

Elle était devenue plus exigeante depuis qu'elle s'occupait de moi bénévolement.

J'avais aimé, les premiers mois, qu'elle se soucie à ce point de mon équilibre, qu'elle soit prévenante avec toutes les choses de ma vie, mais cela avait peu à peu commencé à m'agacer. Il lui arrivait de me questionner jusque tard dans la nuit sur mes préférences intimes, mes goûts secrets et mon opinion à son sujet. Son inquiétude et son perfectionnisme, au début charmants, me la rendaient vaguement hostile. Elle me jugeait inconséquent, fantasque, influençable ; elle aimait beaucoup les adjectifs psychologiques.

Je lui ai dit un soir, alors qu'elle faisait la liste des invités de notre possible mariage, que je la trouvais un peu provinciale. Elle venait de Compiègne et elle avait très mal pris ma remarque. J'avais bêtement brisé quelque chose en elle.

Compiègne était à moins de 100 kilomètres de Paris, au nord, mais de l'autre côté de la frontière, en Picardie plutôt qu'en Île-de-France. Ville impériale, comme Fontainebleau, Compiègne possédait un cachet indéniable et une bourgeoisie encore assez fière pour prétendre, face au trop picard Beauvais, incarner l'âme véritable, et déjà un peu parisienne, de l'Oise — département que Céline laissait généreusement ses interlocuteurs confondre avec le francilien Val-d'Oise. Mais les snobismes de sous-préfecture que Céline avait contractés à l'adolescence, comme un apprentissage suffisant du monde — connaître les bonnes boulangeries, les meilleurs restaurants, pouvoir nommer les bons médecins, se tenir au courant du classement des lycées et savoir quel château des environs on pouvait louer pour son mariage —, toutes ces compétences, qui formaient autour d'elle un monde stable et qui avaient fait, pour elle, de Compiègne la mesure rassurante de toutes les villes, tout cela jouait cruellement contre elle.

En réalité, Compiègne avait été démembrée par l'attraction de Paris longtemps avant sa naissance et avait dû laisser Céline lui échapper dès qu'elle avait eu son bac. Mais ce mirage de ville, capturé par Paris, échouait désormais à y faire entrer, comme autrefois, le meilleur de sa progéniture. Céline évoquait ainsi un mystérieux plafond de verre, une force de répulsion invisible, un champ de force bourdieusien qui la tenait à l'écart de la ville authentique, des vrais lieux de pouvoir, du déchaînement des forces de la ville.

Céline allait bientôt avoir trente ans et elle tenait parfois des propos un peu paranoïaques ; seuls les *fils de*, les juifs et les homosexuels — elle avait vu Richard Descoings, le directeur de Sciences Po, son école, danser un jour à moitié nu pendant une fête étudiante et embrasser l'un de ses meilleurs amis — parvenaient à franchir la barrière invisible, disait-elle en riant. Céline avait voté pour le Prince et je reconnaissais là quelque chose qui pouvait ressembler à la rhétorique machelinienne, à quelque chose de très archaïque, d'un peu dangereux aussi, en tout cas de risqué, d'aventureux, quelque chose que nous avions manipulé pendant la campagne, une rhétorique venue de la droite dure, mais atténuée par l'authenticité de notre libéralisme et par notre penchant, sincère, pour les sociétés ouvertes.

Je lui reprochais d'avoir un peu trop hypostasié Paris et ses réseaux hostiles. Céline voulait être parisienne. Elle avait fait Sciences Po, la plus parisienne des écoles. Elle avait travaillé dans la mode, la plus parisienne des activités. Elle voulait être parisienne comme les héroïnes de *Sex and the City* étaient new-yorkaises : jusqu'à la caricature. Et naturellement, elle y échouait ; elle manquait de naturel, elle se crispait, elle finissait même, dans les instants les plus décisifs de sa vie professionnelle, par laisser paraître un accent presque chti. Elle aurait été plus heureuse, au fond, dans une grande ville de province, voire à l'étranger, où elle aurait pu jouer incognito la Parisienne archétypale, belle, cultivée et intelligente. Elle manquait certainement d'un peu d'humour et de distance.

Je me demande avec le recul si ce n'était pas toute la bourgeoisie française, jadis si sûre d'elle-même, qui était entrée discrètement en crise et dans un processus d'insécurité culturelle irréversible qui allait progressivement — elle d'habitude si bien élevée et si polie — la rendre un peu méchante.

À jamais vexée par cette remarque, faussement anodine, sur son provincialisme, elle avait mis quelques jours à réagir. Cela avait d'abord pris la forme de remarques sur mes goûts musicaux et vestimentaires — à vrai dire plutôt inexistants —, sur mon incapacité, alors que je ne voyais plus personne du cabinet et que les dernières personnes que je fréquentais, de loin en loin, étaient d'anciens camarades de Cergy, à maintenir un réseau efficace. Elle avait finalement trouvé l'angle et avait lâché, après quelques jours, le mot qui contenait toute sa vengeance : banlieusard. J'avais le mode de vie d'un banlieusard. Cet appartement, mon scooter, mon réseau, très loin d'être à la hauteur de ce qu'il aurait pu être : je me complaisais dans un mode de vie médiocre.

Cela avait été une véritable illumination : j'ai accueilli la chose comme une évidence. J'avais perçu, bien sûr, le caractère volontairement insultant du mot, mais le terme, soudain, m'apprenait plus de choses sur moi, sur ma nature profonde, que toutes les pénibles discussions psychologiques que nous avions eues jusque-là. Mieux, il était comme une sorte d'élection : j'incarnais, aux yeux de Céline, le prototype du métropolitain, l'habitant idéal du Grand Paris de demain.

Nous nous disputions en réalité de plus en plus souvent. Je me souviens de fastidieux débats intimes sur la question du voile ou du CV anonyme, sans photographie ni mention du nom ou de l'adresse. Ils pouvaient ainsi être considérés comme une alternative possible aux quotas ethniques, et ce thème avait été abordé par le Prince, à un moment de la campagne, mais rapidement abandonné, sans que l'on sache s'il l'avait fait pour rassurer la gauche, plutôt intransigeante sur la question de l'universalisme républicain, ou parce que la droite trouvait la mesure absurde et économiquement dangereuse. Céline était violemment contre les deux procédures, comme elle avait pris position, à Sciences Po, contre l'ouverture de l'école à des lycéens de ZEP spécialement dispensés de concours — pour des raisons, précisément, d'universalisme républicain et de contre-productivité économique. J'avais alors fini par comprendre que ses ennemis principaux n'étaient plus depuis longtemps, s'ils l'avaient jamais été, « les *fils de*, les juifs et les homosexuels » — ces bourgeois parisiens qui la ramenaient sans cesse à son statut de bourgeoise de province —, mais la jungle confuse de l'immigration, l'océan de la recolonisation de la France par ses anciens indigènes, les légions dormantes du futur jihad.

Elle avait suivi, je crois, deux ou trois cours d'ethnologie, sans doute la vulgarisation des travaux algériens de Bourdieu, et elle prétendait connaître les sociétés maghrébines, des mariages entre cousins à l'enfermement rituel des femmes, des codes d'honneur implacables aux obsessions médiévales pour les hymens intacts, voire pour les clitoris excisés. Elle avait également lu le Coran, du moins ses pages qui prêtaient le plus à polémique, elle l'avait lu aussi littéralement que pouvait le lire quelqu'un de malveillant et d'instruit en tout, sauf en matière religieuse — aussi littéralement en tout cas que pouvait le lire un fondamentaliste. Elle l'avait lu et elle y avait trouvé des choses effrayantes sur les femmes et sur les infidèles. Elle avait même entrepris un soir de m'expliquer le concept de « dhimmitude » — ni plus ni moins la réduction des chrétiens en esclavage, esclavage qui prendrait évidemment pour la femme la forme d'un esclavage sexuel.

À l'écouter, sans trop pouvoir la contredire, j'en arrivais parfois à me demander par quel miracle un tel catalogue d'horreurs avait pu servir de fondement à une religion. Ma connaissance de l'islam se limitait à peu de chose près à ma visite de la Mosquée de Paris avec ma classe de cinquième, où Dalil Boubakeur, déjà lui, plus de vingt ans avant que le Prince ne lui offre la présidence du CFCM, nous avait enseigné, dans une bibliothèque aux livres dorés, quelques éléments de la vie du Prophète et de l'histoire des grandes dynasties — il n'y avait évidemment pas grand-chose à redire, sinon que le décor était plutôt chargé.

Céline était évidemment contre le voile, moins en raison d'un fervent laïcisme que parce qu'elle en avait déconstruit les significations dernières. Elle avait lu, et annoté, le livre de Samira Bellil, *Dans l'enfer des tournantes*, comme elle avait lu *Brûlée vive*, de Souad. Elle en avait tiré une vision à peu près complète des banlieues françaises, une théorie en accord avec la réalité — même si cette réalité avait tendance à se confondre exclusivement avec des faits divers, médiatiques et archétypaux, dont d'ailleurs quelques-uns ne s'étaient pas déroulés en France, comme l'histoire de *Jamais sans ma fille*, un film qu'elle avait absolument tenu à me montrer.

Sa vision de l'islam était en réalité tellement cosmopolite qu'on aurait dit que c'était elle, l'autochtone, qui avait été acculturée par l'islamophobie mondiale post-11 Septembre. Les musulmans de France figuraient implicitement pour elle un peuple de Barbares et d'envahisseurs.

Je m'étais rappelé, en débattant avec elle, un épisode de la série pédagogique en dessin animé *Il était une fois… l'Homme*. C'était une courte vie du prophète Mahomet, intercalée sans doute entre un épisode sur la chute de l'Empire romain et un autre sur le règne de Charlemagne. Je me souvenais en réalité de deux seules choses, une phrase, peut-être une sourate, était prononcée par le Prophète (mais de mémoire celui-ci était respectueusement représenté de dos, et elle devait plutôt l'avoir été par la voix un peu nasillarde du narrateur de la série) : «Le monde est un fruit savoureux et frais, Dieu vous l'a prêté pour voir comment vous en jouirez.» On passait presque immédiatement, après quelques éléments de théologie simplifiée, à l'invention polémique d'un sixième commandement : la guerre sainte. Alors la voix s'accélérait, des sabres étaient dressés, des ombres grandissaient sur la carte de l'Arabie, puis du monde, et un empire apparaissait, presque aussi grand que celui de Rome, menaçant les frontières à peine dessinées du royaume de France.

Pour employer le terme de l'époque, celui qui resterait, peut-être, comme le meilleur résumé des années princières, Céline était *décomplexée*.

Les émeutes de 2005 — j'avais interrogé plusieurs personnes à ce sujet, dont Céline — n'avaient eu aucun impact sur les habitants de l'intra-muros. Il n'y avait eu ni couvre-feu, ni dégradations, ni incursions des émeutiers dans la ville, comme en marge des manifestations étudiantes de l'année suivante. Céline avait pourtant eu peur pour sa vie. J'avais eu aussi la surprise de l'entendre évoquer avec émotion la mort de Machelin, Machelin dont je ne lui avais jamais parlé et dont la mort en apparence gratuite l'avait au moins autant choquée que les émeutes — en tout cas beaucoup plus que celle de Zyed et Bouna.

Elle m'a également avoué qu'elle n'avait pas repris le RER depuis, et qu'elle n'était pas allée une seule fois en Seine-Saint-Denis — c'était la raison pour laquelle elle ne m'avait jamais accompagné dans mes incursions à travers la ceinture rouge. Ceinture rouge que je commençais à bien connaître — y compris les villes fantasmatiques du 93, que je parcourais sans fin, à la recherche d'un site susceptible d'accueillir la cité idéale de l'après-Kyoto, la ville de l'après-automne 2005, la ville qui préfigurait le Grand Paris de demain et qui vaudrait à ses habitants, mieux qu'un CV anonyme, le statut définitif de citoyens de la ville-monde.

Locacelli allait finalement me dévoiler ses plans exacts pour le Grand Paris.

Nous roulions ce jour-là vers le triangle de Gonesse, un vide inexplicable situé entre les aéroports du Bourget et de Roissy-Charles-de-Gaulle : 300 hectares inutilisés à moins de 15 kilomètres de Paris au milieu du meilleur réseau d'infrastructure de France, et bientôt desservis par l'une des gares du Grand Paris Express.

L'immobilier de bureau connaissait une crise durable dont les projets de tours abandonnés de la Défense et le dépaysement d'urgence des sièges sociaux vers la Plaine Saint-Denis étaient les signes les plus flagrants. L'immobilier résidentiel était instable, sujet aux variations du marché du crédit, dont la crise actuelle venait de démontrer l'instabilité constitutive. L'immobilier commercial était, lui, juste après le tag, forme de contrat primitif et appropriation minimale de l'espace public, le mode de domination territoriale le plus facile à mettre en œuvre : il suffisait d'une chape de béton pour les parties couvertes et d'une nappe de bitume pour l'aire de stationnement, de quelques poutres en acier, d'un revêtement de tôle, d'un peu de mousse isolante et d'un fin placage de marbre pour dessiner sur le sol une allée centrale ; tout le reste était à la charge des boutiques franchisées, avides d'espace et se livrant à une concurrence acharnée — les conditions d'une bulle financière étaient parfaitement réunies.

L'espace serait ainsi immobilisé le temps que les tunneliers du Grand Paris retrouvent la lumière du jour et que la bulle atteigne son point critique. Alors ces emprises légères seraient soufflées en quelques mois et les parcelles libérées seraient relancées sur le marché assaini de l'immobilier résidentiel — le Grand Paris serait alors tout près d'atteindre les 15 millions d'habitants de la prophétie de Delouvrier, le Grand Londres serait dépassé, le Grand Berlin, après avoir été pendant plus de quinze ans le plus grand chantier du monde et la capitale insolente de la nouvelle Europe, aurait été rattrapé par la crise démographique de son hinterland.

Chaque mètre carré de terrain constructible vaudrait alors autant qu'un kilomètre carré de désert. Le triangle de Gonesse, sur lequel nous allions construire un centre commercial gigantesque, permettrait d'acheter toute la wilaya d'Adrar. Le visage de Locacelli, comme possédé, allait rester pour moi celui du Grand Paris, le vrai visage de la future métropole. Ce serait ce visage, souriant derrière les vitres teintées d'une Rolls silencieuse, qui s'imposerait désormais à moi à chaque fois que je penserais au Grand Paris, au Grand Paris dont j'avais définitivement perdu la forme, telle qu'elle m'était parfois apparue dans mes intuitions alcoolisées du Triangle d'or — ce serait ce visage aux yeux injectés de sang et aux joues marquées par un réseau incohérent de veines éclatées et de rides accusatrices, ce visage souriant à l'idée de son futur crime contre l'urbanisme de la métropole.

Le paysage urbain s'était dégagé. Après avoir laissé à notre gauche les aérogares du Bourget et à notre droite une zone logistique interminable — nous étions dans un monde où les chariots élévateurs avaient besoin de presque autant d'espace que les avions —, nous longions à présent l'un des trois côtés du triangle vide de Gonesse.

Locacelli m'a alors raconté l'origine de cette anomalie. Il avait fallu, au moment de la construction de Roissy, évacuer le vieux village de Goussainville, situé dans l'alignement de la piste nord ; deux clans s'étaient alors affrontés, ceux qui voulaient remonter la ville, située dans une petite vallée, sur le plateau attenant, pour créer une ville nouvelle, un peu sur le modèle de Sarcelles — une ville au milieu des vents desservie par la future Francilienne —, et ceux qui avaient voulu investir, un peu plus loin, à Gonesse, ce triangle apposé à l'autoroute du Nord. Mon grand-père était partisan de cette solution.

Pour des raisons que Locacelli ignorait — peut-être fallait-il simplement que la fièvre immobilière des Trente Glorieuses finisse ainsi —, l'affaire avait donné lieu à des spéculations hors normes et absolument irrationnelles. La première solution avait été finalement retenue et le triangle était resté agricole. Plus étrange, le vieux Goussainville avait été abandonné presque du jour au lendemain, et était resté, jusqu'à ce jour, un village fantôme, avec son église, son château, son école et sa rue principale désertée en quelques heures et aux maisons hâtivement murées. On avait évoqué le passage, une nuit, d'un camion-citerne, tous feux éteints et laissant derrière lui une odeur chlorée, ou ammoniaquée, selon les sources — plus probablement l'odeur du fioul lourd destiné à l'enrobage des pistes de Roissy.

Le crash, quelques mois plus tôt, d'un Tupolev TU-144, le clone soviétique du Concorde, sur une école de la ville haute de Goussainville, avait dû ajouter au climat un peu paranoïaque de l'époque. Avec le crash du Concorde, en 2000, sur la commune voisine de Gonesse, des théories étaient même apparues sur un possible triangle maudit, une sorte de version supersonique et terrestre du triangle des Bermudes. Locacelli m'a désigné, au bord de la quatre-voies, le bosquet qui marquait désormais l'emplacement de l'hôtel sur lequel le Concorde s'était écrasé.

La route continuait tout droit à travers la plaine de France. Nous sommes passés sous une ligne à haute tension dont les fils, qui portaient des sphères métalliques, signalaient la présence invisible d'un couloir aérien. Nous commencions à voir les installations aéroportuaires quand nous avons tourné à gauche sur une route déserte : nous étions sur la ligne de crête, sur la dernière frontière de Paris avant le plateau céréalier qui l'isolait du monde. Puis nous sommes descendus dans le fond d'une vallée, aux pentes exagérées par la platitude du paysage que nous avions traversé jusque-là. Arrivé à un rond-point, le chauffeur a pris la direction de Goussainville Vieux-Pays pour s'arrêter soudain sur une place déserte.

Autour de nous, toutes les maisons étaient abandonnées et grises, de ce gris si frappant sur les vieilles photos en couleur des années 1960. La plupart des maisons, au bord de l'effondrement, semblaient ne tenir que grâce aux branches des arbres qui avaient crevé leurs toitures, au lierre qui grimpait à leurs murs ou aux parpaings qui, en murant leurs ouvertures, leur avaient accordé un éphémère surcroît de stabilité.

« C'est ici, dans l'une de ces maisons, j'ai eu l'information la semaine dernière par la veuve d'un maçon, que repose le corps de votre grand-père. Cause de la mort : suicide par pendaison. Volontaire ou non, la chose est invérifiable. Il n'est même pas sûr qu'on l'ait assassiné, il se peut qu'il se soit suicidé : il avait dessiné les pistes de Roissy, il était responsable de la disparition du vieux village, il se peut qu'il ait manifesté un scrupule soudain. Sa disparition, quoi qu'il en soit, risquait de sembler encore plus suspecte que celle de Boulin, noyé dans 20 centimètres d'eau, et on a préféré faire disparaître son corps plutôt que de risquer une seconde affaire de suicide suspect. On l'a donc emmuré — post mortem, soyez rassuré — dans l'une de ces petites maisons mitoyennes. Je vais vous montrer laquelle. Il est cocasse, n'est-ce pas, que la présence de cet encombrant cadavre ait paradoxalement contribué à sauver le vieux Goussainville de sa destruction programmée : personne n'avait trop intérêt à ce qu'on découvre le corps. J'ai ainsi hérité, grâce à lui, de deux terrains avantageusement placés, l'un, parfaitement vide et appétissant, le merveilleux triangle de Gonesse, l'autre, ici même, qui devrait accueillir bientôt l'un de nos nouveaux quartiers résidentiels, le lieu idéal où loger les employés de notre futur centre commercial, presque l'équivalent moderne d'une cité ouvrière. Et tout ça — les choses sont bien faites — rendu possible par l'arrêt du Concorde, le plus bruyant des avions de ligne. »

Nous avions avancé jusqu'à une petite maison grise, devant laquelle deux hommes nous attendaient. Locacelli m'a présenté l'un d'eux comme le maire adjoint de Goussainville. L'autre portait une masse. Sur un signe du maire adjoint, celui-ci a commencé à défoncer les parpaings mal ajustés qui muraient la porte d'entrée.

Je commençais à comprendre : la présence d'un membre de la famille était obligatoire pour procéder à une exhumation. J'ai calculé rapidement, sans savoir exactement si la loi s'appliquait à un cas comme celui-ci, que le délai de prescription de trente ans venait d'être dépassé.

Après quelques coups, nous avons pu pénétrer à l'intérieur de la maison. J'ai remarqué au mur, à des variations de couleur du papier peint, la trace allongée d'une horloge comtoise, comme celle de plusieurs tableaux ou miroirs. J'ai aussi levé les yeux à la recherche d'un anneau : il y avait bien, au milieu du plafond, le crochet d'un lustre.

Locacelli a disparu dans la pièce voisine avec l'homme à la masse ; ils ont échangé quelques mots, puis j'ai commencé à entendre les premiers coups.

Mon cœur battait trop vite, j'ai voulu ressortir, mais le prétendu adjoint me barrait le passage. Alors, plutôt que d'attendre immobile, j'ai préféré aller voir ce qui se passait dans l'autre pièce.

Le mur qui fermait l'espace situé sous l'escalier venait de basculer d'un coup.

Le corps était assis sur une chaise. Un corps desséché mais complet. La forme des os était visible bien que le squelette soit entièrement caché sous le film jaune de la peau. Ce n'était plus un homme mais une momie légère, souriante, à la posture gracieuse. La mort avait été généreuse avec lui. Il n'y avait aucune odeur, aucun fluide, seulement le doré de la peau à peine assombri par quelques moisissures et rendu même plus intense par la noirceur des ombres dans les parties creusées par la dessiccation.

Je me suis approché du visage inconnu. Le nez et les pommettes étaient exagérés, mais il y avait une ressemblance possible avec mon père, avec moi aussi sans doute.

La momie était habillée d'un costume noir remarquablement conservé. Un mouchoir, soigneusement plié, dépassait de la poche, un mouchoir rose et bleu que j'ai fait sortir d'un coup sec et qui sentait à peine le renfermé. Les initiales correspondaient et son odeur de renfermé, beaucoup trop douce, me rappelait celle de la maison de Colombes, celle que j'avais retrouvée le jour où j'étais allé vérifier que les déménageurs l'avaient bien vidée, l'odeur d'électricité statique de la laine de verre et des vieux écrans cathodiques, l'odeur des cassettes vidéo entrouvertes — l'odeur inexplicable du temps, celle de la mort enivrante et vertigineuse.

J'avais plusieurs fois déchiré, à Adrar, des morceaux de linceul dans les mausolées des saints que j'avais visités. Ils dégageaient à peu près la même odeur. Le rituel voulait qu'on fasse un vœu en s'emparant de ces reliques poussiéreuses. J'avais ainsi prié, pendant les émeutes, pour que Paris soit épargné. J'avais aussi formulé une fois, sous l'influence, déjà, de Locacelli — «Nous autres, urbanistes, nous parlons aux dieux plutôt qu'aux hommes» —, le souhait de devenir urbaniste. J'aurais dû me douter de quelque chose la fois où il m'avait convié à la profanation d'un mausolée.

Il s'était retiré, me laissant alors seul dans la pièce aveugle, avec mon ancêtre — ou supposé tel.

J'ai reconnu, agacé, l'un des rituels les plus célèbres de la franc-maçonnerie : la nuit passée, dans une pièce nue, en compagnie d'un crâne, pour une pénible et patiente méditation sur la mort. Mon grand-père ne méritait clairement pas de servir de décorum à une cérémonie d'un kitsch si détestable. Il n'était pas déplaisant, cependant, à regarder : j'avais vu les cadavres de mon père et de ma mère avant et après maquillage et il s'en sortait plutôt bien, avec plus de dignité et plus de grandeur ; la sensation métaphysique était plus complète et comme mieux répartie, en tout cas plus facilement accessible. Le cadre valait largement celui du funérarium du mont Valérien et le passage régulier d'un avion produisait même son petit effet — le souffle mécanisé de la mort, le déchirement du ciel, l'idée d'un pacte luciférien rapidement signé dans un aéroport. Mais je ne ressentais rien, sinon de la lassitude devant une telle débauche de moyens. J'ai

446

regardé au sol : on avait évidemment laissé, bien en évidence, les outils nécessaires à l'exhumation et au transfèrement du corps, la masse, bien sûr, mais aussi les deux mâchoires en forme de compas qui devaient servir à desceller les pierres tombales. C'était grotesque.

Mon grand-père a semblé acquiescer : déséquilibrée sans doute au moment où j'avais pris le mouchoir, la tête du cadavre s'est soudain inclinée. J'avais trop peur pour faire quoi que ce soit. Je m'attendais à entendre la chose parler ou se lever vers moi. Il ne s'est d'abord rien produit, et le cadavre a retrouvé son immobilité logique quand, subitement, la tête s'est détachée du corps et est venue rouler à mes pieds.

J'ai voulu la reposer, par décence, sur les genoux du cadavre, mais j'ai eu à peine le temps d'éprouver sa légèreté inattendue qu'elle a éclaté entre mes mains, la peau tombant en poussière et les os soudés du crâne se séparant pour former sur le sol des motifs asymétriques aux contours sinueux. C'était irréparable.

Plus en colère qu'effrayé, je suis ressorti de la maison en demandant qu'on accélère les opérations. L'homme à la masse a déposé sans difficulté le cadavre léger sur une housse, mais il a fallu ensuite lui briser les genoux et les coudes pour parvenir à la refermer. Puis il a fait entrer le corps dans le coffre de la Rolls et nous nous sommes mis à marcher au pas derrière elle jusqu'au petit cimetière qui entourait l'église. L'adjoint au maire a désigné un emplacement, l'homme à la masse a descellé une pierre tombale, anonyme mais ancienne, et a déposé le corps dans le trou.

Il n'y avait pas grand-chose à dire ensuite. Pendant le trajet de retour, Locacelli m'avait regardé en souriant, comme un maître bienveillant aurait regardé son élève.

Sa passion immobilière a cependant fini par l'emporter, alors que nous traversions Aubervilliers. Il m'a montré un grand bâtiment neuf, le long du canal, et me l'a présenté comme le nouveau Sentier, le Rungis des métiers de la mode : la réinvention d'un quartier de Paris, l'excroissance mondialisée de la ville, le nouveau cœur de l'une de ses industries les plus emblématiques, une plate-forme d'import-export de textile hyper compétitive.

C'était là, aussi, j'en avais un peu honte, que j'avais obtenu, dans le cadre du Grand Paris, qu'on délocalise le Quartier latin — façon d'accomplir la vengeance posthume de Machelin contre ses anciens collègues. Les travaux de dépollution et d'assainissement avaient commencé ; des silos à ciment et des gigantesques foreuses avaient pris possession du terrain sur lequel les sciences humaines, chassées de leur paradis de la rive gauche, allaient continuer leur œuvre de déchiffrement du monde.

Toute la zone était d'ailleurs en travaux : on préparait, en déviant les conduites d'eau, de gaz et d'électricité souterraines, le prolongement d'une ligne de métro et son rattachement futur au Grand Paris Express.

J'ai demandé au chauffeur de me déposer à la Villette où j'avais rendez-vous avec Céline et j'ai quitté la voiture sans même saluer Locacelli.

Céline avait fait de moi le découvreur du Grand Paris et l'inventeur du Grand Paris Express. J'avoue ne plus savoir, aujourd'hui, maintenant que mes années élyséennes, engourdies par l'alcool, se sont à jamais détachées de moi, si cela est vrai ou si cela procède d'une mise en scène, d'une exagération volontaire. Elle avait voulu en tout cas monter une exposition sur le Grand Paris qui devait achever de valoriser ma position de visionnaire.

Celle-ci aurait été aussi une manière, ainsi que me l'avait expliqué Celine, de dépolitiser le sujet, de le rendre plus universel, à présent qu'il devenait à peu près certain que le Prince ne serait pas réélu. La Cité des sciences avait bien voulu s'associer à une petite exposition dans l'un des pavillons de son parc, au nom prédestiné : le pavillon Delouvrier, en hommage à celui qui avait terminé sa carrière en dirigeant l'établissement public chargé de la reconversion des anciens abattoirs de la Villette.

À cause de notre rupture qui allait intervenir, cet après-midi-là, sur le lieu même de la proclamation de mon triomphe, elle a été annulée et ma place dans le dispositif du Grand Paris en est restée confuse. Nous nous sommes disputés, pour la dernière fois, dans ces espaces vides ; Céline me reprochait mon manque d'implication et j'avais fini par lui avouer que j'abandonnais la promotion immobilière — je ne pouvais plus travailler pour Locacelli.

Tout l'investissement que je représentais pour elle s'effondrait soudain. Elle avait alors tenté de m'expliquer que j'avais un problème avec l'ambition et, de mémoire, je crois qu'elle m'avait souhaité de mourir en banlieue et d'être enterré avec les chiens du cimetière d'Asnières.

Je m'étais ainsi retrouvé seul et sans emploi dans le parc de la Villette, monde absurde et vain peuplé d'objets stériles, à l'image de cette Géode au brillant chirurgical déposée au milieu du monde des hommes comme un gigantesque miroir sphérique. L'architecture n'exprimait plus aucune transcendance, elle était réduite à refléter, pour une éternité claustrophobe, le monde enclos des hommes, tel qu'il m'était apparu sur le papier peint du planétarium où j'avais découvert la jalousie — le sentiment du miroir lui-même — et aperçu la fin programmée de l'Univers dans une apocalypse humaine.

À l'hébétude de la Géode, à l'idée d'achèvement mécanique de la révolution industrielle, succédait tout autour, un ensemble de scories liées à cet impact terminal — comme si le temps s'était arrêté et était reparti à l'envers —, la duplication parodique de plusieurs folies rouges, sorties de l'aube brumeuse d'un jardin anglais et jetées là pour éclairer le crépuscule de notre civilisation industrielle. On avait en tout cas laissé les machines s'égailler sur les pelouses de la Villette en autant d'édicules qu'il existait de systèmes mécaniques, l'un se voulant éolien, l'autre solaire ou aquatique, mais aucun ne servant plus à rien, sinon de toilettes publiques ou de centre de documentation pédagogique.

J'ai alors eu la vision effrayée de la fin d'un cycle en regardant les tribus d'enfants que des animateurs conduisaient vers le grand abattoir déguisé en musée des Sciences. J'ai eu la vision d'une catastrophe imminente et terrible.

J'ai marché jusqu'à la confluence des deux canaux qui faisaient de ce parc une sorte d'île un peu hors du temps. J'ai vu alors, tout au fond du paysage encombré, dans l'axe du canal, derrière une ligne de train, derrière les véhicules qui passaient sur le périphérique, la masse verte du toit de la basilique de Saint-Denis. Cette apparition, cette intrusion inattendue d'un bâtiment étranger dans le corps de la ville, m'a semblé d'abord improbable, et j'ai dû rétablir mentalement les parallaxes et les perspectives pour accepter la chose, en identifiant dans le fond brumeux verdâtre sur lequel la chose se détachait comme un entrepôt neuf la forêt de Montmorency, peinte comme un décor sur sa butte témoin de plâtre compacté.

J'avais jadis suggéré au Prince d'établir là-bas le musée de l'Histoire de France qu'il avait un temps rêvé de bâtir ; j'avais voulu faire de la basilique le point de départ de notre reconquête des territoires perdus de la République, de la recolonisation du 93.

Le tapis roulant d'une barge déversait dans une benne, avec un bruit de percussion sourd, les objets qu'une journée animée avait déposés à la surface de l'eau. Le canal de l'Ourcq s'enfonçait dans la nuit, vers le nord-est inconnu du Grand Paris dont il constituait l'unique voie d'eau ; le canal traversait tout le 93 et il y avait là quelque chose qui ressemblait à une vallée fluviale avec ses entrepôts consacrés au recyclage, ses gares de triage, et la longue sente rectiligne de la nationale 3, le prolongement naturel de la rue La Fayette — une rue conçue, juste avant les travaux d'Haussmann, comme une première contestation du primat de l'ouest, comme un long clinamen échappant pour la première fois au parcellaire parisien et fonctionnant à rebours du soleil.

C'était là le grand fleuve fantôme de l'Île-de-France, un fleuve qui reliait entre elles les villes oubliées du 93. C'était le lieu où Paris s'ouvrait sur le monde, à travers la plaine de France, vers le Valois paisible et les Flandres lointaines, le lieu par où la métropole pouvait encore glisser vers la mégalopole européenne. C'était la pièce qui avait manqué à toutes mes visions de Paris pour qu'elles soient complètes.

J'ai commencé à trembler en comprenant que le Grand Paris, par-delà tout ce que je lui avais prêté comme fonctions, serait en dernier lieu ce par quoi je serais jugé, et la chose qui déciderait de mon sort, non pas au sens trop humain d'une quelconque gloire ou d'un nom destiné à alléger le métal orgueilleux d'une tour, mais au sens religieux — au sens de l'idée qu'on se faisait autrefois du salut de son âme. Il m'est alors apparu que le Grand Paris était en lui-même presque blasphématoire, qu'il était un objet trop grand pour une seule âme, un objet dangereux et nocif, une réitération personnelle du mythe de Babel. Je m'apprêtais à concevoir de tout cela un accablement profond et une immense fatigue, mais je me suis senti au contraire soudain libéré de quelque chose, comme si j'étais enfin débarrassé d'avoir à supporter seul sa trop lourde existence.

J'ai fait le soir même un long rêve sur une cité-État aristocratique qui ressemblait moitié à Venise, moitié à Disneyland. On vivait là depuis des générations sur la ligne de crête, un peu vertigineuse, d'une civilisation au sommet de sa gloire et à l'instant de son triomphe — cela se matérialisait dans mon rêve par des constructions si fines et si cristallines qu'aucun humain ne pouvait plus y monter, comme dans les tourelles graciles du château de la Belle au bois dormant. Située au milieu d'une plaine, la ville avait dû construire autour d'elle des ouvrages défensifs profonds et étoilés. Au pied de ses remparts, on avait aménagé un glacis très large, une zone interdite dans laquelle on avait seulement laissé paître des chèvres, retenues par un fin grillage qui marquait les dernières limites du royaume. On constatait cependant, depuis quelque temps, un inquiétant déclin de leur population. À cause de cela, les herbes montaient de plus en plus haut et on pouvait craindre des incursions hostiles jusqu'aux remparts de la citadelle. Les envahisseurs progressaient de plus en plus vite, vers le lieu le plus stratégique de la ville, un château minuscule, presque une compression de château à l'intérieur duquel était gardé un tube de verre — tube sur lequel reposaient toutes les mesures de la ville et les secrets de son architecture, tube qui aurait été dérobé, jadis, dans l'ancienne capitale des sauvages, maintenant recouverte par une jungle tropicale, à dix millions de pas d'ici. J'étais alors parti en expédition jusqu'aux confins du glacis continental, perdu dans une végétation si dense que, pour voir quelque chose, je devais détacher ma tête de mon cou pour la tenir, mobile, entre mes mains. J'ai avancé ainsi jusqu'au grillage pour découvrir le trou, fatal, qu'on y avait percé, celui par lequel les chèvres s'étaient enfuies. Mais il était possible, en fait — j'en avais la vague réminiscence —, que ce soit moi qui aie autrefois découpé le grillage. Le ciel devenait rouge et je savais, sans oser me retourner, la signification de cela : la ville venait de tomber. Je déposais alors, mais bien trop tard pour que cela puisse avoir le moindre effet, ma tête à l'intérieur du trou pour le reboucher, mon visage soigneusement tourné vers l'extérieur de l'enceinte.

En mai 2012, après une campagne sans grande passion et au terme d'un mandat que tous s'accordaient à juger décevant, au regard des promesses presque révolutionnaires de la campagne de 2007, le Prince avait été chassé de l'Élysée par celui que nous avions toujours considéré comme le plus faible des prétendants au trône, l'ancien secrétaire général du Parti socialiste, un homme politique fin, mais un peu lisse, au regard des aspérités vertigineuses du Prince — le Prince comme une comète à la gravité trop faible pour que rien n'y adhère tout à fait et au sol trop tourmenté pour qu'il existe un seul site d'atterrissage possible, ni un seul instant de repos pour lui ou pour ses collaborateurs, le Prince comme une comète légère qui s'éloignait de nous.

La magie de 2007 était morte et l'accord presque mystique entre une âme inquiète et un pays qui rêvait d'aventure n'était pas revenu. On disait d'ailleurs que le Prince avait renoncé bien avant sa défaite, et qu'il avait profité du rachat du PSG par le Qatar — la naissance tant attendue d'un Grand

Paris du foot et le seul projet, celui d'une victoire en Ligue des champions, qui pouvait apparaître à la hauteur du Grand Paris — pour obtenir de l'émirat qu'il lui avance, en cas d'échec, l'argent nécessaire à la création d'un fonds d'investissement dont il aurait été l'ambassadeur spécial, comme Blair était devenu celui de la banque JP Morgan et Schröder celui de Gazprom.

J'avais été contacté par Nivelle au mois de décembre. Elle était retournée auprès du Prince, après avoir démissionné, deux ans plus tôt, déçue par son étonnant keynésianisme post-crise, crise que ses conseillers les moins libéraux, des gaullistes sociaux aux protectionnistes anti-Maastricht et Schengen, avaient jugée providentielle. Les réformes attendues n'avaient pas été menées, les milieux économiques, comme les milieux populaires, se sentaient trahis par les milliards prêtés aux banques, sans que le modèle social français n'ait fait l'objet d'aucune réforme majeure, à l'exception d'un léger assouplissement du droit du travail et d'un allongement dérisoire de l'âge légal du départ à la retraite. Le désastre était cependant tel qu'elle avait accepté de revenir.

Elle était prête à me réintégrer dans le dispositif : même inachevé, même avec son budget incertain, le Grand Paris était, comme, hélas, dans nos prévisions les plus pessimistes, le plus grand succès de politique intérieure du Prince.

J'avais refusé son offre. La *dream team* de 2007 aurait de toute façon été impossible à réunir. Nous étions tous partis faire des affaires ailleurs, comme avant nous les jeunes giscardiens déçus étaient venus former l'avant-garde des jeunes gens modernes des années 1980.

Le Prince était apparu terriblement seul sur son affiche de campagne qui le montrait, contre les postulats terriens de toutes les affiches victorieuses de la Cinquième République, de trois quarts face au-dessus d'une mer étale, le regard perdu en direction d'une droite introuvable — il était déjà en villégiature dans la belle villa du cap Nègre de son épouse.

J'avais en revanche accepté l'offre de Pornier et j'avais rejoint son bastion bleu de la ceinture rouge, comme directeur de cabinet, pour travailler avec lui sur les prochaines échéances électorales : les municipales de 2014, puis les élections régionales et enfin son élection au poste de président de la métropole du Grand Paris.

Nous nous étions revus à un dîner qu'il avait organisé dans un restaurant étoilé, le seul du 93, installé dans une ancienne écurie du château de Vaubron.

Nous étions seulement quatre, moi, Pornier, une jeune femme — je me suis demandé si elle était sa maîtresse — et un jeune homme, celui-là même que j'avais vu en compagnie de Nivelle, au dîner Unitaid de Saint-Denis, et que j'avais cru reconnaître. Pornier me l'a présenté comme un communicant d'exception, qui les conseillait, lui et quelques autres élus du 93, un homme qui avait été reçu à la Maison-Blanche par un conseiller d'Obama et qui avait ses entrées à l'ambassade américaine. Sans doute était-ce dans le cadre d'un programme dont j'avais entendu parler et qui visait à dépasser la thèse, fragile et dangereuse, du choc des civilisations, par un soutien remarqué et public de l'Amérique — de l'Amérique qui lisait le *New Yorker* plutôt que celle qui avait pu croire, sur Fox News, que les émeutes de 2005 marquaient le basculement de la France dans l'axe du Mal et la transformation inéluctable de Paris en un nouveau Bagdad — aux personnalités émergentes, et souvent musulmanes, du 93. En réalité, le programme supportait bien les deux lectures possibles : si l'on était en paix, cet intérêt que manifestait l'Amérique envers les musulmans de France était la preuve éclatante que l'on était sortis des années Bush, paranoïaques et bellicistes ; si l'on était en guerre, la Seine-Saint-Denis, fervente et cosmopolite, constituait l'un des meilleurs réservoirs d'agents doubles potentiels, voire un excellent camp d'entraînement.

Il était en tout cas un peu étrange que l'Amérique se préoccupe ainsi de politique intérieure française. Rappeler à ses jeunes que s'ils voulaient réussir, l'Amérique leur était ouverte : il y avait une sorte d'ingérence désagréable, qui évoquait les déclarations d'Ariel Sharon, appelant, pendant les émeutes de 2005, les juifs de France à rejoindre Israël. La chose avait fait l'objet de débats dont quelques-uns étaient descendus jusque dans les profondeurs du Triangle d'or. Je me souviens m'être alors dit, protégé par l'alcool et le béton armé de notre bunker, que la guerre de civilisation avait peut-être déjà éclaté, en surface, et que Paris était clairement sur la ligne de front, aussi exposé qu'avait pu l'être Verdun jadis.

Avec son sourire doux et sa voix délicate, Majd était plutôt de nature à désactiver ces fantasmes un peu complotistes. Son front arborait cependant une étrange excroissance ovoïde qui ressemblait au symbole d'Apophis sur le front d'un acteur de la série *Stargate*. J'ai mis un certain temps à comprendre qu'il s'agissait d'un symbole indirect de ferveur religieuse, dû aux contacts répétés de son front avec le sol. Je me suis demandé combien de fois par jour il devait prier pour en être arrivé là, et si la chose n'était pas un peu trop démonstrative.

J'ai décidé plutôt de regarder la jeune femme. Elle s'appelait Nadia. Pornier me l'avait présentée comme exemplaire, exemplaire et hélas atypique. Elle avait grandi, de parents algériens, à Clichy-sous-Bois. Elle avait passé son bac en 2005 et, excellente élève, boursière, elle avait en quelque sorte pu s'enfuir juste avant les émeutes.

Son parcours était assez proche de celui de Majd — ils appartenaient tous les deux à une association de jeunes entrepreneurs musulmans avec laquelle Pornier était en contact. Lui était de La Courneuve et il avait fait partie des premiers lycéens de ZEP à intégrer Sciences Po, où il avait créé une association d'étudiants musulmans. Il avait ensuite monté sa société de conseil : il faisait de l'ingénierie sociale, en défendant, auprès des grandes entreprises hésitantes, des dossiers d'étudiants issus des quartiers sensibles.

Nadia avait, elle, intégré Centrale où elle s'était spécialisée en intelligence artificielle. Elle avait là-bas, à Châtenay-Malabry, monté elle aussi la première association d'étudiantes musulmanes de l'école. Elle portait alors le voile mais ne le portait plus — c'était trop difficile, dans sa situation, presque suicidaire, économiquement parlant : elle venait de monter une start-up et était en phase de levée de fonds. Elle avait résumé la chose de façon assez nette : « On n'entre pas dans une banque ou dans un ministère avec une tête de kamikaze. »

Pornier, Majd et Nadia m'ont ensuite longuement décrit, pendant ce dîner décisif, le 93 comme une terre de mission économique. Majd m'a résumé la chose en quelques mots, comme il avait dû le faire des milliers de fois. Le 93 était le département le plus jeune de France métropolitaine, le plus cosmopolite aussi, et celui dont les habitants maîtrisaient le plus de langues étrangères. Situé entre l'une des villes les plus influentes du monde et le deuxième aéroport d'Europe, le 93 était un département-monde. Ce n'était plus seulement un sas, un lieu où s'entassaient les pauvres et où les immigrés de la première génération vivaient en quarantaine avant d'emménager dans les départements voisins, c'était dorénavant une terre de migration intérieure, qui voyait mêmes des Parisiens s'y installer, comme à Montreuil, aux Lilas ou à Pantin, et demain à Aubervilliers ou à Saint-Denis. C'était depuis toujours un département de petits entrepreneurs, des coiffeurs ethniques aux grossistes communautaires, des pionniers du bio halal aux petites entreprises d'import-export spécialisées. Les opportunités économiques, sans même parler des grandes entreprises qui s'installaient dans la Plaine Saint-Denis ou des investissements de plus en plus nombreux venus des pays du Golfe, étaient innombrables. Le vieux souk du nord-est était en passe de réussir son pari de l'intégration économique, des start-up, comme celle de Nadia, étaient créées tous les jours, les fondamentaux mêmes de la nouvelle économie, communautaire, sociale et tournée vers le partage, résonnaient particulièrement ici, dans ces vieilles terres de mission communistes marquées par des décennies de bénévolat et d'engagement au service des autres — idéaux assez proches, au fond, de ceux de l'islam, de la zakat, l'aumône légale, et de l'oumma, cette vision presque socialiste de la communauté des croyants.

Majd m'a aussi cité Rifkin, ses thèses sur la troisième révolution industrielle et sa toute récente mission pour la métropole lilloise, premier laboratoire français de la ville postindustrielle. L'horizon naturel de l'économie en réseau, de l'économie cellulaire, c'était la correction des injustices et des inégalités par la main prodigieusement rapide et habile du marché, par la main prestidigitatrice de cette nouvelle économie qui agissait sur le monde aussi rapidement que nos doigts sur les écrans tactiles de nos smartphones. Jamais la main invisible n'avait été si visible ni si efficace.

Majd a encore évoqué le Kenya, où il venait de passer une semaine et où l'économie avait sauté directement du monde agricole aux écrans des terminaux mobiles, de l'araire à *FarmVille*, le Kenya où un secteur bancaire hier inexistant s'était développé, presque spontanément, dans l'écosystème léger des réseaux cellulaires — l'homme africain, contrairement à ce qu'avait affirmé le Prince dans un discours polémique prononcé à Dakar, était bien entré dans l'histoire, et même assez vite.

L'économie nouvelle redistribuait toutes les

cartes du monde et, de façon plus locale, celle du territoire métropolitain. On assistait à l'émergence, par la magie du calcul distribué de l'offre et de la demande, permise par la quasi-gratuité de l'information, à la naissance inespérée d'un marché idéal, sans monopoles ni oligarchies, un marché qui balayait d'un coup toutes les vieilles oppositions stériles entre économie de l'offre et économie de la demande, entre un système théorique et centralisé de calcul des prix — le communisme — et un système empirique et décentralisé d'évaluation de la valeur des choses — le libéralisme. L'horizon naturel de la nouvelle économie, c'était le communisme intégral, et le communisme intégral, c'était la réconciliation du marché et de l'homme. Le but de l'économie — je me demandais si Majd n'avait pas au fond théorisé tout cela pour rendre son sens des affaires compatible avec sa foi, qui devait, d'une manière ou d'une autre, lui interdire de trop s'enrichir —, c'était de faire prospérer le bien sur le mal et de relier toujours plus intimement les hommes. L'économie n'était que le nom de la meilleure façon que les hommes avaient trouvée de s'organiser pour réussir à vivre, pacifiquement, leur vie spirituelle. Le but de l'économie, avait-il conclu, était d'adorer Dieu.

Je me suis alors souvenu de l'endroit où je l'avais vu : il faisait partie du groupe d'adolescents qui m'avait racketté à la patinoire de Saint-Ouen, du groupe d'adolescents qui m'avait forcé, un jour, à pratiquer sur l'un d'eux une fellation — ou qui m'en avait menacé si fortement qu'il m'était impossible, avec le temps, de dire si la chose avait réellement eu lieu.

Comme s'il avait deviné, Majd avait alors raconté sa jeunesse d'une voix humble, sa jeunesse d'avant sa rencontre avec l'islam. Cela avait été des années marquées par la violence. Il était, à quinze ans, l'un des caïds de sa cité, située entre l'autoroute du Nord et l'A86. Il avait désossé des scooters et des voitures volées, manipulé des pains de cannabis de plusieurs kilos et recruté des enfants comme guetteurs. Il reconnaissait qu'il aimait faire peur, intimider et opérer des descentes dans des quartiers calmes juste pour tester son aura maléfique et se sentir exister. Il rêvait aussi de faire de la prison et reconnaissait, à demi-mot, quelques actions particulièrement mauvaises, des mœurs honteuses et haïssables.

Il m'a regardé dans les yeux et je me suis demandé s'il m'avait reconnu.

Il semblait ne lui être resté, de ces années d'apprentissage, qu'un sourire un peu désolé, un air de s'excuser du mal qu'il avait pu commettre, mais sans renoncer entièrement à cette force qu'il avait alors éprouvée, à ce charisme un peu surnaturel qui devait représenter, dans le quartier où il avait grandi, une forme d'élection. Il venait de torturer un concurrent dans une cave et commençait à toucher au trafic d'héroïne quand il avait eu la révélation, la foi instantanée. Il avait rencontré un prédicateur itinérant et avait tout arrêté, en quelques jours. Il avait changé de quartier et de nom. Il avait brièvement rejoint les Frères musulmans, avant de s'en éloigner, jugeant leur approche trop politique et pas assez spirituelle — ce qui voulait dire pour lui pas assez libérale. Ils rêvaient d'une société fermée qui n'était pas la sienne, lui voulait offrir à la communauté l'image réconciliée d'un entrepreneur moderne et fervent, pas d'un dévot réactionnaire.

Il avait voté pour le Prince en 2007, mais pas cette fois-ci.

Il m'a appris, enfin, qu'il n'était pas arabe, mais portugais par son père et français par sa mère.

Il m'était impossible, définitivement, de me souvenir de ce qui s'était passé ce jour-là à Saint-Ouen, et si c'était bien lui. Je me rappelais un garçon arabe ; mais Majd, jusqu'à cet instant, m'avait paru tel.

Il m'était désagréable de le regarder en face, finalement moins à cause de la corne sur son front ou de ce soupçon inexprimable que de son charisme doux et presque surnaturel. Il avait réussi, en quelques minutes, à me vendre le 93 comme un nouvel eldorado et à faire d'une religion que je craignais, pour sa violence et son archaïsme supposés, le lieu d'un nouveau pacte entre modernité et tradition. Il m'avait démontré, en quelques secondes, que la posture que le Prince avait recherchée en vain — l'alliance intenable de la modernité économique et du meilleur conservatisme moral — était possible, et que c'était cela, la vraie rupture de l'islam, la vraie brèche temporelle, l'explication dernière du succès de cette religion dans le pays le plus sécularisé d'Europe.

Le catholicisme était mort une seconde fois avec la chute du communisme, son hérésie ultime.

L'islam était une religion bien plus réaliste que cela, une religion qui, du peu que j'en savais, n'était pas eschatologique — excepté dans ses branches les plus extrêmes, comme le salafisme, qui prônait d'ailleurs plus un retour au Moyen Âge que l'avènement du paradis sur terre, et qui était en cela plus proche des mouvements décroissants que des messianismes révolutionnaires.

L'islam était une religion de la Terre et du Ciel bien plus que du début et de la fin des temps. La composante historique, l'historicité fondamentale du christianisme, jouait maintenant contre elle, dans un monde où l'histoire était devenue secondaire, dans un monde où les problématiques de la rénovation urbaine avaient largement succédé aux inquiétudes classiques sur la fin des empires, dans un monde où l'urbanisme tendait à remplacer la géographie et où le romantisme de la nation était presque éteint sous les questions de bonne gestion propres aux mégalopoles.

Un monde sans héros, un monde démocratique s'ouvrait devant nous et tout le drame de l'individualité chrétienne, dont l'existentialisme parisien aura constitué le dernier rebondissement, était devenu quelque chose d'un peu désuet, comme Saint-Germain-des-Prés. Dans le domaine spirituel aussi, la banlieue, avec ses désirs simples d'accession à un monde matériel meilleur, avait vaincu la ville-centre, vague foyer, entre le deuxième et le troisième millénaire, d'une crise spirituelle modeste qui avait conduit ses habitants les plus favorisés au yoga et à la méditation.

Les habitants de la ville-centre voulaient des

expériences rares, individuelles et intransmissibles quand les habitants de la banlieue voulaient des infrastructures fonctionnelles : Paris n'avait aucune chance.

Les banlieues, et cela était visible jusque dans le feu des émeutes, où les pillages succédaient rapidement aux déprédations gratuites, n'avaient jamais mené la guerre à la société — cette guerre étrange était d'ailleurs une spécialité bourgeoise, un genre littéraire et cinématographique prisé par la rive gauche, et clairement en déclin.

La banlieue voulait un accès libre et entier au monde, à la ville et à l'univers, à l'emploi et à la société de consommation. Le Grand Paris était, sur le plan matériel, son horizon indépassable, son édit de Caracalla, son accès garanti à la citoyenneté entière — et cette citoyenneté n'était pas vécue comme quelque chose de sacré, cette citoyenneté était simplement vécue, authentiquement, comme un droit fondamental, comme quelque chose de nécessaire et de précieux, mais jamais comme quelque chose qui devait engager l'âme.

J'ai commencé à me demander, en écoutant Majd, si l'islam n'était finalement pas proche de ce libéralisme presque sacré dont nous avions été les prophètes en 2007, de ce libéralisme qui faisait de l'économie le jeu à somme infinie de toute l'agitation terrestre, la forme dernière des villes, la vérité du monde et l'image, rapide et entraperçue, de son créateur.

L'arrivée des plats m'a laissé sur le seuil d'une révélation plus complète.

Nadia a pris la parole à son tour et m'a dévoilé le projet sur lequel elle travaillait et pour lequel elle avait reçu d'importants financements publics. Il s'agissait d'un logiciel de reconnaissance s'appuyant exclusivement sur les yeux, et pouvant ainsi déterminer l'identité, d'après des images de vidéosurveillance, d'une femme en niqab. Paradoxalement, la loi sur le voile votée l'année précédente, loi interdisant la dissimulation de son visage dans l'espace public, lui avait fait perdre ses financements. Mais tenant pour acquise l'amélioration exponentielle de la résolution des capteurs photographiques des smartphones, Nadia travaillait à présent sur une technologie qui permettrait de récupérer de l'information directement dans les pupilles des sujets photographiés, pupilles qui se comportaient comme des petits miroirs convexes remplis d'informations spatiales jusque-là inexploitées, sur l'identité du photographe ou sur le lieu où la photographie avait été prise, voire sur l'identité de la personne photographiée, identifiée par le réseau veineux du fond de l'œil.

Nadia m'a alors appris que les yeux rouges, si caractéristiques des photos prises au flash avant l'âge de l'iPhone, étaient dus à l'illumination subite du fond de la cornée, particulièrement bien vascularisé : on voyait en réalité directement le fond de l'œil et le rouge était simplement celui du sang humain — inversion de la profondeur et de la surface qui m'a rappelé la théorie de Machelin sur la transformation de la main droite en main gauche par les miroirs.

J'ai repensé aussi aux Ray-Ban à verres miroirs du Prince, me demandant si Nadia, en attendant que la technologie permette d'extraire des images directement dans les pupilles des hommes, s'était exercée sur ces yeux agrandis.

L'aspect commercial, l'exploitation de ces données, était évidemment au cœur de son projet. Elle y ajoutait, cependant, une composante religieuse. S'il n'y avait aucune occurrence du mot miroir dans le Coran, l'islam était cependant une religion très attachée à la surface des choses, à la brillance spontanée du réel — de là sans doute ce culte de l'or dans les pays du Golfe. L'existence de Dieu était visible instantanément partout où l'on portait son regard, et partout démontrée par l'existence des choses elles-mêmes, mais un reste de superstition ancienne, venue de l'Arabie préislamique, la rendait d'une certaine façon plus visible et plus nette dans les choses brillantes que dans les choses mates — choses mates que le catholicisme avait eu, lui, tendance à privilégier, sans doute quand il

avait trouvé sa terre d'élection dans l'Europe brumeuse et humide, influence environnementale qui
était d'ailleurs aussi à l'origine de sa dialectique un
peu vaine — Nadia s'était aussitôt excusée d'une
offense possible à mes convictions religieuses — de
la présence/absence de Dieu, du primat du charnel
sur le sensible et de la fausseté constitutive des
apparences. L'objet brillant à l'état pur, le miroir,
avait finalement été utilisé comme un symbole de
vanité par les peintres et avait fait l'objet, dans la
métaphysique, d'un discrédit léger mais constant.
Sous prétexte de se passionner pour la représentation des choses, le monde chrétien les avait en réalité toujours sévèrement jugées, et faisait encore
aujourd'hui de la distinction entre la copie et l'original un principe absolu du gouvernement des
choses. La peinture occidentale, quand on y réflé-
chissait, était d'une grande perversité métaphysique.

Fabriquer des miroirs, démultiplier les choses, a
continué Nadia, était au contraire pour l'islam
l'une des formes possibles de la prière. Il n'y avait
même pas, à proprement parler, de tabou de la
représentation, pourvu que celle-ci soit immédiate
et mécanisée. Le tabou venait de ce que, dans la
peinture figurative par exemple, la représentation
empruntait le chemin étroit, sombre et labyrinthique de l'âme, de l'âme étendue jusqu'aux termi-
naisons nerveuses de l'œil et de la main. Il y avait
là, dans l'intention du peintre, quelque chose de
potentiellement orgueilleux et d'impur, l'idée que
l'espace mental de la représentation pouvait être

exclusif et que le monde pouvait être incréé : c'était une manière subtile de nier Dieu.

Nadia comprenait mal, au fond, le trop fameux mystère du christianisme : cette façon de se faire peur et de jouer sans cesse avec l'existence de Dieu et de redouter toujours le retrait du divin. C'était pour elle aussi absurde que de s'attendre à ce que le monde disparaisse.

Nadia n'avait jamais tenu aucune découverte scientifique, aucune révolution copernicienne, comme un obstacle à sa croyance. Elle n'avait jamais éprouvé d'angoisse métaphysique particulière — l'angoisse métaphysique avait pour elle quelque chose d'un peu affecté, de plutôt insincère. Même Sartre avait fini par avouer qu'il n'avait pas éprouvé, au Havre, sa fameuse nausée. Nadia s'amusait d'ailleurs de ce que ses grandes intuitions existentialistes, sa découverte de l'absurde et sa promulgation d'un arbitraire universel soient plutôt contemporaines de ses mois de mobilisation passés à lancer de grands ballons-sondes à travers le ciel de l'Europe, et d'une confusion ultérieure entre la défaite de 40 et celle du système hypothético-déductif en général.

Cette façon de présenter les choses m'a immédiatement plu chez elle. Mais il m'a fallu du temps pour comprendre qu'elle n'y mettait aucun humour — aucune indignation non plus, d'ailleurs. Elle était, loin des jeux théoriques de Machelin et des systèmes à double fond de ses conceptions métaphysiques, d'une franchise presque surnaturelle — franchise qui frôlait souvent la brusquerie, et qui détonnait par rapport aux normes parisiennes de la conversation, toujours teintées de politesse, d'ironie et de malveillance. Elle croyait en Dieu et elle aimait les faits — les faits, plutôt que la métaphysique, ce qui l'avait toujours préservée des contradictions trop faciles que se plaisaient à exhumer les ennemis des religions, quand ils dénonçaient leurs contradictions nombreuses ou leurs dualismes intenables.

Il y avait, sans doute, quelque chose d'un peu terrifiant dans les propos de Nadia.

Je me souvenais des théories lointaines de Machelin sur le panoptique, et les iPhone inquisiteurs, distribués à travers le monde comme les yeux de mouche d'une divinité électronique, en étaient restés pour moi quelque chose de dangereux pour le monde humain, qu'ils étaient susceptibles de réduire à des données quantifiables, à découper en tranches comme une préparation de laboratoire sur les lamelles d'un microscope. Je me souvenais aussi des théories de Graslin sur la gouvernance algorithmique, sur ses dangers potentiels, sur la ville devenue une colonie animale robotisée, voire un individu unique soumis à un Dieu logiciel.

Nadia connaissait tout cela et s'amusait même de voir un prétendument Moderne, comme je l'étais incontestablement, recourir à de tels arguments et manifester ce type de méfiance vis-à-vis des algorithmes. Elle a évoqué Al-Khwarizmi, l'inventeur de l'algèbre et de l'algorithmique, qui avait été, après la révélation du message du Prophète, comme le second don de Dieu aux hommes : après la révélation universelle, mais historiquement datée, du Coran, l'algorithmique était porteuse d'une révélation peut-être plus facile, mieux adaptée en tout cas aux modes de vie et aux croyances modernes, une révélation qui ciblait spécifiquement les derniers incroyants, les hommes orgueilleux incapables de lire le Coran et d'accueillir Dieu dans leurs cœurs. Car les algorithmes étaient la preuve perpétuée et immanente de Son existence, la preuve que le monde n'était pas chaotique, mais ordonné, ordonné non seulement aux yeux des simples, qui savaient voir le Créateur dans les symétries merveilleuses de chacune des créatures rencontrées, mais ordonné aussi aux yeux des savants qui, derrière le voile d'incroyance des lois du monde naturel, voile dont les motifs répétitifs avaient fait croire aux Modernes que le monde pouvait supporter seul les calculs nécessaires à sa subsistance — la faute logique était pourtant ici évidente —, avaient fini par comprendre que cette trame régulière était comme le souffle et la parole de Dieu : un algorithme, probablement très simple, quoique au-dessus de la compréhension de la plupart des hommes, algorithme dont le Coran était la traduction en langue vernaculaire et comme la couche logicielle destinée à rendre visible sa structure mathématique invisible.

Si Pornier écoutait Nadia avec attention, Majd semblait plutôt mal à l'aise avec ces conceptions un peu hérétiques. Je me disais pour ma part qu'il y avait dans l'islam quelque chose que l'Occident comprenait définitivement assez mal, et qui l'insé-curisait même complètement. Quelque chose qui remettait en cause, en France, moins la laïcité que la structure même du pacte républicain, en tant qu'il était généralement compris par l'un des peuples les moins religieux du monde : l'idée d'un pacte entre la République et l'athéisme, pacte qui était sans doute l'essence même de notre modernité péninsulaire. Un siècle de laïcité avait fini par déboucher sur ce faux syllogisme : la République se passant très bien de Dieu et les Français étant républicains, ils devaient logiquement se passer de Dieu.

Mais l'islam posait à l'Occident en général une question plus troublante, quand il s'en prenait, comme Nadia, à l'alliance sacrée entre domination technique du monde et retrait définitif de Dieu. Nous avions presque fait la liste de toutes les contradictions intenables qui minaient l'islam, entre archaïsme et modernité, et nous attendions, de plus en plus impatiemment, que la rupture se produise enfin : nous étions certains qu'une de nos technologies — si ce n'était pas la pilule ce serait Internet, si ce n'était pas Internet ce serait les téléphones portables — finirait par fissurer l'orgueilleux édifice de la dernière religion révélée à attirer encore des convertis. Rien ne marchait, bien sûr, tout ce qui, en nous, effrayait le croyant potentiel — nous avions sans doute un rapport un peu névrosé à la foi — était aussitôt dédramatisé par les adeptes de cette religion supposément fanatique qui s'avérait, dans les faits, d'un pragmatisme redoutable.

Il en était également ainsi de cette contradiction que nous nous plaisions à remarquer entre l'austérité supposée d'un lieu de pèlerinage et le caractère de plus en plus exubérant de La Mecque, devenue presque le Las Vegas du Moyen-Orient. Il en était ainsi, plus profondément, et cela nous rendait presque interdits devant autant d'inconsistance, nous qui avions héroïquement vaincu le spectre du théologico-politique, de cette contradiction que nous relevions dans la volonté des islamistes, un peu partout dans le monde arabe, d'incarner une force religieuse autant que politique. Il en était encore ainsi, de façon plus anecdotique — quoique le terrorisme, en ce qui concernait nos rapports à l'islam, soit tout sauf anecdotique —, de cette contradiction irritante qui voyait les plus radicaux de ces islamistes, d'habitude si féroces quand il s'agissait d'expurger leur société de tous les signes de modernité occidentale, utiliser sans scrupule nos technologies les plus avancées. On pouvait minimiser cela, comme le faisaient les stratèges qui n'y voyaient qu'un retournement tactique de nos armes contre nous, experts pour lesquels les pigeons voyageurs de Ben Laden et les armes blanches des commandos du 11 Septembre incarnaient bien mieux la vérité de l'islam que les missiles Stinger jadis distribués aux moudjahidin afghans.

Mais cette rhétorique un peu grossière cachait une vérité beaucoup plus simple : l'islam n'avait pas un problème avec la modernité, c'était la modernité qui avait un problème avec l'islam.

Il devenait même de plus en plus certain — et il était un peu regrettable que les Français laïcs soient sans doute ceux qui mettraient le plus de temps à s'en apercevoir, malgré des signes de plus en plus évidents, comme le prouvait n'importe quelle photo de Dubaï ou de La Mecque, qui rivalisaient maintenant entre elles pour construire les plus hautes tours du monde — que l'islam était, à sa manière, devenu plus moderne que le christianisme.

Le christianisme vouait ainsi un culte anachronique à la pauvreté, quand l'islam, de façon beaucoup plus pragmatique, plus progressiste aussi, avait institué, comme l'un de ses cinq piliers fondamentaux, un système de répartition des richesses par un impôt sacré, système beaucoup plus robuste, et beaucoup plus réaliste que ces embrasements réguliers d'un christianisme qui, tous les deux ou trois siècles, se mettait à haïr les riches, à fonder des ordres mendiants, à écouter Savonarole, Marx ou les prophètes hallucinés de la fin du pétrole.

Nadia débattait justement avec Majd pour savoir si le monde arabe n'avait pas été précisément, avec les grands chocs pétroliers de la fin des Trente Glorieuses, l'instigateur involontaire — comment ne pas y voir la main de Dieu? — d'un dépassement de ces oppositions stériles entre droite et gauche, d'une sortie possible des vieux paradigmes du monde industriel. C'était aussi d'une certaine façon grâce à l'islam, en Afghanistan, que la guerre froide avait pris fin.

Ils en sont ainsi venus à s'interroger, au cœur d'un département sinistré par la désindustrialisation, sur le rôle de l'islam dans une société postindustrielle, avec notamment la question de la fin du travail par la robotisation de celui-ci — y compris par la robotisation des tâches intellectuelles. Étonnamment, l'exemple qu'ils en donnaient était celui de la traduction de l'arabe vers le français, par des intelligences artificielles, des prêches de tel ou tel imam influent aux doctrines très pures et très belles.

Nadia craignait qu'on ne fabrique une oumma artificielle, un islam déraciné. Elle insistait, et Majd avec elle, sur l'incroyable fertilité spirituelle de ce territoire, le 93. L'un et l'autre semblaient affirmer, sans oser trop y croire, que l'islam de France aurait un rôle à jouer dans l'économie générale de l'islam du monde.

Pornier a évoqué alors la permanence d'un génie spirituel français — après tout, les excellents résultats de la France avec le christianisme tendaient à prouver qu'une religion étrangère pouvait atteindre ici des rendements exceptionnels.

Je lui ai demandé s'il était musulman, comme me l'avait affirmé Locacelli. Il a confirmé l'information en riant et en faisant un jeu de mots sur son nom.

Il avait failli mourir d'alcool et de graisse recuite, d'un infarctus, d'un cancer et d'un AVC tout ensemble, en quelques mois. Sa femme l'avait quitté, le Prince ne l'avait pas nommé ministre, il avait été trahi par son premier adjoint et la justice, sur dénonciation de ce dernier, s'était intéressée à la réalisation phare de son précédent mandat, un parking souterrain robotisé en silo — la justice l'accusait d'abus de pouvoir, là où lui ne voyait qu'un petit passage en force pour un projet, certes un peu pharaonique, mais nécessaire, au regard de tous les centres commerciaux qui menaçaient d'ouvrir dans les villes alentour, pour que les commerces du centre-ville conservent leur attractivité.

Il avait eu la révélation, ou plutôt, pour reprendre ses mots, le message lui avait été délivré par une aide-soignante malienne, une nuit où, terrorisé par la mort, il n'arrivait pas à trouver le sommeil, dans le service de réanimation de l'hôpital Avicenne de Bobigny — un vestige de la France coloniale, comme la Mosquée de Paris, dont il était contemporain, et qui était comme elle destiné au départ à l'administration métropolitaine des populations indigènes. L'aide-soignante lui avait parlé très simplement de la miséricorde de Dieu et Pornier, dans une vision qu'il se refusait à attribuer entièrement à la morphine, avait senti Dieu autour de lui, puissant et sourd comme l'aimant d'une machine IRM.

Il avait adopté l'islam cette nuit-là, en répétant les quelques phrases rituelles que lui avait dites l'aide-soignante. Pragmatique, il reconnaissait que c'était une religion qui convenait aux hommes comme lui, des hommes blancs un peu en fin de course, à moitié alcooliques et assez cyniques pour prendre le pari de Pascal au sérieux — leur appétit de vivre, intact malgré les privations à venir, trouverait bien dans l'islam de nouvelles façons de s'exercer.

C'était une bonne religion pour les Français, ce peuple de bons vivants bien trop léger au fond pour les splendeurs sépulcrales du christianisme, ce peuple amateur de vin, de plats en sauce et de charcuteries spectaculaires, ce peuple qui n'avait jamais sérieusement envisagé de vieillir, et dont les mâles ne s'étaient jamais trop souciés de dépasser les soixante ans, du moins jusqu'à ce qu'une révolution médicale inattendue prolonge leur vie de vingt ans, au prix de plusieurs interdits alimentaires traumatisants qui les laissaient un peu démunis face à l'étendue de temps et au vide spirituel qui s'ouvraient devant eux — l'islam était au fond une façon de vivre avec intensité les prescriptions médicales auxquelles ils devaient d'exister encore. L'islam était chez lui parmi ce peuple gastronome — en tout cas bien autant que parmi les populations diabétiques du Moyen-Orient.

J'ai entrevu, pour la première fois, une vie sans alcool et sans ce sentiment indistinct de fadeur qui m'accompagnait depuis que j'avais renoncé à boire. Pornier, qui était maintenant le seul à parler, se réjouissait de sa conversion comme d'une excellente blague faite à ses amis de droite. J'ai compris qu'il y avait eu aussi, derrière les motifs spirituels et médicaux, quelque chose de l'ordre d'une vengeance contre le Prince. Il était lassé des discours hystériques sur la laïcité et sur le voile. Il les tenait pour exclusivement xénophobes — non pas qu'il condamne cette xénophobie, qu'il jugeait toute naturelle et trop humaine, ce qu'il condamnait, c'était cette manière grandiloquente de l'exprimer et d'hypostasier pour elle toute la mythologie républicaine. La République n'existait pas, ou plutôt son unique raison d'être, comme celle de l'existence d'une doctrine politique appelée républicanisme, était qu'il existait des conflits, des désaccords. La République n'était jamais neutre, elle témoignait toujours d'une tension, d'une tension qu'on avait choisi pour un temps de rendre publique, au lieu de la dissimuler. Et l'interdiction du voile obéissait à cela. C'était de l'ingénierie républicaine, une façon assez grossière de fabriquer de l'espace public — de fabriquer de l'espace public comme des urbanistes posaient des bancs et des lampadaires au pied des tours et appelaient ça une place. Mais il y avait au fond plus d'espace public dans le choix de modifier

478

le tracé d'une ligne de bus pour atténuer une rivalité entre deux quartiers ennemis que dans tous les débats qu'il y avait eu sur la laïcité à l'Assemblée nationale, et qu'il y aurait encore, jusqu'à épuisement du sujet — soit par lassitude, soit en raison d'une épidémie de conversions massive.

Car il fallait voir, a continué Pornier, le laïcisme contemporain comme un jeu éphémère plus dû au caractère versatile des Français — des Parisiens plutôt — qu'à un ensemble de convictions bien formées. Pornier voyait même dans celui-ci un stade préreligieux, et il prophétisait, en l'espace de moins d'une génération, une vague de conversions massive.

L'élite intellectuelle, nous a-t-il expliqué, était en tout cas assez légère et sérieuse à la fois pour se mettre au Coran comme elle s'était mise hier à la psychanalyse : fanatiquement, et un peu seule au monde. Elle y viendrait sans doute par l'islamophobie, en bonne élève, pour vérifier à quel point le texte était vraiment obscurantiste et radicalement peu laïc. Elle s'y mettrait en fait comme elle s'était mise à la laïcité elle-même, une fois qu'elle se serait fatiguée d'elle et des croyances un peu pauvres qu'elle impliquait envers un idéal républicain trop tiède pour son fanatisme — un fanatisme d'opinion, un fanatisme de tête plutôt que de cœur, qui faisait des Parisiens des débatteurs passionnés et stériles, et comme une armée de réservistes pour n'importe quelle idéologie émergente. Ils s'enflammeraient alors, comme ils avaient été jadis jansénistes, libertins, communistes — aujourd'hui laïcistes : demain tous pieux, rigoristes et dévots.

Pornier avait résumé ma mission principale, comme directeur de cabinet, en la comparant à celle de Mosca dans *La Chartreuse de Parme* : je devais lui faire miroiter la future direction du Grand Paris, comme celui-ci œuvrait dans l'ombre pour offrir l'Italie unifiée à son prince. J'aurais pour cela à remplir des missions diplomatiques secrètes auprès des quarante municipalités du département. J'ai ainsi passé plusieurs mois à chevaucher mon scooter à travers le département en apportant la dévastation sur mon passage : le département serait bientôt dissous et toutes les communes avec lui, qui deviendraient à terme des quartiers du Grand Paris. Mais tout était encore négociable et j'ai envisagé tous les scénarios possibles, dans les bureaux tristes des vieilles mairies communistes, face à des maires blêmes et exténués. L'idée était d'être exemplaires dans notre redécoupage et d'anticiper la naissance du Grand Paris en lui présentant le visage apaisé d'un département prêt à disparaître dans la dignité et susceptible d'offrir au Grand Paris des synergies incontournables.

J'ai rapidement pris goût à ces puzzles territoriaux et à la politique de terrain. J'ai appris à connaître en détail la carte secrète de la Seine-Saint-Denis, à en comprendre le fonctionnement caché et les susceptibilités invisibles — je ne pouvais pas négocier de la même façon avec Les Pavillons-sous-Bois ou Neuilly-Plaisance, qui aspiraient à ressembler à Vaubron, et avec Clichy-sous-Bois, qui s'était érigée depuis l'origine en citadelle antibourgeoise. Je devais aussi rassurer Bobigny, la préfecture qui risquait de tout perdre si le département disparaissait, et amadouer Noisy-le-Grand et Gournay-sur-Marne, les deux villes sécessionnistes du sud, situées dans la zone d'influence de Marne-la-Vallée, comme Montreuil et Saint-Ouen rêvaient d'être des arrondissements de Paris.

L'idée était de former un groupe, un lobby, de conserver nos réflexes de département le plus longtemps possible pour peser sur le Grand Paris de demain. Nous étions la Seine-Saint-Denis, le 93, le 9-3, nous étions un département mythique, un moment de l'histoire de la France, nous voulions être respectés et entendus par les futures instances — et le maire de Vaubron était le mieux placé pour engager, d'égal à égal, le dialogue avec l'arrogant 92. Nous n'étions plus la périphérie depuis longtemps mais le cœur évident de la future métropole. Paris m'apparaissait de plus en plus lointain, de plus en plus enclavé, et le 93 de plus en plus central.

Je me suis engagé un jour, par accident, sur le

bras d'une autoroute morte qu'on avait généreusement laissée accessible depuis l'échangeur de Rosny — le seul centre possible du 93, en même temps que le lieu le plus abstrait du département, celui d'où il ne restait, des villes traversées ou promises, que les noms, écrits en lettres réfléchissantes sur des panneaux bleus. J'avais emprunté l'autoroute abandonnée en me disant que les Trente Glorieuses étaient symboliquement mortes ici, et qu'elle menait à la fin du monde industriel.

Le revêtement était en très mauvais état et la végétation, sur les bas-côtés, beaucoup trop dense ; les bornes orange, destinées aux appels d'urgence et qui donnaient jadis aux voyages autoroutiers un aspect cybernétique, disparaissaient sous les ronces, et les diodes d'un grand panneau d'information étaient éteintes pour toujours. Les deux voies de circulation finissaient par s'écarter l'une de l'autre, laissant place à un vaste terre-plein central. Des Roms s'étaient installés là, dans l'autoroute transformée en chemin creux.

Personne ne savait vraiment qui ils étaient, d'où ils venaient ni quelle était leur religion — personne n'avait vraiment envie de savoir, tant ils incarnaient des étrangers exemplaires. Sur le pont Neuf ou autour de la pyramide du Louvre, des jeunes filles en jupes longues faisaient signer aux touristes des pétitions fictives ; d'autres, qui portaient dans leurs bras des enfants trop grands, agitaient des gobelets McDonald's usés sous les distributeurs automatiques ; les usagers de la ligne 4 avaient vu, au début des années 2000, un adolescent à la peau mate danser sur le seul tube en langue roumaine qu'on ait jamais entendu, une chanson diffusée par un petit ampli alimenté par une batterie de voiture, et qui avait été le tout dernier succès international de l'eurodance. On savait peu de chose sur ces adolescents, sinon qu'ils étaient visiblement mineurs, ce qui obligeait la police à les relâcher, sitôt arrêtés. L'obsession sécuritaire du Prince les avait naturellement pris pour objets, des objets flous, mobiles, insaisissables, des objets idéaux pour le législateur obligé d'inventer pour eux des catégories nouvelles ; il avait ainsi suggéré un jour que la police se livre sur eux à des examens dentaires afin de déterminer leur âge.

Ils étaient en tout cas perçus, par la population progressiste du centre, par les bourgeois bohèmes des quatre premiers arrondissements, leur lieu d'exercice de prédilection, moins comme des nouveaux Gavroche ou comme des bohémiens authentiques que comme une insulte permanente à la gentrification de Paris. Plus notable était le fait, relativement récent, qu'ils soient aussi considérés comme des corps étrangers par les populations périphériques au milieu desquelles ils avaient établi leurs campements. On venait de retrouver, à Pierrefitte, au nord du 93, un adolescent d'origine rom au crâne défoncé. Il était recroquevillé dans le chariot de supermarché où des jeunes de la cité voisine, la cité des Poètes, l'avaient battu à mort — mais il respirait encore. L'affaire était embarrassante et susceptible d'offrir des arguments nouveaux, un paysage plus profond et plus sombre, plus tribal et plus désespéré à ceux qui, malgré la défaite du Prince et la mort politique du machelinisme, fantasmaient encore sur les dangers du communautarisme et sur l'imminence de la guerre civile en France.

Leurs campements formaient, comme ici, une ville négative, une ville qui serait d'abord un ensemble d'espaces abandonnés, de vides, un léger desserrement, une périphérie des choses. Il n'existait pas de plan d'urbanisme qui ne convoite leur disparition — les quartiers nouveaux de Locacelli avaient ainsi pour fonction première de refermer ces brèches. Mais j'avais perdu, je crois, tous mes réflexes bâtisseurs, et j'observais désormais la chose avec un intérêt inédit. C'était une ville encore à l'état sauvage, une ville qui se serait assemblée elle-même à partir des débris de la ville alentour. Il était impossible de s'en approcher vraiment et de les voir autrement qu'en rêve — ces camps étaient protégés du monde extérieur par une barrière infranchissable de déchets industriels, par la dévolution des choses en une sorte de boue métallique indistincte, par les fumées des matelas qui se consumaient doucement en générant autour d'eux un vague trouble hypnotique.

L'autoroute s'écartait comme deux plaques continentales et semblait en mesure de me dévoiler quelque chose qui concernait le futur de l'humanité — je ne savais plus cependant si je contemplais là, dans ce camp mystérieux, l'avenir de la ville ou sa modeste préhistoire, sa négation brutale ou son aventure recommencée. J'étais redescendu dans la vallée du Rift, dans le foyer primitif de l'espèce humaine et au cœur d'un paysage qui en était venu à représenter, pour son intelligence et sa survie, les

484

mêmes défis stimulants et vitaux que ceux qui avaient présidé, jadis, à son devenir *sapiens*.

J'ai laissé là cette énigme ouverte et j'ai quitté l'autoroute. Je suis tombé alors sur l'un des symboles les plus contestés et les plus marquants de l'époque qui se terminait : le Quick halal de Rosny-sous-Bois, l'objet qui, avec le voile tentaculaire et fantasmatique qui avait presque asphyxié les jolies Marianne aux seins nus des mairies de France, avait le plus fanatisé les débats de la décennie écoulée — débats à la rhétorique déjà un peu désuète, et dont, depuis le dîner presque initiatique qu'avait donné Pornier, j'avais accepté de dépasser les termes, contrevenant aux fondamentaux idéologiques de mon camp et trahissant le Prince.

J'ai eu la curiosité d'aller goûter un Giant halal. Ce n'était pas spécialement bon, ni spécialement mauvais. Ce n'était en tout cas pas différent d'un Giant habituel.

J'ai revu plusieurs fois Nadia. Elle aimait partager avec moi son expérience du 93.

Elle m'avait ainsi expliqué qu'il fallait voir, derrière l'économie parallèle qui s'était développée là depuis un demi-siècle, et qui en expliquait l'étonnante résilience, la Seine-Saint-Denis comme le laboratoire d'un monde sans travail — les actifs représentant moins du tiers de la population. Cela avait été parfois volontaire, les élus communistes ayant longtemps réclamé des pauvres à la capitale — le peuple de réserve de la future révolution prolétarienne. Le chômage de masse, la désindustrialisation, la précarisation de l'emploi n'avaient fait qu'aggraver les choses : on travaillait de moins en moins en Seine-Saint-Denis. La société, pour autant, ne s'était pas effondrée. L'argent circulait même de mieux en mieux, les systèmes d'aide avaient évolué, on inventait, peu à peu, une sorte de société alternative dont Pôle emploi aurait été le premier employeur. La fermeture de l'usine Peugeot d'Aulnay, maintenant inéluctable, n'était pas vécue comme quelque chose de tragique, à la manière d'autres grandes fermetures d'usines, mais comme une expérimentation intéressante et un excellent *stress test* pour les structures d'entraide existantes. Le territoire avait acquis une résilience étonnante, une élasticité sociale assez exception-nelle.

La disparition du travail était pour Nadia le type même de faux problème que les algorithmes per-mettaient de dépasser. La mondialisation, pas plus que la division du travail ou les robots naguère, n'avait appauvri le monde. La réduction des coûts de production n'avait qu'un seul effet : libérer du temps et enseigner aux hommes des modes d'asso-ciation moins utilitaires et plus purs. La disparition du travail était même, selon Nadia, une chance pour l'islam — la religion, à l'écouter, était la destination naturelle de toutes les sociétés construites autour du culte païen de l'État providence et confrontées à sa lente érosion.

Elle aimait l'idée que les rapports entre les hommes, par nature profanes, soient médiatisés et purifiés par la présence divine, mais elle n'occultait pas le rôle de médiateur que jouait l'argent dans cet étrange commerce, et elle donnait à sa défense de l'économie numérique une tournure providentielle rafraîchissante, rapportant celle-ci, après des siècles de tâtonnements aveugles à travers les déserts de la politique et de la société, à la libération soudaine de la parole divine, au ruissellement infini et purifica-teur des algorithmes.

Il y avait, Majd nous en avait donné un aperçu rapide pendant notre dîner, un problème inhérent à l'islam moderne, problème lié à certains interdits d'ordre financier — interdits proches de ceux que le christianisme avait fini par lever à la Renaissance. Les produits financiers islamiques, d'après ce que j'avais compris, avaient en tout cas peu profité des déréglementations des années Thatcher-Reagan — mais souffert malgré tout de la crise de 2008. La finance islamique était encore balbutiante, et c'était à la refonte de ses paradigmes que Nadia voulait à terme se consacrer. C'était en tout cas ainsi qu'elle envisageait sa future vie de croyante : elle voulait travailler, dans ce domaine qu'elle connaissait bien, à réconcilier l'islam et la modernité.

Elle tenait l'argent pour un système d'information, empirique et distribué, qui servait à connaître l'abondance et la rareté des biens. C'était un simple mode de calcul de l'écart, plus ou moins grand, qui séparait l'offre de la demande. L'argent était le miroir des fluctuations de cet espace ; l'argent se comportait comme une mince couche réfléchissante sur laquelle l'offre et la demande projetaient, dans la dimension nulle du marché idéal, les replis désirants de leur être. La chose prenait hélas la forme, c'était comme une fatalité dont l'humanité sortait à peine, d'un objet véritable, indépendant, d'un objet à deux dimensions qu'on pouvait convoiter pour lui-même, d'une pièce de monnaie brillante et irrésistible — l'hologramme de la valeur. Les algorithmes de l'économie numérique travaillaient précisément à réduire ce type d'illusion, pour rendre au marché la seule structure non physique d'un objet mathématique.

Le monde devait disparaître dans l'algorithmique, être rendu à Dieu, Dieu qui nous avait prêté la faculté de calculer les choses et dont nous étions les débiteurs. Travailler à la disparition du travail, à celle de l'argent comme à celle de la société était donc pour Nadia une façon de rendre grâce à Dieu. Il y avait là quelque chose de fanatique, quelque chose qui dépassait de très loin le projet moderne, même dans ce qu'il avait de plus radical — l'existence de Dieu était pour Nadia une forme extrême de réductionnisme.

J'avais peur qu'elle ne me dévoile les objets futurs qu'il lui faudrait anéantir pour faire triompher Dieu — probablement l'amour entre les hommes, dont elle m'avait déjà avoué qu'elle y décelait, bien plus que la satisfaction d'un instinct sexuel, un culte hérétique rendu au hasard, qui en était le ressort caché. L'exemple de bon gouvernement algorithmique qu'elle m'avait donné un peu plus tôt était précisément celui des sites de rencontres qui, malgré la concupiscence condamnable de leur origine, ne consistaient qu'à laisser Dieu et ses archanges algorithmiques décider seuls de qui avait ou non le droit de se rencontrer, pendant leur courte incarnation logicielle et terrestre. Ses conceptions ne pouvaient que tendre vers la défense de la procréation médicalement assistée la plus extrême, et j'avais peu envie de la confronter à cette contradiction fatale — ou de lui entendre dire, glaciale, qu'elle n'en voyait aucune.

Mais je redoutais plus encore la réduction d'un autre objet, je redoutais qu'elle ne me dévoile aussi la secrète platitude des villes. Je pouvais entendre, à la rigueur, que l'argent et l'amour n'existaient pas.

L'idée qu'il en aurait été de même pour les villes m'était, elle, encore insupportable.

L'islam, avant de devenir un phénomène urbain, était né dans le désert, l'endroit le plus transparent du monde, l'endroit qui ressemblait le plus à une simulation, comme les paysages en réalité virtuelle des premiers jeux vidéo. C'était un lieu où l'hypothèse atomique — objet pour les Grecs d'une conquête héroïque et pour les chrétiens, obsédés par la chair et par l'incarnation, d'une occultation de près de deux millénaires — servait aux enfants, qui avaient grandi au milieu des sables, d'ontologie naïve. C'était un lieu sans trucage, sans aucun des effets d'échelle, de profondeur et de perspective de l'Europe toujours un peu lointaine ; à la fuite infinie de ses horizons brumeux et végétalisés répondaient ici les horizons mécanisés du littoral dunaire, son défilement permanent selon des lois mathématiques.

J'avais contemplé ces cycles éternels au moment même où le sable des tours de Clichy-sous-Bois, immobilisé depuis trop longtemps dans des structures finalement plus instables que celles qui constituaient ces dunes, avait repris ses mouvements de convection, et où Paris, entouré par une mer de sable déchaînée, avait vu sa ligne d'horizon se remettre en mouvement.

C'était dans ce paysage que Nadia avait grandi. Elle avait vingt ans au moment des émeutes. Étudiante, elle ne rentrait chez ses parents que le week-end, au dixième étage d'une barre grise du Chêne Pointu.

C'était de la fenêtre de sa chambre d'enfant qu'elle avait assisté, apeurée, à l'embrasement de sa cité natale, un vendredi soir, le lendemain du jour où Zyed et Bouna étaient morts — Zyed était dans la même classe que sa sœur, et Nadia avait passé la soirée dans la chambre de celle-ci, à essayer de la consoler, tandis que ses parents étaient à la mosquée, où ils avaient préféré que leurs filles ne les accompagnent pas. Cela convenait à Nadia qui, à cette époque, ne croyait pas en Dieu — à la grande satisfaction de ses professeurs, qui avaient toujours salué l'indépendance d'esprit de leur meilleure élève.

C'est pourtant cette nuit-là qu'elle avait retrouvé la foi, sa foi d'enfance, sa foi qui datait d'une époque où sa confiance pour le monde était inentamée. Et elle l'avait retrouvée, sans explication, devant le spectacle ravagé du monde dans lequel elle avait grandi, devant la vision terrifiante d'une voiture en feu qu'on avait poussée jusqu'à l'intérieur d'un petit parc où elle faisait fondre le plastique d'un toboggan proche et d'où elle menaçait, en brûlant le sol synthétique coloré conçu pour amortir les chocs, d'intoxiquer les habitants des tours voisines. Mais Dieu surveillait toute la scène, Dieu aux yeux insensibles mais à la main aimante.

C'était un péché d'orgueil d'imaginer que nous puissions connaître quelque chose de Lui, que nous puissions même seulement dire qu'Il existait ; les choses existaient, ou n'existaient pas. Lui était au-dessus de ces catégories.

Le Prophète avait été l'interface logicielle de cette révélation étrange, l'hologramme terrestre du Dieu invisible. Il y avait un monde et nous devions

491

l'adorer. L'être était une prodigieuse explosion de générosité.

L'islam était une religion faite pour les physiciens et les poètes, pas pour les législateurs ou les moralistes : le fait qu'il y ait des hommes dans ce monde était presque accidentel — voulu, déterminé, évidemment, mais notre moralité n'était pas, contrairement à ce que la doctrine chrétienne avait voulu établir, l'un des achèvements de l'Univers.

Dieu ne nous avait pas créés pour que nous l'adorions. Il nous avait créés par générosité infinie mais presque par inadvertance. Que nous l'adorions, que nous nous respections entre nous, que nous nous respections nous-mêmes et que nous adorions toutes les choses de ce monde procédait simplement de l'analyse, rationnelle, de cette vérité première, unique et définitive : le monde avait été créé et cela nous obligeait vis-à-vis de son Créateur ; nous avions aussi, avec les choses créées, une obligation de délicatesse. Les concepts chrétiens de compassion et de charité, les concepts laïcs de respect et de dignité, qui devaient régler les interactions humaines, étaient redondants, inutiles, ils étaient déjà contenus, ramassés sous une forme plus belle, dans cette obligation unique d'adoration du monde.

La soumission du croyant à l'existence du monde était une ligne de code suffisante pour reconstituer la totalité des dévotions des autres religions révélées — le Coran était, dans cette perspective, comme un code correcteur qui servait au croyant à vérifier que les sentiments que lui inspirait l'existence du monde étaient conformes à ce que Dieu en attendait.

Mais Nadia soutenait que celui qui était témoin de l'existence du monde et spectateur de la vision la plus nette qu'on pouvait avoir du Créateur des choses, s'il était honnête, s'il n'était pas corrompu, pouvait retrouver par lui-même tous les commandements de l'islam. L'islam était la religion des savants. L'islam était une religion algorithmique. Jésus avait été le meilleur des hommes et certaines hérésies chrétiennes avaient soutenu qu'il s'était élevé au rang de Dieu du fait de ses seules perfections ; Mahomet avait été, Lui, le plus grand physicien, le plus grand naturaliste de l'histoire humaine.

Nul arrachement au sol, nul renoncement au monde : l'islam était une religion terrestre et n'avait besoin, au fond, d'aucun relais mystique pour être spirituel.

Je commençais, je crois, à tomber amoureux d'elle.

Je regardais ses lèvres et ses mains quand elle parlait et j'avais appris à reconnaître un sourire dans certains plissements de ses yeux quand elle était allée un peu loin dans sa défense presque hérétique d'un islam algorithmique.

On avait commencé à parler, après le 11 Septembre, d'un islam modéré, on parlait dorénavant, maintenant que Ben Laden était mort, d'un islam des Lumières, appellation confuse, voire contradictoire : il n'y avait jamais eu de catholicisme des Lumières, au mieux le théisme d'un Voltaire, au pire celui de Robespierre, proclamant *in extremis* le

493

culte de l'Être suprême car il jugeait l'athéisme trop aristocratique.

Mais l'idée dominante, en France, était que le terrorisme exprimait la vérité de l'islam. Les mots clés fonctionnaient ensemble, les deux champs étaient coextensifs ; c'était la conception majoritaire.

Il était alors facile et agréable, pour un intellectuel médiatique, de faire semblant de nuancer cela, en faisant redescendre l'islam de religion terroriste à religion médiévale. Il était courant, dans les débats télévisés, de voir des intellectuels se targuer d'avoir lu le Coran, dont ils pouvaient réciter des sourates entières, et d'avoir compris la véritable nature de son message. Ils dévoilaient alors, fanatiquement attachés à la lettre du texte, l'essence antidémocratique et la violence intrinsèque de l'islam, comme l'agenda politique secret de son Prophète et ses fins géostratégiques dernières.

Nadia était contemporaine de cette islamophobie savante, qui les légitimait toutes.

Elle avait renoncé à porter le voile, finalement lassée des humiliations sociales liées à cette pratique qu'elle jugeait, de façon un peu contradictoire, sacrée ou anodine. Elle ne s'était je crois pas tout à fait remise du fait que la tête des femmes ait pu devenir un jour le lieu d'exercice prioritaire de la loi républicaine, moins d'un demi-siècle après que les femmes furent parvenues à reconquérir leur utérus.

J'essayais de l'imaginer avec un voile et j'ai fini par lui demander, un jour, de me montrer avec son écharpe à quoi elle ressemblerait voilée, mais à peine ma requête formulée, j'ai compris à quel point elle était déplacée.

Nous étions dans un petit restaurant végétarien de Montreuil, quelque chose comme un terrain neutre. C'était la quatrième ou la cinquième fois que nous nous voyions, la deuxième fois en trois jours. Après une courte hésitation, elle m'a laissé lui prendre la main. Je la regardais, malgré sa dureté qui me l'avait rendue, au début, presque désagréable, avec une soudaine empathie.

Ambitieuse, elle avait obéi pour le voile et obéi aussi, je m'en rendais compte seulement ce soir, à l'injonction paradoxale qui l'enjoignait de rejoindre un islam des Lumières : son islam algorithmique était une réponse à cela et elle en avait fait, avec orgueil vis-à-vis de ceux qui l'avaient obligée à cette réforme individuelle, mais avec modestie vis-à-vis de son dieu, un islam plus lumineux que toutes les Lumières, plus rationnel que toutes les sciences réunies, plus consistant que toute la métaphysique.

Je me suis endormi, le soir, en pensant à elle et à ce dieu dont j'ignorais tout, mais dont je sentais la possible présence à chaque fois que je passais un peu de temps avec elle ou que je traversais son monde, celui des paysages désolés et pieux du 93.

C'était l'été. J'avais, en m'endormant, accès aux images mobiles d'un tout nouvel orientalisme. Je voyais avancer, comme les polygones d'un écran de veille, les lignes brisées des décors de l'islam, en comprenant peu à peu qu'elles formaient un objet entier, puis tout un paysage et enfin un monde complet et rafraîchi. J'en avais fini avec les réalismes lourds de l'incarnation, avec les voiles onctueux du christianisme, avec cette dramaturgie languissante qui voyait, depuis maintenant cinq cents ans et au rythme de deux ou trois par siècle, une révolution scientifique déchirer un décor qu'on finissait toujours par réparer, au prix d'un peu d'exégèse et de beaucoup de métaphysique, et en attendant, un peu résignés, la prochaine tempête ; j'avais besoin d'une foi plus profonde et plus monotone. L'air était sec comme dans un ordinateur et j'y voyais monter le spectacle impeccable d'une simulation complète du monde.

J'avais accès à la transparence. J'étais sur la rive orientale du grand rift africain. Je voulais avancer mais j'arrivais dans un désert où tout disparaissait peu à peu, même le sable distendu, devenu froid et rare comme les étoiles. Je tombais. Je tombais mais je continuais à penser. Et cette pensée n'était pas la mienne.

C'était celle de l'Unique.

De l'Unique qui fracassait le monde existant pour me prouver qu'il n'existait que Lui. J'entendais le bris râpeux du sable, l'amplification horrible du bruit d'un sablier, le crissement du sable contre le verre de plus en plus resserré de la paroi. Le sable, le verre et le béton des villes formaient au point critique du passage du temps une substance identique. J'allais passer de l'autre côté, avoir la révélation dernière et apercevoir enfin le visage de Dieu quand la vision a cessé et que j'ai entendu à la place un dernier gémissement, presque un murmure.

C'était le tube cathodique d'une télé géante qui venait de céder.

Tout en bas, sur le quai désert, un homme était en train d'essayer d'arracher les bobines en cuivre qui entouraient la base du bulbe de verre.

Ce devait être là l'une des activités nocturnes du peuple mystérieux qui s'était installé dans les derniers vides de la métropole.

L'homme avait visiblement du mal à s'emparer du précieux métal. Il a fini par ramasser une pierre qu'il a utilisée comme marteau. L'anneau de cuivre s'est enfin détaché et il l'a mis dans un petit sac qu'il portait en bandoulière. Il venait également de s'emparer du canon à électrons qu'il avait sectionné dans l'opération et je me suis demandé s'il n'existait pas, dans ces objets, un risque nucléaire caché et une menace terroriste possible, par leur transformation en bombe sale, comme avec certains vieux paratonnerres enduits de radium, sujet à propos duquel j'avais rédigé une note un peu absurde, à la suite d'une demande paranoïaque du secrétaire général de l'Élysée qui semblait décidé à prouver au Prince que des terroristes étaient sur le point de se doter de l'arme atomique. J'avais réussi à me procurer l'un de ces objets, en forme de coq, que j'avais introduit avec facilité à l'Élysée, protégé sous plusieurs couches d'aluminium dans le coffre de mon scooter, et que je lui avais remis pour qu'il l'exhibe au Prince. J'ignorais ce qu'il était advenu de cette initiative, qui n'avait été en tout cas suivie d'aucune directive, ni quels ennemis intérieurs il avait désignés ainsi à l'imprécation du Prince. On avait l'habitude de dire, au Triangle d'or, qu'il était plus ou moins habilité à tuer. Je me suis dit soudain qu'il était possible qu'il soit l'assassin de mon grand-père.

L'homme a continué à taper, cette fois sur la carte mère, pour arracher des gros condensateurs ; son appartenance, même lointaine, à des réseaux terroristes, connus pour leur sens de la logistique, leur art du recrutement et leur pratique de la *taqiya*, l'art de la dissimulation, était clairement à exclure. Son appartenance à la ville elle-même était en fait problématique.

Les émeutiers s'étaient comportés, en comparaison, de façon bien plus civilisée. Ils avaient eu des revendications, et même au milieu des déprédations gratuites, au cœur du vandalisme, ils n'étaient pas allés jusqu'à nier la fonction d'usage des objets dont ils avaient pu s'emparer — les maternelles et les bibliothèques qu'ils avaient incendiées s'étaient ainsi vues vidées de leur matériel audiovisuel.

L'homme n'était même pas dans cette logique d'appropriation. Il était là comme un chasseur-cueilleur dans un paysage naturel. Il était la négation de la ville, l'exploitation hasardeuse des filons minéraux qu'un anticlinal industriel avait rendus localement surabondants.

Il a tapé encore longtemps avec sa pierre sur la carte mère de l'appareil, dont il détachait un à un les gros insectes comestibles qu'il mettait dans son sac. Le bruit m'a empêché de me rendormir.

J'ai entendu au loin, sans doute sur le pont de Neuilly, un homme ivre, probablement un SDF — mais dont la voix m'était familière — qui hurlait que les Barbares étaient proches et que la ville allait bientôt tomber. Il a ensuite maudit le Prince et comparé son ancienne capitale à l'orgueilleuse Ninive. J'ai entendu le bruit d'un corps qui tombait dans l'eau, puis plus rien — seulement le bruit d'une voiture qui redémarrait et les coups réguliers de l'homme en contrebas.

Je ne savais plus si j'avais rêvé de la scène jusqu'à ce que je revoie, le lendemain matin, les restes éclatés du téléviseur, avec à côté le boîtier noir et défoncé d'un magnétoscope.

J'ai été surpris de le reconnaître. Mes parents avaient eu exactement le même. J'en avais retrouvé la télécommande quelques années plus tôt, dans la maison vide de Colombes. L'appareil avait été éventré et amputé de sa tête de lecture, mais tout le système de guides, de courroies et de ressorts, destiné à lui tendre le ciel bas et sombre de la bande magnétique, était encore en place — l'homme avait même dû se blesser sur ce paysage de ville futuriste, comme en témoignaient les petites taches de sang qui brunissaient la carte électronique.

J'ai repoussé, surpris de retrouver, intacte, la résistance oubliée du ressort invisible, le volet amovible qui séparait le monde des choses du monde des images.

J'avais appris, enfant, à ralentir ces images, à les figer, tremblantes, sur l'écran immobile ; j'avais appris à remonter le temps, à réparer l'irréversible. J'avais découvert cette possibilité en rembobinant un film sur la Révolution française, quand j'avais vu des paysans replanter, avec une précision merveilleuse, les gerbes de blé qu'ils venaient de faucher. J'avais aussi essayé de sauver le roi, en apprenant à manipuler la lame de la guillotine.

J'étais jaloux des moyens techniques qui avaient permis aux journalistes du *20 Heures* d'Antenne 2 de montrer l'implosion d'une tour, puis aussitôt, comme si tout cela avait été factice, de la faire réapparaître.

J'avais lu plusieurs fois que la France était sortie de l'ère moderne en ce jour de février 1986 qui avait vu l'implosion de la barre Debussy de La Courneuve. Mes expériences enfantines avec la télécommande du magnétoscope, comme plus tard mon expérience urbanistique, ne m'avaient en tout cas jamais permis de prétendre à sa restauration complète.

On disait d'ailleurs qu'il ne resterait bientôt plus une seule archive vidéo de mon enfance — que toutes ces bandes noires seraient irréversiblement démagnétisées. Il manquerait pour toujours les quinze dernières années du deuxième millénaire de l'histoire de la France. Et, en l'apprenant, je n'avais pas pu m'empêcher de répéter, un peu pompeusement : les quinze dernières années. Je devais justement ce jour-là assister à Clichy-sous-Bois à la destruction d'une tour — destruction moins spectaculaire que celle de l'époque faste de la réhabilitation urbaine : il était seulement question que des pinces hydrauliques ouvrent en deux une barre d'habitation, précisément celle où Nadia avait grandi et où elle avait eu la révélation de la présence divine.

Ce devait être le premier acte d'un mouvement plus vaste, d'une refonte complète du plan-masse du Chêne Pointu. La nouvelle ministre de la Culture avait en effet validé le projet du ministre sortant, un protégé du Prince, qui avait imaginé faire d'une tour de bureaux déserte du plateau une annexe francilienne de la Villa Médicis. C'était, presque dix ans après les émeutes, un moment important dans l'histoire de Clichy-sous-Bois.

Le discours de la ministre, une variation assez convenue sur la Nouvelle Rome et sur la République laïque qui n'avait rien à craindre du mythe de Babel, finissait par saluer l'arrivée prochaine du Grand Paris Express, qui viendrait définitivement rattacher la cité à la France.

C'est à cet instant que Pornier est arrivé et a pris place, très en retard, à la tribune des élus. Il m'a appris le suicide de Locacelli, qu'on avait repêché ce matin sur la pointe de l'île Saint-Denis.

Je ne lui ai pas dit que j'avais sans doute été le témoin indirect de sa mort — c'était trop surréaliste pour que je le mentionne, et j'avais peur qu'il me demande pourquoi je n'avais pas appelé les pompiers : « Parce que je croyais que j'étais dans un rêve » n'aurait pas été une réponse très adaptée.

Je me suis alors rendu compte qu'il était terrorisé. Ses mains tremblaient et son visage était redevenu aussi blanc qu'autrefois.

Les pinces hydrauliques sont alors entrées en action, révélant à travers la barre un grand espace bleu, au milieu des arcs-en-ciel que faisaient les brumisateurs chargés d'empêcher la poussière de contaminer le ciel. Le spectacle était si extraordinaire qu'il y avait eu un long silence.

C'est à cet instant, en fixant la main hésitante d'une pince hydraulique, que j'ai senti la chose pour la première fois — la main énorme et transparente de Dieu qui reposait sur la Terre entière mais sans rien écraser, comme une rosée légère sur un fruit savoureux et frais. J'ai senti la main qui poussait doucement la Terre sur son orbite froide et qui faisait germer sous elle toute la vie que contenait l'Univers. Et cet Univers était unique et n'avait pas d'autre sens que d'accueillir, sous la main protectrice de ce Dieu atmosphérique, de ce Dieu rendu accessible aux athées, les mouvements en hélice de la vie, de la vie qui contrevenait aux symétries du monde et qui n'était jetée qu'une fois, qu'une seule et sublime fois, dans l'énigme du temps, de la vie si fragile et si délicate qu'elle était comme l'autre main de Dieu — la main du crime de Kant enfin élucidé.

Je n'avais parlé de cette expérience qu'à Nadia.

Elle allait m'accompagner tout au long de mon processus de conversion, m'aider à lire le Coran, m'expliquer les prières, répondre à mes questions innombrables et m'apprendre enfin à prononcer correctement la formule rituelle qui avait signifié ma conversion définitive.

Pour compléter mon apprentissage d'une religion qui, depuis que je croyais, depuis que je pratiquais, semblait devoir m'échapper de plus en plus, Nadia m'a renvoyé vers des forums — dans lesquels elle écrivait peut-être sous pseudonyme.

Un fil de conversation, qui devait spécialement me marquer, s'appelait *La stase du temps*. Celui qui l'avait lancé commençait par répondre, comme pour s'échauffer, aux traditionnels reproches adressés aux messages anachroniques que pouvait véhiculer le Coran, en expliquant qu'il fallait considérer celui-ci comme un manuel d'interprétation mobile que les croyants devaient apprendre à déplacer sur l'axe du temps. Le croyant bénéficiait ainsi, par rapport au non-croyant, d'un inestimable privilège : il pouvait jouir à la fois du spectacle du monde et d'une grille de lecture stable, il échappait au paradoxe infernal de la modernité, ce relativisme universel qui se considérait lui-même comme tellement hors du temps qu'il aurait été, de façon providentiellement magique, la seule vérité non relative de l'histoire — la contradiction était évidente. La révélation, précisément car elle était intrinsèquement datée, n'était pas atteinte par ce paradoxe. Mieux encore, elle était à l'abri du scepticisme précisément en tant qu'elle était historique — autrement dit en tant qu'elle n'était pas achevée. Les versets du Coran devaient être comparés aux lignes d'un programme informatique, qui possédaient, en plus de leur sens logique immédiat, souvent incomplet, un sens plus global qui ne pouvait être révélé que de façon séquentielle. Les versets du Coran, sans subir aucune modification de leur structure, généraient des interprétations toujours plus riches et plus complexes : la foi était un processus algorithmique et exponentiel. Cette dernière expression était trop singulière pour n'être pas de Nadia, ou directement inspirée par elle.

J'étais en pensée avec elle, j'étais devenu musulman et j'étais enfin guéri, grâce à elle, grâce à Dieu, de cette dialectique épuisante qui voulait opposer, sans fin et sans raison, progrès et réaction, passé et futur. J'étais redescendu dans la grotte du temps, au lieu où tout était encore simple, où nous vivions simplement, dans l'ordre, la succession des événements qui formaient le monde, et que Dieu avait bien voulu nous montrer pour nous divertir du néant — du néant et des répétitions sans fin des mauvais messianismes et des chantiers sans but de la modernité.

Le monde était une procession superbe et enveloppante. Un anachronisme du néant, comme venait de l'écrire, dans une intuition fulgurante, un commentateur.

La suite de l'argumentation se perdait un peu dans le fil de la conversation, qui confrontait l'auteur du message initial à deux ou trois autres commentateurs.

L'anachronisme des écritures les fascinait tout particulièrement.

Le Coran était en soi une énigme littéraire et l'un d'eux envisageait par exemple que la religion ne soit rien d'autre qu'un antivirus destiné à protéger le Livre sacré des atteintes du temps, avant de proposer un temps l'explication inverse : la pratique religieuse comme une sorte de gigantesque bobine de cuivre destinée à rendre au Livre, un peu épuisé, sa nature magnétique.

La révélation devait quoi qu'il en soit être valable pour les contemporains du Prophète comme pour ceux qui n'auraient rien connu de leurs conditions de vie.

C'était en réalité une religion peu liée à la nostalgie des origines — ou bien à des origines fantasmées, universelles et frugales. L'islam n'était pas la religion d'une civilisation, ni celle d'un mode de vie particulier ; c'était une religion qui respectait les aspects les plus fondamentaux de la vie humaine, qui rendait grâce à la fertilité de la terre, à l'existence, même au cœur d'un des déserts les plus hostiles du monde, de ressources suffisantes pour le maintien de la vie humaine. L'islam était le culte naturel rendu, par une espèce évoluée consciente, à ses conditions d'existence.

L'islam était une religion du désert et des métropoles.

La grande geste moderniste, soudain, celle dont j'avais, à Adrar, porté les derniers moments, toute cette dialectique du sable et du béton, de la tente et du gratte-ciel, de la table rase et de la ville vertigineuse, tout cela avait perdu son importance et n'existait presque plus pour moi. Mon orgueil urbanistique était rétrocédé à Dieu — le parcours était terminé.

Les travaux de la première boucle du Grand Paris Express allaient bientôt commencer à la pointe sud du 93. La métropole du Grand Paris serait, elle, créée à la fin de l'année prochaine.

Je n'en tirais aucune fierté car j'étais désormais incapable de m'en attribuer la paternité. Les villes n'étaient pas faites par les hommes.

Ces entités encloses sur leur seul mystère avaient été pour moi les plus beaux objets de l'univers, les seuls objets peut-être — objets fermés et autonomes qui permettaient la coexistence harmonieuse des hommes et des choses. Elles étaient Dieu, je crois, dans le système païen et fou, dans cette étrange dérive intellectuelle dont Machelin, le dernier des modernes, avait été l'initiateur.

Mais ces objets appartenaient à Dieu.

Les villes inexplicables ont été déposées sur la terre pour l'agrément des hommes par les mains délicates et transparentes de Dieu — transparentes et délicates car ce Dieu naturel, qui appartient à

506

l'ordre des causes et à qui suffit le miracle d'avoir créé le monde, ne se montre jamais que dans ses effets. Nous sommes dans les villes comme suspendus aux branches d'un arbre, vivant au cœur de ses fruits et lentement balancés par le vent. Nous ne vivons plus sur la terre depuis que nous vivons dans les villes, nous vivons dans les airs et dans l'esprit de Dieu.

J'avançais, lentement, à travers la nuit lumineuse des forums.

À l'exception de Nadia, personne, pas même Pornier, ne savait pour ma conversion. Il avait rendu la sienne publique, peu de temps après le suicide de Locacelli — comme s'il n'avait plus rien à perdre. La chose s'était d'ailleurs plutôt bien passée. Il avait sauvé son siège aux municipales. Mais il avait cessé d'y croire. Je sentais que son ambition de prendre un jour la tête de la métropole était maintenant feinte et qu'elle était exclusivement vouée à faire croire aux habitants de Vaubron qu'ils avaient réélu un homme puissant et prometteur.

Je continuais pourtant à défendre sa candidature. Le tiers, peut-être la moitié du département lui était maintenant acquis. L'effondrement de la gauche aux municipales du printemps avait été miraculeux : Vaubron, jusque-là solitaire, se retrouvait au cœur d'un archipel de communes qui votaient dorénavant à droite. Pornier n'allait hélas pas pouvoir en profiter.

Il m'avait appris un matin, blême, mal rasé et les yeux rougis par une nuit de larmes, qu'il allait devoir démissionner de tous ses mandats politiques. Une enquête pour harcèlement sexuel et

507

tentative de viol venait d'être ouverte et les pièces du dossier étaient accablantes. Sa secrétaire avait reçu en quelques mois plus de vingt mille textos — à l'énoncé de ce nombre, je n'avais pas pu m'empêcher de sourire — dont un grand nombre comportaient des photos obscènes, puis rapidement, celles-ci étant restées sans réponse, des insultes et des menaces de mort. Plus grave, il aurait aussi eu de nombreux gestes déplacés, comme des massages des pieds qui auraient fini en masturbation — Pornier n'avait jamais caché son attrait pour la réflexologie plantaire, qui lui permettait d'exercer, plus ou moins librement, ses pulsions fétichistes. Il semblait en tout cas avoir pratiqué la chose avec de nombreuses collaboratrices.

Le scandale politique allait passionner tous les humoristes de France et engendrer plusieurs communiqués des instances officielles de la réflexologie française, injustement associées à des pratiques douteuses — confusion facilitée, il est vrai, par ces insolites représentations du corps humain vu par transparence à travers les pieds, versions exagérées du Christ couché de Mantegna qui servaient, dans de nombreux salons de massage à finition manuelle, d'alibi médical.

Rare privilège tant celui-ci s'était jusque-là tenu éloigné des affaires politiques françaises, se retenant même de critiquer son successeur, la presse avait rapporté une réaction indignée du Prince, qui déplorait les mœurs de sultan dépravé de son ancien ami, le vice-roi déchu de l'Île-de-France.

J'ai profité de toute cette agitation pour disparaître. J'ai vendu mon appartement pour emménager dans l'unique cité de Vaubron, située à mi-pente entre le canal et la colline sur laquelle était appuyé le vieux village — juste en dessous du plateau de Clichy-sous-Bois. Les tours de la copropriété étaient très dégradées, mais le cadre, étrangement bucolique, me plaisait. Je n'étais pas assez haut pour voir jusqu'à Paris, mais j'avais sous les yeux une grande partie du 93, dont je pouvais presque nommer chaque tour.

Avec les bénéfices de l'opération, le mètre carré se négociant ici presque cinq fois moins cher que de l'autre côté de Paris, j'ai participé au financement de la start-up de Nadia, qui allait probablement être rachetée par un géant du Web.

J'ai ainsi organisé un rendez-vous avec Graslin, parti chez Google, dont les bureaux parisiens occupaient un hôtel particulier de la Nouvelle Athènes. Il ne regrettait rien sinon cette absence de réformes majeures qui n'en finissait pas d'étonner tous ceux qui avaient cru à la rupture — le Prince, face à la crise, avait même renié les dogmes libéraux qui l'avaient fait élire.

Il demeurait, malgré tout, nostalgique de 2007, et pour cela, il était prêt à tout pardonner au Prince, même son retour, dont il était de plus en plus question. Lui ne replongerait pas, pas plus que Villandry, parti chez LVMH, ou que Garnier-Rivoire, le premier d'entre nous à avoir subi la disgrâce du Prince, et qui s'était replié au Conseil d'État. Nivelle, partie un peu après moi, était revenue faire la campagne de 2012, puis elle était repartie, après son jeu à somme nulle dans la politique — une victoire, une défaite —, dans les médias.

Aucun de nous, étrangement, n'avait fait de carrière politique.

Quelques-uns avaient été inquiétés par la justice pour des soupçons de financement occulte — notamment un invérifiable financement de la campagne de 2007 par Kadhafi. Berthier, après une courte carrière diplomatique, s'était à peine lancé dans les affaires qu'il avait été arrêté à la gare du Nord avec une mystérieuse valise d'argent liquide — peut-être une partie de la caisse noire, mystérieusement évaporée, de Locacelli.

La vie de cabinet et nos nuits au Triangle d'or resteraient sans doute pour la plupart d'entre nous les plus belles années de nos vies. J'étais en tout cas surpris de voir à quel point Graslin en était nostalgique.

À la toute fin de notre entretien, il avait voulu ajouter une dernière chose : il me tenait pour le plus heureux des anciens conseillers du Prince, le seul, en tout cas, qui ait été véritablement écouté et qui laisserait une trace de son passage.

Tout cela était maintenant trop loin. Je n'avais plus d'orgueil. Un Dieu miséricordieux m'avait guéri de toutes les démesures de ma vie passée.

Rencontrer ce Dieu avait été l'unique aventure de ma vie. Il était inutile d'essayer de me justifier. Graslin n'aurait pas compris, personne ne m'aurait compris : l'islam, le rejet de l'islam, était devenu si structurant pour la société française que je pressentais que rien de ce que je dirais ne pourrait être compris. C'est de cette minute que date mon projet, un peu ridicule, de raconter mon parcours — de laisser, quelque part, un témoignage de ma vie, pour que celui qui aurait la patience d'en comprendre les principales étapes puisse me juger équitablement.

J'avais encore à cet instant le sentiment de trahir le Prince.

Peut-être, aussi, de trahir mon camp, et peut-être même de trahir la France — de trahir les miens, quels qu'ils puissent être : mes amis de Colombes, de Rueil et de Cergy, ceux de la campagne de 2007, mes ancêtres chrétiens, du côté de ma mère, ou du côté de mon père, cette longue litanie d'ingénieurs secs et froids, républicains et anticléricaux.

On vient de lâcher à travers les marnes aveugles et les gypses éblouissants du Bassin parisien les tunneliers destinés à découper la figure parfaite du Grand Paris Express ; on installera bientôt la machinerie mobile qui permettra à la ville de glisser sur elle-même, de s'entrepénétrer et de traverser le temps, comme les géodésiques dansantes d'une hypersphère.

Réfugié dans un appartement vide, je suis heureux pour la première fois depuis des années, heureux comme je ne l'ai plus été depuis mes jeux tardifs avec la cité miniature que j'avais construite pour mes Playmobil derrière les murs du jardin de Colombes, me préparant, lentement, très lentement, à rejoindre le défilement lointain du monde.

J'avais rejoint le monde et j'ai maintenant peu de souvenirs de cette époque.

J'ai si peu de souvenirs qu'ils sont presque tous rassemblés ici, de façon chronologique. Ces pages sont tout ce dont je me souviens. Ma vie passée est ici tout entière et je n'ai pas cherché à la rendre théâtrale. Dieu, sans doute, y apparaît très tard. Je n'ai pas voulu inventer des signes ni exagérer Sa présence : Il a longtemps été absent de ma vie et je ne peux pas affirmer absolument que j'ai souffert de cette absence.

Ce serait donner à ma vie une forme qui lui fait défaut, ce serait doter mon récit d'une structure cachée, d'un motif obsédant. Cela ne serait pas entièrement honnête. Cela ne serait pas fidèle à la grâce qu'Il m'a faite.

Il ne m'a pas manqué ; c'est moi qui aurais pu Le manquer. J'éprouve, à seulement l'écrire, un vertige effrayant. Je ne sais pas s'Il existe. Il ne m'appartient pas de le savoir. Je sais seulement que l'idée qu'Il pourrait ne pas exister ne m'est plus supportable.

J'ai renoncé, sans doute pour toujours, à la politique, mais je suis resté, je crois, urbaniste : je suis au cœur de la ville et je tente de réparer les choses qui me sont proches — j'ai rejoint ce qu'on appelle la société civile et le milieu associatif. J'ai ainsi créé, avec le soutien de Nadia, une association d'entraide islamique.

Nadia, après avoir vendu sa start-up, s'est lancée dans son grand projet de réforme de la finance islamique, en investissant tous ses gains dans un fonds d'investissement dont elle a pris la présidence. C'était celui que le Prince aurait dirigé s'il n'avait pas annoncé son retour à l'automne, et dont les avoirs étaient essentiellement investis dans des biens immobiliers du triangle d'or. Elle tente aujourd'hui de le réorienter vers des avoirs plus spéculatifs, notamment liés aux travaux du Grand

Paris Express, dont son fonds est devenu l'un des premiers financeurs, via des projets immobiliers situés dans le périmètre de ses futures gares — plusieurs complexes laissés à l'abandon depuis la mort de Locacelli ont ainsi été sauvés de la faillite.

Elle est devenue, à sa manière, discrète et efficace, un personnage public et le visage officiel de la finance islamique. J'ai une existence beaucoup plus obscure : je fréquente quotidiennement la mosquée voisine, je participe à des réunions et à des conseils de quartier.

J'évite les médias et mes anciens amis.

Je suis devenu un habitant anonyme du Grand Paris.

J'apprends l'arabe et je m'apprête, une fois ce récit terminé, à rejoindre La Mecque. Je le distribuerai, à mon retour, dans mon entourage proche — des hommes pieux et discrets, pour moitié des convertis, qui forment autour de moi une sorte de confrérie informelle. J'en déposerai peut-être quelques exemplaires anonymes dans des librairies islamiques. La chose ressemblera assez, je l'espère, à l'un de ces gros dictionnaires touareg-français aperçus jadis dans l'ermitage de Béni Abbès.

Partout, en ce moment, invisibles, des tunneliers avancent en sous-sol et posent les voussoirs sur lesquels reposera bientôt la métropole immense. J'aurai si tout va bien un peu plus de cinquante ans quand le dernier tronçon du Grand Paris Express sera achevé.

J'habiterai peut-être toujours ici, à moins de dix minutes à pied du réseau automatique, dans un quartier jadis enclavé et dont le nom, longtemps craint, sera devenu celui d'une des gares du Grand Paris Express, dans ce qui avait été le 93, et qu'on appellera enfin Paris.

Le Grand Paris Express

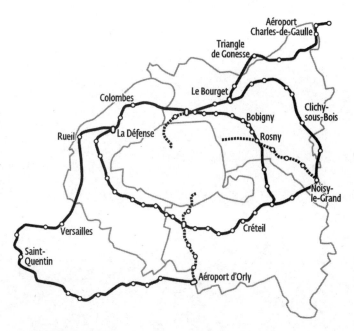

Aéroport Charles-de-Gaulle
Triangle de Gonesse
Colombes
Le Bourget
Bobigny
Clichy-sous-Bois
Rueil
La Défense
Rosny
Versailles
Noisy-le-Grand
Saint-Quentin
Créteil
Aéroport d'Orly

— Grand Paris Express
······· Prolongement de lignes existantes
o Nouvelles gares

DU MÊME AUTEUR

Aux Éditions Gallimard

LA THÉORIE DE L'INFORMATION, *roman*, 2012
(Folio n° 5702).

L'AMÉNAGEMENT DU TERRITOIRE, *roman*, 2014
(Folio n° 6049), prix de Flore 2014, prix Amic de l'Académie
française 2015 et prix du Zorba 2014.

LE GRAND PARIS, *roman*, 2017 (Folio n° 6519).

EURODANCE, *théâtre*, 2018.

Aux Éditions Léo Scheer

HOUELLEBECQ ÉCRIVAIN ROMANTIQUE, 2010.

Aux Éditions de la Ménagerie

LA FÊTE, aquarelles de Thomas Lévy-Lasne, 2017.

COLLECTION FOLIO

Composition IGS-CP à L'Isle-d'Espagnac (16).
Impression ⬛ Grafica Veneta
à Trebaseleghe, le 8 août 2018
Dépôt légal : août 2018

ISBN : 978-2-07-279345-5./Imprimé en Italie